RHÉTORIQUE DE LA LECTURE

MICHEL CHARLES

RHÉTORIQUE DE LA LECTURE

ÉDITIONS DU SEUIL
27, rue Jacob, Paris VI

CE LIVRE
EST PUBLIÉ DANS LA COLLECTION
POÉTIQUE
DIRIGÉE PAR GÉRARD GENETTE
ET TZVETAN TODOROV

ISBN 2-02-004670-9

Un suffisant lecteur descouvre souvant és escrits d'autruy des perfections autres que celles que l'autheur y a mises et apperceües, et y preste des sens et des visages plus riches.

MONTAIGNE

Avant-propos

La lecture est une expérience et se trouve, en tant que telle, soumise à un ensemble de variables qui ne peuvent *a priori* relever de la théorie de la littérature. Dans le grand jeu des interprétations, les forces du désir et les tensions de l'idéologie ont un rôle décisif. *Il reste* que ce jeu n'est possible que dans la mesure où les textes le permettent. Cela ne signifie pas qu'un texte autorise n'importe quelle lecture, mais simplement qu'il est marqué d'une essentielle *précarité*, qu'il a lui-même du *jeu*. Ici, peut-être, un espace à explorer. La lecture, telle qu'il en sera question dans ce livre, ou telle qu'elle y sera en question, est un objet construit (à construire). Il ne s'agit pas d'étudier les lectures réellement pratiquées de telle ou telle œuvre à telle ou telle époque. Il s'agit d'examiner comment un texte expose, voire « théorise », explicitement ou non, la lecture ou les lectures que nous en faisons ou que nous pouvons en faire; comment il nous laisse libres (nous *fait* libres) ou comment il nous contraint.

La lecture plutôt que le lecteur (comme on dirait, par exemple, la narration plutôt que le narrateur) : c'est un procès complexe qui sera examiné; le lecteur — tel que le définit (ou peut ne pas le définir) le texte — est un rôle, n'est qu'un rôle. La lecture est une relation : on ne peut qu'artificiellement isoler le livre et le lecteur. L'intervention du lecteur n'est pas un épiphénomène. Dans la lecture, par la lecture, tel texte se constitue comme littéraire; pouvoir exorbitant, mais compensé par ce fait que le texte « ordonne » sa lecture. Il conviendra de s'interroger sur cette opération. Dans cette mesure, le travail (l'exploration) qui suit relève bien de ce qu'on appelle la poétique. C'est en effet par ce biais que la théorie de la littérature peut et doit avoir son mot à dire sur la lecture : elle devrait permettre de définir ici les grandes lignes d'une problématique spécifique — prélude, peut-être, à un travail plus vaste où d'autres disciplines (et d'autres auteurs) interviendraient pour déterminer selon quelles modalités on tire ou non parti des lectures possibles. On s'en tiendra ici à ce fait essentiel : la lecture fait partie du texte, elle y est inscrite.

9

Plus précisément, ce travail voudrait, *à partir de la poétique*, définir *un projet rhétorique*. Si je retiens et revendique ici ce terme de rhétorique, lourd d'un passé pas toujours honorable — ce terme que l'on peut dire « suspect » —, c'est parce qu'il m'apparaît, tout compte fait, comme le meilleur pour désigner *une théorie de l'efficacité du discours*. Or, poser le problème de la lecture, c'est inévitablement envisager un processus où des *forces* sont en jeu. Un ensemble rhétorique se trouve ainsi au centre, au carrefour, d'analyses littéraires et les informe. Il s'agit, pour élaborer une rhétorique de la lecture, de pratiquer une (re)lecture de la rhétorique qui permette de ressourcer la poétique.

La lecture. Objet massif, énorme, omniprésent, dont l'analyse ici sera nécessairement fragmentaire, donnant lieu à un ensemble de questions plutôt qu'à des « thèses ». Cette étude jouera de curieuses « croisées » de textes : la plupart sont voulues ; il en est sans doute de fortuites — la part du lecteur.

Un dernier mot : parler (écrire) de la lecture ne va pas sans paradoxe. On le cultivera peut-être un peu ; somme toute, fort peu : pour « s'y mettre » seulement ; et quant au reste, par le biais du montage ou du *dispositif* des analyses qui suivent.

1. Ouvertures croisées

O gens de bien, je ne peulx vous voir! RABELAIS

Que ne puis-je regarder à travers ces pages
séraphiques le visage de celui qui me lit.

LAUTRÉAMONT

...rien n'est sûr, en matière d'action sur les
esprits.   VALÉRY

1. La catégorie de l'illisible

La première strophe des *Chants de Maldoror* sera l'objet de ces premières pages. Ce texte est suffisamment connu ou fréquenté pour qu'il soit possible ici de le présenter dès l'abord selon un découpage syntaxique simple qui facilitera l'exposé. Cette étude joue sur trois registres. Elle propose l'analyse d'une page de Lautréamont, et elle se sert de cette analyse à deux fins : pour formuler, sur quelques points, le mode de fonctionnement d'un texte ; pour tracer les grandes lignes d'une problématique à laquelle je reviendrai constamment. C'est pourquoi au cours de cette lecture fragmentée seront faites, sous la forme de trois *Notes* et de trois *Remarques*, des propositions sur *une* rhétorique (celle de Ducasse) et des propositions sur *la* rhétorique. On trouvera enfin çà et là des citations errantes dont la fonction est d'étoiler la page. On fera de ces propos abrupts ce que l'on voudra — ce qui, d'ailleurs, est dans la logique même de cette étude.

(I.1) Plût au ciel que le lecteur, enhardi et devenu momentanément féroce comme ce qu'il lit, trouve, sans se désorienter, son chemin abrupt et sauvage, à travers les marécages désolés de ces pages sombres et pleines de poison ;
(I.2) car, à moins qu'il n'apporte dans sa lecture une logique rigoureuse et une tension d'esprit égale au moins à sa défiance, les émanations mortelles de ce livre imbiberont son âme comme l'eau le sucre.

(II.1) Il n'est pas bon que tout le monde lise les pages qui vont suivre ;
(II.2) quelques-uns seuls savoureront ce fruit amer sans danger.

(III) Par conséquent, âme timide, avant de pénétrer plus loin dans de pareilles landes inexplorées, dirige tes talons en arrière et non en avant.

(IV.1) Écoute bien ce que je te dis : dirige tes talons en arrière et non en avant, comme les yeux d'un fils qui se détourne respectueusement de la contemplation auguste de la face maternelle;
(IV.2) ou, plutôt, comme un angle à perte de vue de grues frileuses méditant beaucoup, qui, pendant l'hiver, vole puissamment à travers le silence, toutes voiles tendues, vers un point déterminé de l'horizon, d'où tout à coup part un vent étrange et fort, précurseur de la tempête.

(V) La grue la plus vieille et qui forme à elle seule l'avant-garde, voyant cela, branle la tête comme une personne raisonnable, conséquemment son bec aussi qu'elle fait claquer, et n'est pas contente (moi, non plus, je ne le serais pas à sa place), tandis que son vieux cou, dégarni de plumes et contemporain de trois générations de grues, se remue en ondulations irritées qui présagent l'orage qui s'approche de plus en plus.

(VI.1) Après avoir de sang-froid regardé plusieurs fois de tous les côtés avec des yeux qui renferment l'expérience, prudemment, la première (car, c'est elle qui a le privilège de montrer les plumes de sa queue aux autres grues inférieures en intelligence), avec son cri vigilant de mélancolique sentinelle, pour repousser l'ennemi commun, elle vire avec flexibilité la pointe de la figure géométrique (c'est peut-être un triangle, mais on ne voit pas le troisième côté que forment dans l'espace ces curieux oiseaux de passage), soit à bâbord, soit à tribord, comme un habile capitaine;
(VI.2) et, manœuvrant avec des ailes qui ne paraissent pas plus grandes que celles d'un moineau, parce qu'elle n'est pas bête, elle prend ainsi un autre chemin philosophique et plus sûr.

I. D'UNE RUPTURE

Le lecteur à la croisée des chemins.

Cette page fait-elle partie du livre ? Matériellement, elle lui appartient, mais elle en diffère en ce qu'elle doit pouvoir être lue par « tout le monde ». Ce parcours est commun à celui qui lira le livre et à celui qui ne le lira pas; à son terme, un carrefour : d'un côté, un chemin « abrupt et sauvage » (I. 1); de l'autre, un chemin « philosophique et plus sûr » (VI. 2).

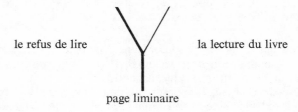

le refs de lire   la lecture du livre

page liminaire

Y. I. *Le choix entre le bien et le mal.* SOURCES. On attribue à Pythagore l'idée de voir dans la vingtième lettre de l'alphabet grec, l'upsilon, dont la majuscule (Y) présente deux branches divergentes, l'une pleine, l'autre déliée, sur une haste commune, une image de la vie humaine et du choix qu'elle impose entre le bien et le mal. Cumont écrit à ce propos [...] : « A une date qu'il est difficile de préciser, mais qui est probablement fort ancienne, les Pythagoriciens, selon leur coutume, rendirent sensible aux yeux par une figure l'apologue des deux routes divergentes. Ce symbole fut la lettre Y, dont la haste verticale se bifurque à mi-hauteur. Elle offrait pour eux une représentation de la vie humaine : jusqu'à l'âge de seize ans elle est commune à tous ; l'enfant, soumis à la direction de son pédagogue, n'a pas encore à choisir entre la vertu et le vice. Mais, quand il atteint l'adolescence, deux chemins se présentent à lui : l'un à gauche lui offre une descente commode, mais il aboutit à un précipice, où tombe celui qui a le malheur de le suivre : c'est la voie du plaisir ; l'autre, à droite, au contraire, est d'abord raboteux et montant ; c'est l'âpre route de la vertu, mais celui qui atteint le sommet de la pente raide peut s'y délasser de ses fatigues. » On peut ajouter que la voie de gauche est plus large que celle de droite, laquelle représente donc l'« étroit sentier qui monte et qui n'est point battu ».

G. DE TERVARENT, *Attributs et Symboles dans l'art profane, 1450-1600*

Le choix entre les deux chemins se fait à partir d'une évaluation des risques. Si l'on choisit de lire, on risque de se perdre dans le livre ou d'être absorbé par lui. La lecture exige du lecteur des qualités particulières : hardiesse, férocité, logique, tension d'esprit, défiance.

Si le danger que comporte la lecture est fortement souligné, le bénéfice qu'on en tirera est à peine esquissé : « quelques-uns seuls savoureront ce fruit amer sans danger ». Au mieux, une saveur étrange. La seule chose, donc, qui puisse inciter le lecteur à lire la suite est la curiosité; ou le *goût* du risque. C'est un défi qui est ici lancé et, en dernière analyse, plus nette sera l'interdiction, plus grand sera le désir de passer outre. Tout peut, par ce biais, être joué d'avance.

Les premières phrases proposent une typologie des lecteurs et des lectures. Apparemment, trois lecteurs : 1) celui qui saura lire le livre, 2) celui qui s'y perdra, 3) celui qui ne le lira pas. Et trois lectures : 1) la traversée du livre, 2) la désorientation, 3) le recul. Le dernier cas pose un problème : si le lecteur timide doit *reculer* (« dirige tes talons en arrière et non en avant »), c'est qu'il s'est déjà engagé sur le chemin difficile de la lecture. Il est d'abord question des « pages *qui vont suivre* » (II. 1), mais le conseil donné à ce lecteur de ne pas « pénétrer *plus loin* » dans le livre (III) implique qu'il s'y est risqué. En toute rigueur, d'ailleurs, dans la phrase (III), le recul du lecteur n'exclut pas qu'il lise le livre : « *avant de* pénétrer plus loin [...] » (« avant de » et non « au lieu de »). Non seulement celui qui ne lira pas le livre a déjà lu *du* livre, mais son refus de lire n'est peut être que provisoire.

Cette page ne remplit donc pas sa fonction d'avertissement : elle n'est pas elle-même sans danger. Pour revenir à notre figure, nous dirons que cet Y est un V : le choix est à faire dès les premières lignes du texte. Et, dès le début, le lecteur est en réalité sur le chemin difficile. L'alternative proposée n'est pas : lire ou ne pas lire, mais : se perdre ou ne pas se perdre dans la lecture.

La contradiction.

Cette alternative est diversement figurée au long du texte. Les métaphores et comparaisons jouent ici sur deux registres : celui du mouvement et celui de l'absorption. Au centre, un énoncé littéral (« Il n'est pas bon que tout le monde lise les pages qui vont suivre ») sert de référence aux variations figurales selon le modèle suivant :

(I.1) .... la lecture comme mouvement

(I.2) .... la lecture comme absorption

(II.1) .... *la lecture comme telle*

(II.2) .... la lecture comme absorption

(III, IV, V, VI) .... la lecture comme mouvement

La construction en chiasme est confirmée par des jeux d'opposition précis : (I. 1), c'est la traversée du livre; (III, IV, V, VI), le recul devant le livre; (I. 2), c'est l'absorption du lecteur par le livre; (II. 2), l'absorption du livre par le lecteur. *Structuralement*, il n'y a donc effectivement pas trois possibilités, mais deux : le recul devant le livre est dans le registre du mouvement ce que l' « imprégnation » du lecteur par le livre est dans le registre de l'absorption. Les figures de l'absorption explicitent les figures du mouvement qui les encadrent. La question est dès lors à peu près la suivante : lequel mangera l'autre ? ou (variante) : lequel lira l'autre ?

Cette question suppose évidemment que le lecteur et le livre soient à chaque instant soigneusement distingués, c'est-à-dire que les figures du lecteur et celles du livre ne puissent jamais être confondues. Dans cette histoire, il faut savoir qui fait quoi. Pour dire les choses vulgairement, si nous « perdons » dans l'analyse notre lecteur, c'est peut-être qu'il se sera perdu, qu'il aura été mangé, subrepticement. (Et nous avec.) Or, on sait qui fait quoi le temps de trois phrases, les trois premières (mais, nous le verrons, les trois premières seulement). Car il se trouve que le lexique du livre, du lecteur, de la lecture, est concentré dans ces quelques lignes : « lecteur » (I. 1), « lire » (I. 1, II.1), « lecture » (I. 2), « pages » (I. 1, II. 1), « livre » (I. 2). Dans ce début, les anomalies lexicales sont *interprétées* comme métaphores du livre, du lecteur, de la lecture : le lecteur-voyageur parcourt un livre-marécage, le lecteur-mangeur savoure un livre-fruit... Dans la comparaison de la première phrase (I. 2), les comparants sont immédiatement traductibles selon un rapport d'analogie : l'eau est au sucre ce que le livre est au lecteur. Dans tous ces cas, il y a coprésence du littéral (livre, lecteur, lire) et du figuré. C'est pourquoi j'ajoute aux deux premières phrases la troisième, où la désignation du livre est encore explicite (« dans *de pareilles* landes inexplorées »).

REMARQUE I.
Je considère ces trois premières phrases comme interprétables. *Je veux dire par là qu'elles sont codées : ici, par juxtaposition de divers lexiques dont l'un est donné comme lexique de référence, dans lequel les autres sont traductibles. (A aucun moment, on ne « perd de vue » les positions respectives du lecteur et du livre.) J'oppose cette catégorie de l'interprétable à celle du* descriptible. *Est descriptible un texte qui ne donne pas cette référence. Il va de soi qu'un texte descriptible peut être interprété mais, dans ce cas, c'est le lecteur qui apporte (importe) la référence; il va de soi qu'un texte interprétable peut être décrit mais, dans ce cas, les hiérarchies lexicales sont effacées. En bref, l'opposition description/interprétation me paraît répondre (dans la critique) à une opposition repérable à partir d'une typologie des discours.*

Dans les trois dernières phrases, deux comparaisons explicitent et développent le conseil donné au lecteur timide. La première est introduite par une reprise littérale : « dirige tes talons en arrière et non en avant »; reprise fortement soulignée par « Écoute bien ce que je te dis ». La « timidité » du lecteur y est réinterprétée en « respect », dans une situation hiérarchisée fils/mère qui renvoie au comparant lecteur/livre. Mais cette identification masque une différence. La comparaison introduit en effet un motif qui jouera un rôle décisif dans la suite du texte : celui du regard. Or, si la lecture est métaphoriquement mouvement ou absorption, elle est littéralement activité de la vue. On a donc ici une résurgence, *dans le comparant* même, d'un énoncé littéral : « comme *les yeux* d'un fils qui se détourne respectueusement de *la contemplation* auguste de la face maternelle ». Cette modification de la structure figurale est contemporaine de l'apparition d'un « je » (« ce que *je* te dis »), « je » complice du lecteur qui ne devra pas lire (du fils) et non je-auteur (ou père). Tout se passe donc paradoxalement comme si la « vraie » lecture était celle assumée à la fois par le lecteur timide et par l'instance responsable du texte, le « je » de l'auteur. Notons dès maintenant que la deuxième intervention du « je » (V) ne fera que confirmer cette analyse : « (moi non plus, je ne le serais pas *à sa place*) ». La référence à la réalité du lire se marque ainsi discrètement, mais sans que soit modifié le schéma initial fondé sur un rapport binaire lecteur-livre; la place de l'auteur (ou du père) reste vide — serait-elle à prendre ?

> (c'est peut-être un triangle, mais on ne voit pas le troisième côté que forment dans l'espace ces curieux oiseaux de passage) LAUTRÉAMONT (ici même)

C'est avec la seconde comparaison que s'effectue la rupture, et le « ou, plutôt, comme... » fonde décisivement une contradiction. Mouvement contradictoire : « dirige tes talons *en arrière* » / « comme un angle [...] qui [...] vole [...] *vers* un point déterminé de l'horizon ». Le lecteur-fils s'opposait au livre-mère comme /masculin/*vs*/féminin/ /plus jeune/*vs*/plus vieux/, /inférieur/*vs*/supérieur/. Or, la grue qui conduit le vol (le lecteur, en principe) a en commun *avec la mère* le sexe (au moins grammatical!), l'âge, la position hiérarchique. On notera enfin que l'« âme *timide* » est « devenue » un vol *puissant* (IV. 2). Ainsi dans le couple grue/vent (ou orage) qui ordonne le second comparant, il n'est possible de retrouver ni le couple fils/mère qui ordonnait le premier comparant, ni, par conséquent, le couple lecteur/livre du comparé commun.

Cette contradiction est renforcée par ce que j'appellerai une *inversion comparative*. La grue est « comme une personne raisonnable » (V), elle vire « comme un habile capitaine » (VI. 1); « elle n'est pas bête » (VI. 2). Du point de vue sémantique, l'opposition humanité/animalité (la seule a différencier la grue de la mère) est ici levée ; du point de vue formel, le deuxième comparant (la grue) devient le comparé d'un troisième comparant (la personne raisonnable, l'habile capitaine) qui renvoie à la première comparaison (le lecteur-fils et sa mère). La grue est ainsi figure à la fois du lecteur *et* du livre, du fils *et* de la mère. *La description du vol des grues annule l'opposition lecteur-livre ;* le souhait initial est réalisé : le lecteur est devenu... comme ce qu'il lit.

Ces jeux sont permis par l'autonomie syntaxique du récit final, par la substitution à une comparaison de ce que j'appellerai un récit allégorique. Il faut ici revenir sur le mécanisme de transition : le lecteur timide qui détourne son regard est d'abord comparé à « un angle à perte de vue de vue de grues frileuses ». La forte opposition des mouvements que nous avons relevée plus haut ne doit pas dissimuler le caractère très progressif de la transition du point de vue sémantique : « à perte de vue » fait écho au regard détourné, « frileuses » à « timide ». C'est la rupture syntaxique qui produit la contradiction. Dans la dernière phrase, en effet, « l'angle... de grues frileuses » fait l'objet d'une description détaillée qui met sur le devant de la scène la grue d'avant-garde, substituant peut-être ainsi le livre au lecteur. De plus, l'indépendance de cette phrase permet de séparer les deux mouvements (« voler vers un point déterminé » / « virer » et « prendre un autre chemin »); elle exhibe ainsi la contradiction sémantique que j'ai décrite.

Le récit final acquiert de ce fait un statut ambigu. On ne peut affirmer que le vol des grues, *c'est* le lecteur, pas plus que l'on ne peut dire que *c'est* le livre. Ce récit ne comporte pas d'indicateurs de figures qui permettraient de tracer un partage littéral/figuré. Un seul et unique objet est offert à la lecture : une figure (« la figure géométrique », VI. 1) en mouvement (le virage, *ibid.*)

Note 1.

La duplication de la comparaison (« comme [...] ou, plutôt, comme [...]») est l'amorce d'un processus qui s'achèvera (au cours des derniers *Chants*) dans une forme fixe : « (beau) comme [...] ou encore,

comme [...] ou plutôt, comme [...] et surtout, comme [...] ». Je ne
soulignerai ici que deux traits de ces structures comparatives :
l'aspect citationnel ou quasi citationnel des comparants et l'importance de l'enchaînement (*hésitation :* comme [...] ou encore comme;
et *gradation :* ou plutôt comme [...] et surtout comme). L'aspect
citationnel des comparants « décourage » la motivation; inversement,
l'hésitation et la gradation dans l'enchaînement des modalisateurs
imposent à la lecture de motiver fortement le choix des comparants.
Un lien thématique faible (ou nul ?) est compensé par un lien syntaxique fort. C'est la situation discursive où « le travail de la lecture »
importe le plus : les différents rapports sémantiques mis en jeu par
le procès comparatif, et surtout, dans ce cas, les rapports *entre les
différents comparants*, sont à la charge du lecteur.
Ici le « découpage » syntaxique — rupture entre (IV.2) et (V) —
donne au second comparant une *autonomie formelle* et produit des
phénomènes de discordance (A recule comme B se dirige vers) qui,
ailleurs (dans les deux derniers chants), seront directement produits
par l'*autonomie thématique* des comparants. Ni dans un cas, ni
dans l'autre, le procès comparatif ne donne lieu à un continuum
discursif. Plus précisément, ce continuum n'est pas « déjà là ».
La structure de la comparaison et le privilège donné à cette figure dès
la première page des *Chants* s'expliquent dans l'économie générale
de l' « œuvre » (des « œuvres » ?) de Ducasse. Cette figure permet en
effet de fragmenter le texte en même temps qu'elle motive cette fragmentation. L'écriture ducassienne assemble *rigoureusement* des pièces
hétérogènes :
— Août 1868 : *** publie le Chant Premier de *Maldoror;* il y annonce
que « la fin du dix-neuvième siècle verra son poète *(cependant, au
début, il ne doit pas commencer par un chef-d'œuvre, mais suivre la
loi de la nature)* » (*Chants*, I, 14).
— Été 1869 : le comte de Lautréamont fait imprimer les six chants
de *Maldoror;* il a *corrigé* sur plusieurs points le premier chant; dans
cet ouvrage, « il » chante le mal, écrira Ducasse, « *comme* ont fait
Misçkiéwicz, Byron, Milton, Southey, A. de Musset, Baudelaire, etc. ».
« *Naturellement*, ajoute-t-il, *j'ai un peu exagéré le diapason* [...] »
(Lettre à Verboeckhoven, 23 octobre 1869). C'est « le *commencement
d'une publication* qui ne verra sa fin évidemment que plus tard, lorsque
j'aurai vu la mienne ». Ailleurs, parlant des philosophes et des poètes
maudits, et du *Problème du mal* d'Ernest Naville : « [...] *je reprends
avec plus de vigueur* que mes prédécesseurs cette thèse étrange [...] »
(au même, 27 octobre 1869).
— Février 1870 : Ducasse parle à son banquier d'un ouvrage à
paraître, où il veut « *corriger* dans le sens de l'espoir » les poésies des
grands auteurs du siècle, ainsi que quelques-unes de ses propres
« pièces ».
— Avril 1870 : Ducasse fait paraître *Poésies I*, « *publication perma-*

nente »; il dédie à des amis et à son ancien professeur de rhétorique
« *les prosaïques morceaux qu'*[*il écrira*] *dans la suite des âges, et
dont le premier commence à voir le jour d'hui, typographiquement
parlant* ».
— Juin 1870 : Ducasse publie *Poésies II;* il y *corrige* des moralistes,
Hugo, Lautréamont.
— Novembre 1870 : Ducasse « voit sa fin », sa « publication » aussi.

Ce qu'on appelle par commodité l'œuvre de Lautréamont est une
production multiple : elle a trois auteurs (***, Lautréamont et
Ducasse) et elle est faite de « pièces » et de « morceaux »; sans fin
(le Chant *Premier* suppose les autres, les six Chants sont dits « commencement », *Poésies* « publication permanente »); et sans véritable
commencement (il s'agit toujours de « reprendre » des textes ou des
thèses, de faire « comme », ou bien de corriger soit les textes des
« autres », soit ceux, *mis au même rang*, de Lautréamont). Cette
reprise, on peut la nommer « parodie »; cette correction, Ducasse
l'appelle plagiat. C'est dire que l'opposition (apparente ou non)
entre les *Chants* et *Poésies* n'est qu'un accident particulièrement
voyant de ce parcours infini — un changement de « genre » pourrait-on dire —, une correction parmi d'autres. Le seul trait commun
de ces textes est leur *discontinuité* même.
La première strophe des *Chants* est le premier exemple du fonctionnement de cette discontinuité. Elle crée une double confusion entre
le livre et le lecteur, et entre le lecteur et le narrateur, nécessaire à
la suite de l'entreprise. Dans ce texte rompu, c'est toujours un autre
qui parle. Le « je » n'opère que sur la *disposition* des fragments.

REMARQUE II.

On est passé, du début à la fin de cette première page des Chants,
*d'une rhétorique à une autre : un discours traductible a été transformé
en un texte intraductible. L'insertion de fragments littéraux dans les
comparants (le motif du regard), l'inversion comparative, les contradictions sémantiques détruisent la hiérarchie de niveaux de lecture
soigneusement élaborée dans les premières phrases. Les phrases (V) et
(VI) se donnent comme une suite des figures du livre, mais ne peuvent
rigoureusement s'analyser dans cette perspective. Pour reprendre la
formulation de ma première remarque je dirai que nous avons ici un
texte descriptible.*

Nous avons donc perdu le lecteur. Le problème initial a été radicalement transformé : s'agit-il encore du livre, du lecteur et de la lecture ?
S'agit-il du lecteur comme grue (selon la syntaxe) ou de la grue comme
lecteur (selon le jeu des figures) ou de la grue comme livre (selon l'analyse sémantique) ? Texte paradoxal qui fait que le lecteur qui ne lira

pas est *déjà* lu par le livre (s'il est la grue), a *déjà* lu le livre (si la grue est le livre), dans l'instant même où il s'en détourne.

Dans cette dynamique et par elle se définit une nouvelle typologie des lectures et des lecteurs : le lecteur qui, lisant, ne lit pas, puisque la page est détournement du livre ; le « non-lecteur » qui, ne lisant pas, lit, pour la même raison.

L'espace de la lecture.

Nous avons vu que cette première page précède le livre *et* en fait partie, que le parcours commun à tous se réduit en fait à un *point*. La description de la rencontre des grues et de l'orage a cette même « ponctualité » et s'inscrit dans un espace prodigieusement rétréci ; à la limite, dans un « non-lieu ». L'avant-garde formée par la grue la plus vieille est distinguée du vol lui-même (ce V est un Y) ; de même, le vent est distingué de l'orage qu'il annonce ; le détour est un acte très précis de la grue, qui « vire [...] *la pointe* de la figure géométrique ». On peut ainsi « représenter » cette rencontre :

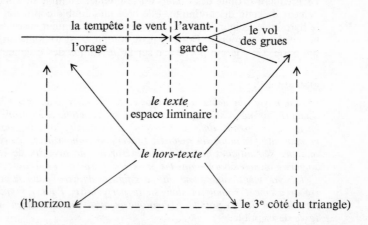

Lue comme « représentation », notre page se réduit à une sorte de ligne de démarcation entre deux régions invisibles, et, en toute rigueur, à un point sur cette ligne. Il n'y a peut-être ici *rien* à lire. J'y reviendrai.

> Grue... 4°. **Terme d'antiquité. Danse de la grue, sorte de branle inventé, dit-on, par Thésée, qui avait voulu peindre les tours et détours du labyrinthe de Crète, d'où il avait été tiré par Ariane; c'était une fille qui conduisait le branle.** LITTRÉ

Mouvements.

La page n'est que ce tour et ce détour. Elle est figure d'un mouvement. *En principe*, deux mouvements sont *possibles* : du lecteur au livre / du livre au lecteur :

1. Le lecteur comme sujet grammatical assigne au livre une fonction d'objet de lecture : « trouver son chemin à travers... »; « lire / savourer »; « pénétrer dans... »; « voler vers... »; « repousser » sont commandés par un sujet lecteur.

2. Le livre comme sujet grammatical assigne au lecteur une fonction d'objet de lecture : « imbiber », « partir de... », « s'approcher » sont commandés par un sujet livre.

En fait est décrit un troisième mouvement, produit par les deux autres : « diriger (ses) talons en arrière », « se détourner », « virer », « prendre un autre chemin ». Mouvement fondamentalement ambigu puisqu'il est à la fois celui de l'âme timide, du lecteur jeune et inexpérimenté, et celui de la grue, vieille, courageuse (« pour repousser l'ennemi commun ») et expérimentée; sous un autre aspect, celui d'un sujet lecteur et celui d'un sujet livre. Le récit terminal reprend des métaphores de ce mouvement : « branlement » de la tête, « ondulations » du cou.

On a signalé le recul comme avance (IV. 1 et 2) et, dans le même sens, la fuite pour « repousser l'ennemi ». Mouvement de *va-comme-vient* plus que de va-et-vient qui trouve son achèvement dans le tour ou détour final (VI. 1) : « elle vire la pointe », « elle prend un autre chemin » ne désignent strictement ni un aller ni un retour ou une fuite, pas même un effet de « désorientation » (I. 1), mais une obéissance au mouvement de la page qui est esquive et détour par rapport à l'horizon du livre.

Cette page, inscrite dans un espace liminaire, l'est du même coup dans un espace *labyrinthique*. On ne peut en effet *sortir* du livre puisqu'on n'y est pas véritablement *entré*. La « figure géométrique » est ici surdéterminée, si l'on considère que le vol des grues est figure autant du livre que du lecteur.

Le temps de la lecture.

Les trois lectures possibles que nous avions repérées dans le premier temps de cette analyse appartenaient à des dimensions temporelles différentes. Les lecteurs susceptibles de lire impunément le livre étaient évoqués au futur : « quelques-uns seuls savoureront ce fruit amer sans danger ». De même pour le lecteur dépourvu des qualités nécessaires à la lecture : « les émanations mortelles de ce livre imbiberont son âme comme l'eau le sucre ». Partage simple par lequel Lautréamont aurait choisi son public. Il reste que le seul lecteur auquel il s'intéresse n'appartient à aucune des deux catégories précédentes. Cette page n'est véritablement lue, *dans son présent*, que par ce lecteur à qui un « je » s'adresse, que par ce lecteur qui la mime en se détournant du livre *à venir*. Nous avons vu que la description du vol des grues brouille la distinction entre *ce* lecteur et le livre *tel qu'il vient de commencer*. De sorte que le lecteur qui *lira* le livre à venir ne *lit* pas cette première page du livre, et que celui qui *lit* cette page ne *lira* pas le livre à venir. En d'autres termes, le premier de ces lecteurs manque l'occasion offerte au second de *devenir* le livre.

Que fallait-il en effet pour lire ce livre ? « une logique rigoureuse et une tension d'esprit égale au moins à sa défiance » (I. 2). Nous avons déjà noté que l'âme « timide » devenait vol « puissant ». On relèvera dans le même sens un certain nombre de qualifications : « méditant beaucoup », « de sang-froid » (cf. « une logique rigoureuse »); « l'expérience », « la vigilance », (cf. la « défiance »). En un mot, les qualités nécessaires à la lecture sont celles mêmes du refus de lire. Ce que présupposait une lecture future s'accomplit *au présent* dans la description finale. L'utopie de la lecture s'est transformée ici en la réalité du lire.

REMARQUE III.

Il y a ici (et ailleurs) quelque différence entre parler de la lecture *et parler du* lecteur, *puisqu'il se trouve que le lecteur est lu autant qu'il lit. De fait tout livre, plus ou moins consciemment, plus ou moins fortement, tend à ébranler un mode de lecture (ou une habitude de lecture). Dès lors le lecteur se trouve devant une alternative : ou bien il « résiste » et préserve soigneusement, jalousement, son* mode de lecture *— il manque ainsi la « nouveauté » du livre qu'il lit —; ou bien il « se laisse faire », se laisse lire, donc lit vraiment. La critique rencontre le même dilemme. Dans le premier cas, elle nomme ce qu'elle croit être le sens du livre; illusion de l'objectivité s'il se trouve que le sens du livre est en fait importé par elle dans le livre. Dans le second, décrivant une expérience unique de lecture, elle se doit d'inventer un* *métalangage spécifique pour chaque livre; plaisir de la subjectivité, qui a cet avantage qu'il marque fortement l'activité transformante du livre. Mais cette critique ne peut, par définition, se systématiser. Plus précisément, elle ne peut le faire que si elle examine les conditions de possibilité de son exercice : c'est-à-dire qu'elle doit s'interroger sur les modalités de l'action réciproque du livre sur le lecteur et du lecteur sur le livre : sur la* lecture *donc. Une activité critique ne peut ni ne doit viser* d'emblée *à l'objectivité ; ce serait supprimer l'effet du livre. Elle doit savoir se transformer mais aussi contrôler (ou maîtriser) cette transformation. Or, ce contrôle (ou cette maîtrise) relève d'une autre « discipline », que j'appellerai ici la rhétorique. En un mot, la rhétorique, loin de faire obstacle au plaisir de lire, le permet. Elle le permet doublement : dans la mesure où elle présuppose que le livre transforme son lecteur et dans la mesure où elle règle cette transformation.*

L'âme timide, en se détournant, transgresse l'interdit. C'est elle qui devient « comme » ce qu'elle lit.

> La circonspection de ces oiseaux à été consacrée, dans les hiéroglyphes, comme le symbole de la *vigilance*.
>
> BUFFON *(je souligne)*

Les métaphores « militaires » de la fin du texte (« l'avant-garde », la sentinelle », « l'ennemi ») réactualisent le conflit, et le geste par lequel ce conflit est résolu est un geste fondamentalement ambigu : « *pour repousser l'ennemi* [...] elle vire [...] et *elle prend un autre chemin* ». Le conflit lecteur/livre ne pouvait en fait se résoudre que dans la mesure où le lecteur devenait ce qu'il lit.

> Passage... 2°. Fig. Oiseau de passage, personne qui n'est en quelque lieu que pour peu de temps. LITTRÉ

« Curieux oiseaux de passage », effectivement. Que ces grues soient figure du lecteur ou figure du livre, elles s'esquivent ici. Reste la description de leur mouvement. En d'autres termes, le livre et le lecteur sont congédiés du même geste pour laisser la place *à l'acte de lire.*

Note 2.

La lecture est l'objet même des écrits de Ducasse. Ils sont en équilibre instable entre deux textes virtuels (horizon ou troisième côté du triangle) : un « déjà-écrit » (les sources, anonymes ou non, le « prétexte »), et un « pas-encore-écrit » (le texte inédit, la « suite » de

Poésies). Le travail de Ducasse sur le texte « primitif » est de moins en moins « visible » : les *Poésies* serrent au plus près les textes de référence dans l'instant même où elles les bouleversent, si bien qu'au terme, comme au commencement, on n'a qu'une *re*lecture attentive de pages littéraires; relecture, c'est-à-dire lecture critique *montrant le fondement* logique et chronologique de cette expérience étrange que l'on appelle littérature. Qui parle donc, ici ? à qui ? et de quoi ? Naïves et inévitables questions. « Lecteur, c'est peut-être la haine que *tu veux* que j'invoque dans le commencement de cet ouvrage! » (*Chants*, I, str. 2; je souligne). Le désir du lecteur parlera. Lecteur désormais complice, qui trouve noir sur blanc ce qu'il n'osait penser. Douce violence. Mais danger redoutable : Lautréamont « exagère », il va jusqu'au bout, il dépasse le lieu où la « timidité » du lecteur eût forcé ce dernier à s'arrêter, profitant de sa docilité.

Le matériau importe moins que le traitement que Lautréamont lui *fait subir :* « tu *veux* Baudelaire ? »

> Quand le ciel bas et lourd pèse comme un couvercle
>
> (*Spleen* IV, v. 1)

ou

> En haut, le Ciel! ce mur de caveau qui l'étouffe,
> Plafond illuminé par un opéra bouffe
> Où chaque histrion foule un sol ensanglanté;
>
> Terreur du libertin, espoir du fol ermite :
> Le Ciel! couvercle noir de la grande marmite
> Où bout l'imperceptible et vaste Humanité.
>
> (*Le Couvercle*, v.9-14)

Lautréamont répète, commente, *prolonge*. « Il commençait à me sembler que l'univers, avec sa voûte étoilée de globes impassibles et agaçants, n'était peut-être pas ce que j'avais rêvé de plus grandiose » (*Chants*, II, 8). Après avoir longtemps marché, celui qui parle (qui ?) soulève « avec lenteur » ses yeux « spleenétiques » vers le ciel, au-dessus du ciel : il y voit le Créateur — « ses pieds plongeaient dans une vaste mare de *sang* en *ébullition* » — le Dieu anthropophage dévorant des hommes qui surnagent dans ce « liquide immonde », le Dieu monstre qui, en mangeant, remue « sa mâchoire inférieure, laquelle [remue] sa barbe pleine de cervelle ». Lautréamont « explique », c'est-à-dire déploie, développe le plaisir du lecteur : « O lecteur, ce dernier détail ne te fait-il pas venir l'eau à la bouche ? » Il exploite, travaille les métaphores : couvercle, marmite et opéra *bouffe*. Un lecteur quelque peu averti, « amateur de littérature », *goûte* le modernisme du poème de Baudelaire : encore faut-il qu'il y ait des « phrases passées à la filière et la saponification des obligatoires métaphores »

(*Chants*, VI, III). La violence de Lautréamont consiste à lire *à la place* du lecteur. C'est ici le mythe de Cronos et de Saturne : il soustend le poème de Baudelaire; il éclate en prodigieuses Saturnales dans le texte de Lautréamont. Il ne s'agit pas de savoir si tel texte est la source de tel autre, mais bien de souligner la différence de lecture d'un même mythe. Lautréamont *force* le texte, le brise et le montre. Lautréamont apprend à lire (par la pratique, évidemment). Il fait ici manger Baudelaire.

Une lettre matrice (variation).

Le livre, le lire, la page sont constamment réinscrits dans leurs signes (métaphoriques, comparatifs, allégoriques), si bien que ces signes ne désignent rien d'autre que des fragments d'eux-mêmes, qu'ils ne font donc plus signe, mais se morcellent et s'éparpillent en des parties qui sont leur tout.

PAGE dans
— abruPt et sauvAGE
— marécAGEs
— PArt un vent étranGE
— PrésAGEnt l'orAGE qui s'APProche
— dans l'esPAce ces curieux oiseaux de PAssAGE

LIRE, LIVRE dans
— FRuIt (variation f/v), Landes InexploRées
— FRILeuses
— pendant L'hIVeR
— à tRaVeRs le sILence
— onduLations IRRItées
— cRI VIgilant
— eLLe VIRe

Des schèmes plus complexes sont élaborés par la combinaison des précédents avec un thème Me/oR (mer, mort, mère). Ce thème gouverne une métaphorique : le livre comme mort dans « poison », « émanations mortelles »; le livre comme mère ou comme mer dans la comparaison de (IV. 1), dans celle de (I. 2) — « l'eau » —, dans la métaphore du vol-vaisseau (« toutes voiles tendues », « bâbord/tribord », « capitaine »). Métaphores réinscrites, donc, dans :
— MaRécAGEs (mer/page)
— FRuIt aMER (mer/livre, livre à mère).
Les figures du mouvement s'inscrivent dans le texte comme dessin : « angle », « pointe de la figure géométrique », triangle peut-être. Mais *ce dessin échappe à la description* : « un angle *à perte de vue* »; un

triangle dont « *on ne voit pas* le troisième côté ». Dessin qui n'est donc pas la représentation d'un objet, mais la forme du discours : « un an*G*le à pe*R*te de v*UE* de *GRUE*s... » La grue nomme ici précisément la forme du discours. Elle est, à la lettre, la « fi*GURE* » du texte. Dessin aussi et surtout de la lettre : « ou, plutôt, comme un angle à perte de Vue de grues frileuses méditant beaucoup, qui, pendant l'hiVer, Vole puissamment à traVers le silence, toutes Voiles tendues, Vers un point déterminé de l'horizon, d'où tout à coup part un Vent étrange et fort, précurseur de la tempête ».

V, lettre *angulaire* du vol, de la vue, du virage. V, dans les observations météorologiques, « signifie » Vent ; et sur les partitions, « signifie » *Volti*, tourne.

V, marque la différence entre le lire et le liVre. V inscrit la forme de la plume.

V, c'est la croisée des chemins. Angle *opposé* à celui du vol des grues.

V, figure de l'angle, gouverne des schèmes rhétoriques binaires :

— « enhardi et devenu féroce... »
— « abrupt et sauvage... »
— « sombres et pleines de poison... »
— « une logique et une tension d'esprit... »
— « en arrière et non en avant... » *(deux fois)*
— « étrange et fort »
— « dégarni de plumes et contemporain de... »
— « soit à bâbord, soit à tribord... »

pour les petites unités du texte ; et, pour les grandes unités :

— la double articulation de la comparaison.

Enfin, l'angle figure l'espace rhétorique lui-même, espace délimité par des intersections de lignes et de plans. Le texte est foyer : pointes de ces figures géométriques, intersections des différents discours.

V définit des séries lexicales :

— descriptives du décor : vent, vol, voile, hiver.
— descriptives du mouvement : à travers, avant, vire, vers.
— descriptives de la grue : celle qui voit, qui est la plus vieille, qui veille (vigilant), qui a un privilège ; celle qui, à l'avant-garde, regarde au vent.

L'organisation syntaxique et rythmique (système binaire), la mise en scène rhétorique des signifiés (rencontre de séries lexicales), le jeu des signifiants phoniques et graphiques se rejoignent dans cette lettre-matrice.

> Ces figures (les tropes) sont appelées *tropes* du grec *tropos* conversio, dont la racine est *trepo*, verto, je *tourne*. Elles sont ainsi appelées parce que, quand on prend un mot dans le sens figuré, on le tourne, pour ainsi dire, afin de lui faire signifier ce qu'il ne signifie point dans le sens propre. DUMARSAIS, *Des tropes*

Le détournement des signes.

Au terme, donc, un dessin plutôt qu'une parole. On sait que pour Ducasse « la poésie est la géométrie par excellence » *(Poésies I)*. Ici le projet d'écriture se résout en un tracé; figure tracée par une plume dans un espace silencieux, « à travers le silence ». Dessin d'une rencontre entre un vol et un vent, une avant-garde et un signe précurseur. Rencontre aussitôt refusée par un cri : « ... avec son cri vigilant de mélancolique sentinelle... »

> Le commencement de tout commencement du verbe est la grue couronnée. L'oiseau dit : je parle.
> (Texte religieux bambara)
> (Les encyclopédies véhiculent une mythologie de la grue. Les phrases qui précèdent ne sont qu'un exemple particulièrement « efficace ». La grue serait le seul animal à infléchir la voix dans dans son cri. La beauté de la danse nuptiale de la grue symboliserait la beauté du discours.)

Ce qui se joue dans ce texte, dans l'en-deçà du livre, du silence au cri, c'est précisément la problématique recherche d'un langage.

Note 3.

Recherche *indirecte* d'un langage *direct*. Le jeu dans les mots tel que le pratique Ducasse vise à *construire* un degré zéro de la langue. « Deux piliers, qu'il n'était pas difficile et encore moins impossible de prendre pour des baobabs, s'apercevaient dans la vallée, plus grands que deux épingles. En effet, c'étaient deux tours énormes » (*Chants*, IV, 2). Piliers / baobabs / épingles / tours. Jeu du même et de l'autre, du même comme l'autre. Rien de plus « naturel » que le couple tours / piliers (« formes architecturales »); que la série tours / épingles / baobabs / piliers (formes « *élevées* »); que le couple baobabs / piliers (formes « *massives* ») : « Je viens de trouver, je n'ai pas la prétention de dire le contraire, les épithètes *propres* aux substantifs pilier et baobab ». Mais, plus loin (si l'on peut dire) : « Deux tours énormes s'apercevaient dans la vallée. » Et : « En les multipliant par deux, le produit était quatre... mais je ne distinguai pas très bien la nécessité de cette opération d'arithmétique. » Enfin : « Je ne repasse plus dans la vallée où s'élèvent *les deux unités du multiplicande !* » On peut distinguer deux temps dans l'analyse de ces séries lexicales : d'abord une réduction aux épithètes *propres ;* puis l'évacuation de tout élément linguistique susceptible de connotations ; *l'opération arithmétique (d'arithmétique) permet d'évacuer les noms :* « les deux... » est un syntagme incomplet ; « les deux unités du multiplicande » est un syntagme achevé mais qui ne dit rien de plus que « deux ».

Le jeu des connotations est infini ; il faut jouer de ces proliférations du sens pour les maîtriser ; non pour parler (ou écrire) une quelconque langue univoque, mais pour *reconstruire* dans les blancs du texte un sens propre (ce qui revient à en montrer l'absence et la nécessité) : « C'était le matin ; le soleil *se leva* à l'horizon[...] et voilà qu'à mes yeux *se lève aussi* un jeune homme » (*Chants*, II, 13). La première occurrence métaphorise la seconde, *et l'inverse ;* le littéral permet le jeu, sans savoir « lieu » ; il est dans l'humour du « aussi » et dans la répétition même. La langue originaire est dans le « montage » du texte, dans son *mouvement*. S'il est vrai que la synecdoque est la partie *mise pour* le tout, alors je peux dire : « dans la mer, la baleine, le requin, le marteau, l'informe raie, *la dent du phoque* polaire se demanderont quelle est cette dérogation à la loi de la nature » (*Chants*, I, 10). Le jeu rhétorique conduit à l'aberrant, à l'inacceptable, au bouffon, *à l'illisible*.

L'accès au langage se fait dans et par un *détour*. Il faut ici reprendre dans leur ordre les différentes médiations proposées par le texte : la tempête ; le vent qui en est le signe ; le branlement de tête de la grue d'avant-garde ; le *bruit*, signal de son mécontentement (« consé*qu*emment son be*c* aussi *qu*'elle fait *c*laquer ») ; le mouvement qui redouble ce bruit (les ondulations du cou « qui présagent l'orage ») ; enfin le cri et le détour : « avec son cri [...] elle vire ». Le cri est l'achèvement d'une série de médiations, signe du signe d'un signe. Et de fait pour les autres grues, il n'y a pas d'orage, ni de présage d'orage, mais seulement ce cri qui se substitue à l'ensemble des signes successifs, en quelque sorte les *détourne*. Le vent est pour la première grue signe d'une tempête qu'elle ne verra pas ; le cri de la première grue est, pour les autres grues, signes d'un vent qu'elles ne verront jamais venir. Il faut dire qu'elles sont « inférieures en intelligence ».

Toute cette page est prélude ou annonce : le vent, le cri, mais aussi la contemplation de la face maternelle ; mais surtout cette page même dans sa totalité. Temps de l'imminence, espace du liminaire. Que s'y passe-t-il en fait ? Un lecteur qui devient livre, une lecture qui « prend » la parole. On ne lit pas ici un déjà-écrit, il n'y a pas de « communication ».On lit une *rhétorique*, rien de plus, un montage destiné à définir une situation de lecture particulière dans laquelle est fondée, en quelque sorte, la catégorie de l'*illisible*, par l'abolition de la distinction entre lire et être lu.

> A cestuy son, toutes les naufz, guallions, ramberges, liburnicques (scelon qu'estoit leur discipline navale) se mirent en ordre et figure telle que est le Y gregeois, letre de Pythagoras; telle que voyez observée par les grues en leur vol; telle qu'est en en un angle acut; on cone et base de laquelle estoit ladicte thalamege en équippage de vertueusement combatre. RABELAIS

2. Une rhapsodie herméneutique

A l'étude qui suit répond la « pénultième » de ce livre. Il est question ici d'allégorie, là de prophétie. L'une ne peut aller sans l'autre dans la fiction rabelaisienne. Il s'agit de montrer encore (toujours) comment un texte peut esquiver l'imposition d'un sens. Ce qui n'invite pas à un quelconque impressionnisme critique; au contraire. Avec Rabelais, le lecteur est libre, *mais* il y a, sinon une bonne, du moins une mauvaise lecture : subtile contradiction, qu'il conviendra d'expliciter. Que la bonne et la mauvaise lecture aient été historiquement attestées, c'est une autre question. La question ici posée concerne leurs conditions de possibilité — ou d'impossibilité (dans le cas de la bonne lecture, cela va de soi). Pour définir ces lectures, il faudra entrer dans quelques détails, examiner d'un peu près quelques rouages de la machine; donc, maintenant, décrire aussi précisément que possible cette mécanique à produire des sens qui s'appelle le Prologue de *Gargantua* *.

---

* Dans cette analyse et dans celle qui lui répondra, toutes les références renvoient aux éditions des Textes littéraires français (*Pantagruel*, V.-L. Saulnier, 1965; *Gargantua*, R. Calder et M. A. Screech, 1970; *Tiers Livre*, M. A. Screech, 1964; *Quart Livre*, R. Marichal, 1947).
A propos du Prologue de *Gargantua*, on a souligné le rôle décisif donné au lecteur : ainsi M. Butor qui estime qu'une « aventure interprétative » lui est proposée, mais qu'il n'en aura la responsabilité (*Rabelais ou c'était pour rire*, Larousse, 1972, p. 41); ainsi A. Gendre qui déclare que ce texte laisse le lecteur « face à face avec sa liberté » (« Le prologue de *Pantagruel*, le prologue de *Gargantua*, examen comparatif », RHLF, 74, 1974, p. 17). Je voudrais ici analyser le ou les *modèle(s) de lecture* dont relève ce texte, examiner quelle est sa *logique*, comment il « construit » la liberté du lecteur, mais aussi la limite; quelles sont ses justifications non seulement historiques, mais philosophiques, mais esthétiques — décrire *son impeccable rhétorique*.

33

On sait qu'au début du prologue, l'auteur (puisque c'est ainsi qu'il faut le nommer) reprend le passage du *Banquet* où Alcibiade compare Socrate à un Silène :

> Beuveurs tresillustres, et vous, Verolés tresprecieux, — car à vous, non à aultres sont dediez mes escriptz, — Albiciades en un dialoge de Platon intitulé *le Bancquet*, [...]

L'autonomie de ce développement le rend suffisamment énigmatique pour que soit posée aux lecteurs la question de sa pertinence :

> A quel propos, en vostre advis, tend ce prelude et coup d'essay ? Par autant que vous, [...]

Il va être enfin question du livre que l'on nous offre, et de quelques autres. La suite s'organise autour de trois problèmes. L'auteur argumente d'abord à partir de l'exemple du Silène et du proverbe « l'habict ne fait point le moine » pour établir que les titres de ses livres sont trompeurs :

> C'est pourquoy fault ouvrir le livre et soigneusement peser ce que y est deduict. Lors congnoistrez que la drogue dedans contenue est bien d'aultre valeur que ne promettoit la boitte; c'est à dire que les matieres icy traictées ne sont tant folastres que le tiltre au dessus pretendoit.

Dans un deuxième temps, une hypothèse est envisagée :

> Et, posé le cas qu'on sens literal vous trouvez matieres assez joieuses et bien correspondentes au nom, toutefois pas demourer là ne fault [...] ains à plus hault sens interpreter ce que par adventure cuidiez dict en guaieté de cœur.

Deux comparaisons expliquent cette exigence : la bouteille qu'on ouvre, l'os que le chien brise pour y trouver la moelle. La dernière partie du prologue est — troisième problème — la discussion d'une question touchant à l'intention de l'auteur (on parle généralement ici d' « objection »); elle suit sans transition la description des merveilles que le lecteur, s'il imite le chien philosophe, trouvera dans le livre :

> Croiez vous en vostre foy qu'oncques Homere, escrivant l'*Iliade* et *Odyssée*, pensast es allegories [...]

Deux réponses possibles sont tour à tour envisagées :

> Si le croiez, vous n'approchez ne de pieds ny de mains à mon opinion [...]
> Si ne le croiez, quelle cause est, pourquoy autant n'en ferez de ces joyeuses et nouvelles chronicques, combien que, les dictant, n'y pensasse en plus que vous, qui par adventure beviez comme moy ?

Ce livre sent le vin et non l'huile ; c'est sa valeur. La fin du prologue — le début du livre — appelle à une fête, un festin, un *banquet*.

Une image du livre.

Texte de verve, sans doute, mais construit avec une grande rigueur et développant une argumentation sans faille, ce prologue traite donc de trois problèmes fondamentaux — le titre, le sens littéral, l'intention de l'auteur — en mettant en place un système complexe d'oppositions. C'est d'abord, dans l'ordre :
1. Le couvercle du Silène et les « fines drogues ».
2. L'apparence de Socrate et sa perfection.
3. Le vêtement et la personne morale.
4. La bouteille et son contenu.
5. L'os et la moelle.
Cette première série s'organise à partir d'une opposition fondamentale : celle de l'extérieur et de l'intérieur. Les différents « objets » cités sont en rapport d'analogie avec un objet privilégié : le livre. Ce sont des *exemples* qui ont pour fonction d'expliquer la lecture qu'on doit faire de ce livre : ouvrir la boîte, briser l'os. La discussion de l' « objection » finale est, elle aussi, construite sur des oppositions :
6. L'intention d'Homère et les commentaires de ses exégètes.
7. L'intention d'Ovide et les « démonstrations » de Frère Lubin.
Il ne s'agit plus, à proprement parler, du livre, ni de la lecture, mais plus précisément du rapport de *l'écrivain* à son livre et à son lecteur. Et cette relation est commentée par une dernière opposition :
8. L'odeur du vin et celle de l'huile.
On peut introduire une hiérarchie dans cette liste. La première série (1 à 5) a pour fonction de donner un mode d'emploi du livre. Or, quand l'auteur décrit le livre, le lecteur ou la lecture, il utilise un

certain nombre de métaphores qui viennent toutes soit de la description du Silène, soit de la description du chien rongeant l'os médullaire :

l'enseigne exterieure (c'est le tiltre)
ouvrir le livre *(le terme métaphorique est aussi le terme propre)*
soigneusement peser *(comme l'apothicaire)*
la drogue dedans contenue
la boitte

puis :

estre saiges pour fleurer, sentir
legiers au prochaz et hardiz à la rencontre
rompre l'os et sugcer la substantifique moelle
bien aultre goust.

On notera que les descriptions de Socrate et du moine du proverbe réutilisent les métaphores du Silène :

ouvrans ceste boite, eussiez *au dedans* trouvé
qui *au dedans* n'est rien moins que moyne

Et qu'en est-il de la bouteille ? « Crochetastez vous oncques bouteiles ? Caisgne ! » Je verrais volontiers dans ce juron par la chienne une annonce du chien philosophe.

Chacun de ces deux premiers motifs principaux (le Silène, l'os médullaire) organise une partie du prologue, sans qu'il y ait de recoupement. Le couvercle du Silène et son contenu, c'est le titre du livre et la matière traitée. L'os et la moelle, c'est le sens littéral et le sens allégorique. Les deux parties sont très nettement séparées.

1. C'est pourquoy fault ouvrir le livre [...]. Lors congnoistrez que [...]
2. Et posé le cas qu'on sens literal [...]

Il me paraît donc tout à fait impossible de considérer le Silène et l'os médullaire comme deux « images » équivalentes du livre.

La primauté de ces deux motifs est confirmée par un fait : la description du Silène et la description du chien rongeant l'os médullaire ont une relative *autonomie formelle*. Ni dans l'une ni dans l'autre de ces descriptions il n'est à aucun moment question du livre qu'on va lire. C'est *après coup* que nous découvrons que ces descriptions sont en

fait des exemples. L'autonomie de la description du Silène est d'ailleurs plus grande que celle de la description du chien philosophe,
puisque le Silène est le comparant d'un comparé qui est Socrate (le
livre, *comme* Socrate, est comparé au Silène, mais le livre n'est pas
comparé à Socrate); le développement se suffit et l'auteur peut effectivement l'appeler « prélude » et poser au lecteur la question de sa signification. On peut de la même manière hiérarchiser la dernière série d'oppositions. C'est évidemment Homère qui en est la figure centrale. Ovide
et frère Lubin sont un élément comparatif : les allégories des exégètes
homériques ont été « aussi peu [...] songéez d'Homere que d'Ovide [...]
les sacrements de l'Evangile lesquels un Frere Lubin [...] ». La dernière
opposition, celle de l'odeur du vin et de l'odeur de l'huile (ainsi que le
contraste Alcofribas-Démosthène qui en dépend), est introduite par
référence à Homère : Homère écrivait en buvant et mangeant, comme
Ennius « ainsi que tesmoigne Horate, quoy q'un malautru ait dict
que ses carmes sentoyent plus le vin que l'huile ». De la même manière,
enfin, que la description du Silène et que celle du chien philosophe,
le développement consacré à Homère se présente d'abord comme une
sorte de « hors-d'œuvre » et la première réponse à la question est
donnée comme une réponse suffisante; il n'y est pas question du
livre : « Croiez-vous... qu'oncques Homère [...] pensast es allegories
[...] ? [...] Si le croiez, vous n'approchez ne de pieds ny de mains à mon
opinion... »
   Le prologue est une image du livre : il est l'exemple parfait de cet
objet énigmatique qu'il décrit lui-même soigneusement. Au centre
exact du prologue, l'os médullaire et, plus précisément, cette description du chien philosophe :

> Si veu l'avez, vous avez peu noter de quelle devotion il le guette,
> de quel soing il le guarde, de quel ferveur il le tient, de quelle pru-
> dence il l'entomme, de quelle affection il le brise, et de quelle dili-
> gence il le sugce. Qui l'induict à ce faire? Quel est l'espoir de son
> estude? Quel bien y pretendt il? Rien plus q'un peu de mouelle.

L'allégorie de l'os médullaire renvoie à ce qui précède, en ce qu'elle
décrit, comme le Silène, le livre; à ce qui suit, en ce qu'elle est l'«image»
du sens allégorique (allégorie de l'allégorie), dont il sera question
jusqu'à la fin. Au début du prologue, les buveurs, les figures joyeuses
et frivoles et les peintures « contrefaites à plaisir » qui ornent les
Silènes; à la fin, le « bon gaultier » Alcofribas et son cerveau « caséiforme »; puis, de nouveau, ses buveurs de lecteurs.

Nous pouvons résumer l'organisation du prologue de la manière suivante :

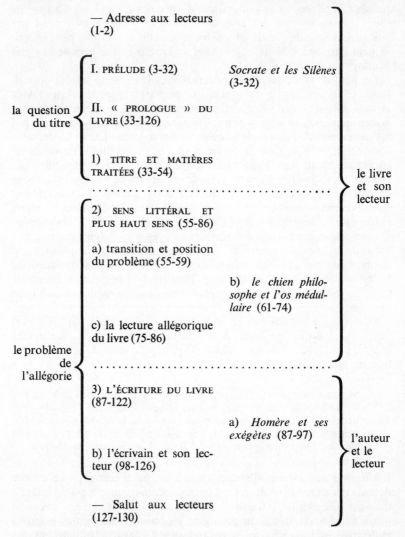

— Adresse aux lecteurs (1-2)

la question du titre

I. PRÉLUDE (3-32)   *Socrate et les Silènes* (3-32)

II. « PROLOGUE » DU LIVRE (33-126)

1) TITRE ET MATIÈRES TRAITÉES (33-54)

le livre et son lecteur

2) SENS LITTÉRAL ET PLUS HAUT SENS (55-86)

a) transition et position du problème (55-59)

b) *le chien philosophe et l'os médullaire* (61-74)

c) la lecture allégorique du livre (75-86)

le problème de l'allégorie

3) L'ÉCRITURE DU LIVRE (87-122)

a) *Homère et ses exégètes* (87-97)

b) l'écrivain et son lecteur (98-126)

l'auteur et le lecteur

— Salut aux lecteurs (127-130)

J'ai séparé, en leur laissant leur place dans l'ordre du prologue, les développements qui sont relativement autonomes.

La numérotation des lignes renvoie à l'édition des « Textes littéraires français ».

38

Par un phénomène étrange, ce prologue a son prélude : prologue du prologue qui déjà donne une image du livre — et du prologue même. Le prologue, d'autre part, ne correspond pas au titre : *Gargantua*, et il est question d'emblée du *Banquet* de Platon [1]. Enfin, il propose aux lecteurs trois allégories, modestes, sans doute, mais décisives parce qu'auto-référentielles : le Silène, c'est le livre; quand on lit « chien », il faut entendre lecteur; et si Alcofribas parle d'Homère, c'est pour parler d'Alcofribas. Je reviendrai sur tous ces points. Il suffira de noter, pour l'instant, que ce texte est curieusement pris dans le jeu d'une double ressemblance : le prologue est *comme* le livre; le prologue est *comme* l'os médullaire. Et si vraiment les allégories renvoient au livre, on a sans doute là quelque raison d'estimer que la littéralité de ce texte n'est pas son moindre mystère.

Le titre.

Il n'est pas question, ici, que de *Gargantua* :

> [...] vous, mes bons disciples, et quelques autres folz de sejour, lisans les joyeulx tiltres d'aulcuns livres de nostre invention, comme *Gargantua, Pantagruel, Fessepinthe, La dignité des braguettes, Des poys au lard cum commento*, etc., jugez trop facilement ne estre au dedans traicté que mocquerie, folateries et menteries joyeuses, veu que l'enseigne exterieure (c'est le tiltre) sans plus avant enquerir est communement repceu à derision et gaudisserie.

Et l'on nous affirme que la matière traitée a une autre valeur que le titre. « [...] fault ouvrir *le* livre [...] » Lequel ? *Gargantua* ou *La dignité des braguettes ?* Le lecteur risque d'être déçu — ou de ne pas l'être, puisque après tout son attente ne sera pas trompée si la matière correspond au titre. Dans ce cas, on lui demande un travail supplémentaire : cela s'appellera l'allégorie.

Tout vient, nous l'avons vu, d'une première affirmation : le titre n'est pas à l'image du contenu. Nous n'avons pas à nous étonner de cette place décisive accordée au titre. L'auteur de *Pantagruel* faisait référence, dans son prologue, aux *Grandes et Inestimables Chronicques de l'énorme géant Gargantua;* le titre du premier roman du cycle affirmait d'ailleurs la filiation : *Pantagruel. Les horribles et espoventables faictz et prouesses du tres renommé Pantagruel Roy des Dipsodes, filz du grand geant Gargantua.* Le titre de la première édition du *Gargantua* nous manque; mais la seconde édition est titrée : *Gargantua.* ΑΓΑΘΗ ΤΥΚΗ. *La vie inestimable du grand Garguanta, père de Pantagruel.* Or,

---

1. On notera, dans cette perspective, que le poème liminaire est « dans le ton » du titre : « Vray est qu'icy peu de perfection / Vous apprendrez, si non en cas de rire. »

l'édition du *Pantagruel* contemporaine de la première édition de *Gargantua* porte un titre simplifié : *Pantagruel*. ΑΓΑΘΗ ΤΥΚΗ. *Les Horribles faictz et prouesses espoventables de Pantagruel Roy des Dipsodes*. Par le jeu des titres, Rabelais efface l'origine de son roman ; il donne d'abord un fils au Gargantua légendaire ; puis à ce fils il donne un père, *son* Gargantua, et dès lors, préciser de Pantagruel qu'il est le fils de Gargantua ne pourrait qu'entretenir l'ambiguïté. La figure de Pantagruel, œuvre d'Alcofribas, dominera l'ensemble du roman. C'est bien pourquoi il s'agit, dans le prologue du *Gargantua*, de lever l'ambiguïté du titre.

Quant aux autres titres cités ici, ils participent de cette naissance de la fiction que consacre notre texte. *Fessepinthe* ne figurait pas dans *Pantagruel;* Rabelais l'introduira ultérieurement dans le prologue de son premier livre parmi les ouvrages possédant « certaines proprietez occultes ». *Des poys au lard, cum commento* est encore une « nouveauté », mais ce livre sera aussi introduit dans *Pantagruel;* il figurera sur les rayons de la bibliothèque de Saint-Victor. *La dignité des braguettes* a un passé, si l'on peut dire. Au chapitre xi de *Pantagruel*, le héros fait habiller Panurge de sa livrée ; ce dernier exige une grande braguette : il en est un qui « par sa grande braguette a saulvé toute une ville de mourir de faim! » (p. 89) ; on saura un jour pourquoi : Panurge en a fait un livre, qui n'est pas encore imprimé. Au chapitre vii de *Gargantua*, il en sera de nouveau question : l'auteur renvoie à ce livre (écrit mais non publié) pour de plus amples informations sur la braguette de Gargantua qu'il vient de décrire. Comme on le voit, ce traité a son passé devant lui.

Tous les livres cités ont bien des titres plaisants, nul ne le contestera. « [...] lisans les joyeulx tiltres d'aulcuns livres [...] jugez trop facilement ne estre au dedans traicté [...] ». Il faut évidemment comprendre : au-dedans de *ces* livres. Mais qu'y a-t-il donc au-dedans de livres qui sont imaginaires ? Plus loin, Alcofribas déclare qu'il s'agit de « sentir et estimer *ces* beaux livres [...] ». Il renvoie ainsi du même geste au livre que nous allons lire, à un livre déjà lu, et à d'autres livres dont l'existence est pour le moins problématique. *Gargantua* est associé, dans cette réflexion sur les titres, à des livres n'existant que par la volonté de l'auteur, qui dit qu'ils sont les siens ; à des livres que l'on ne peut « ouvrir », et pour cause ; à des livres *dans* lesquels il n'y a rien. On s'accorde à voir une difficulté sérieuse, sinon une contradiction, dans le passage où l'auteur cite les fameuses découvertes de frère Lubin. Il me semble que tout se joue beaucoup plus tôt, dès le moment où il nous est demandé, par exemple, d'ouvrir *Des poys au lard, cum commento* pour voir ce qu'il y a « dedans ».

Mais notre texte a quelques ruses grammaticales qui peuvent ici nous aider. L'alternance du pluriel et du singulier est en fait réglée. La remarque sur la cocasserie *des* titres *des* livres d'Alcofribas commence par un pluriel et s'achève par un singulier à valeur collective : « l'enseigne exteriore — c'est *le* titre — »; puis détour par le proverbe : l'habit ne fait pas le moine; et l'on conclut par la nécessité d'ouvrir *le* livre. Singulier ambigu, précisé aussitôt par un adverbe : « les matieres *icy* traictées ». C'est bien de *Gargantua* qu'il s'agit (ou de son prologue). Anticipons pour noter le même processus dans la suite du prologue. Une phrase commencée par un pluriel : « ces beaux livres de haulte gresse » s'achève sur un singulier : « ladicte lecture ». Dans le développement de l'objection on trouve enfin : « ces joyeuses et nouvelles chronicques », qui désignent évidemment *Gargantua*, repris en « ce livre seigneurial ». La dernière occurrence rejoint la première, « mes livres » de la fin faisant écho à « mes écrits » du début. A deux reprises, donc, la mention du seul *Gargantua* est très précise, et c'est aux points stratégiques de la démonstration : d'une part, fin du raisonnement sur la discordance du titre et de la matière traitée et éventualité de la lecture allégorique; d'autre part, affirmation de la nécessité d'accorder à ce livre ce que la tradition a accordé à l'*Iliade* et à l'*Odyssée*. Ces variations grammaticales prouvent, s'il en est besoin, que les titres de livres imaginaires ont pour seule fonction, dans cette démonstration, de forcer les termes du paradoxe.

La lettre.

A partir de là intervient l'éventualité de la lecture (de l'*interprétation*) allégorique :

> Et, posé le cas qu'on sens literal vous trouvez matieres assez joieuses et bien correspondentes au nom, toutesfois pas demourer là ne fault, comme au chant des Sirenes, ains à plus hault sens interpreter ce que par adventure cuidiez dict en gaieté de cueur.

On peut considérer que cette déclaration a pour fonction de maintenir à tout prix la nécessité d'un « contenu » grave pour le livre. Je formulerai la chose d'une autre manière : la lecture allégorique intervient ici *pour rétablir le contraste fondamental* dont la première formulation (titre/contenu) est mise en question par cette hypothèse (« posé le cas »); il faudra lire allégoriquement s'il s'avère que le titre nomme correctement le livre. Le Silène, c'est le premier moment de la démarche et l'on

41

peut voir dans le chant ici évoqué des *Sirènes*, fascinant et trompeur, un écho ironique des *Silènes*. Chez Platon, Socrate était comparé aux Silènes mais aussi à Marsyas : la séduction de sa parole (du chant de sa flûte) était telle que, pour ne pas passer sa vie entière à l'écouter, Alcibiade devait s'enfuir en se bouchant les oreilles « comme pour se défendre des Sirènes ». Le lecteur, séduit, a cru trouver le trésor. Il est ici invité, laissant Silènes et Sirènes, à poursuivre son chemin. Car, nous l'avons vu, c'est à ce point de l'argumentation que le motif de l'os médullaire prend le relais. L'extérieur n'est plus le titre, mais le sens littéral (« matières assez joyeuses ») ; l'intérieur n'est plus la matière traitée, mais l'« altior sensus ».

Il faut encore préciser le sens de la supposition (« posé le cas ») que fait l'auteur. Il peut s'agir de tel passage du livre (à supposer que vous trouviez — dans tel passage — des matières assez joyeuses) ; mais aussi de l'ensemble du livre (à supposer qu'une fois le livre ouvert...). Seulement, la première hypothèse ne saurait se défendre. Si l'on admet en effet que la comparaison avec l'os médullaire traite bien de l'opposition littéral/allégorique (et l'histoire de ce motif ou de ses variantes va évidemment dans ce sens), on doit tenir compte du fait que, lorsque l'auteur revient au comparé, il parle non seulement de l'ensemble de son livre, mais de tous ses livres. Il suppose donc bien que le livre puisse avoir un contenu qui réponde à son titre. Mais alors, ou il se contredit, ou il n'a pas lu son livre. En fait l'auteur du prologue sait où il nous mène. « Posé le cas que... » introduit une vue de l'esprit [1], une hypothèse hasardeuse — « vous trouvez » est un subjonctif présent ; ces formes restent fréquentes chez Rabelais. Et cette hypothèse confirme, par ce qu'elle présuppose, les affirmations précédentes. Elle présuppose en effet qu'*on ne trouve pas* des « matieres [...] bien correspondantes » au titre ; ce qui était clairement dit — aussi bien du livre que de son comparant, Socrate ou Silène. Par où l'hypothèse pourrait passer pour superflue. Je formulerai (à mon tour) une hypothèse : *le mouvement du texte importe plus que les étapes*. Il s'agit de multiplier le schéma attente-surprise-déception... Si le livre est un Silène, le prologue est

---

1. Dans la préface de son *Traité de la conformité du langage français avec le grec* (1565), Henri Estienne note l'extraordinaire richesse de la langue française, qui a « si grand nombre [de mots] qu'elle n'en peut savoir le compte ». Il ajoute : « Ce non-obstant *posons le cas* qu'elle se trouvast en avoir faulte en quelque endroict [...] » Hypothèse d'école, comme on le voit. Même exemple plus loin, quand il se demande si à un mot étranger correspond toujours un ou plusieurs mots français (il s'agit de l'italien *scorno*) ; après avoir donné une liste de mots qu'il considère comme synonymes d'*escorne*, il fait cette supposition (absurde selon lui) : « Neantmoins *posons le cas que nul de ces noms la que j'ay mis*, ne peust correspondre à cet Italien [...] »

une poupée russe. Premier point : le titre est plaisant ? Eh bien! ouvrez le livre. Deuxième point : le livre est aussi plaisant que son titre ? Eh bien! rompez l'os (lisez allégoriquement). La moelle est dans l'os et l'os est dans la boîte. Il est bien vrai qu'il ne faut pas demeurer là, comme au chant des Sirènes.

J'ai relevé dans la composition de ce texte un partage métaphorique extrêmement précis. Il souligne la différence des lectures. Au début, il suffisait d'ouvrir le livre et de lire de près; geste relativement simple et sur lequel on n'insiste pas. D'abord il est omis :

> mais au dedans l'on reservait *(à propos du Silène)*

puis une simple mention :

> Mais, ouvrans ceste boite *(à propos de Socrate)*

enfin une précision :

> C'est pourquoy fault ouvrir le livre et soigneusement peser ce que y est deduict. Lors congnoistrez *(à propos du livre)*

mais, dans tous ces cas, on est loin du travail du chien philosophe. Lorsqu'il s'agit de briser l'os, l'opération est plus difficile. De même que la description du chien montre l'extrême ardeur de sa recherche :

> [...] vous avez peu noter de quelle devotion il le guette, de quel soing il le guarde, de quel ferveur il le tient, de quelle prudence il l'entomme, de quelle affection il le brise, et de quelle diligence il le sugce.

celle du lecteur suggère la difficulté de l'entreprise :

> A l'exemple d'icelluy vous convient estre saiges, pour fleurer, sentir et estimer ces beaux livres de haulte gresse, legiers au prochaz et hardiz à la rencontre. Puis, par curieuse leçon et meditation frequente, rompre l'os et sugcer la substantificque moelle — c'est-à-dire, ce que j'entends par ces symboles Pythagoricques — avecques espoir certain d'estre faictz escors et preux à ladicte lecture.

La lecture est un travail particulièrement difficile, laborieux, hasardeux. Le Silène décrivait le livre et non la lecture. C'est le lecteur qui, maintenant, tient le devant de la scène. Chien philosophe, il doit

43

suspecter le livre de cacher quelque chose. L'auteur l'a averti, sans
doute, mais il doit aussi avoir du flair. Et le chien ?

> Qui l'induict à ce faire ? Quel est l'espoir de son estude ? Quel bien
> y pretendt il ?

Ce n'est pas quelque maître qui l'incite à la recherche mais bel et
bien l'objet qu'il a devant lui et dont il sait qu'il n'est pas ce qu'iLest.
Ce qui le pousse ?

> « Rien plus q'un peu de mouelle. »

La quête du lecteur est motivée par l'« espoir certain d'estre faict
escort et preux ». Cette machine est montée pour son plus grand
bien :

> [...] bien aultre goust trouverez et doctrine plus absconce, que vous
> revelera de tresaultz sacremens et mysteres horrificques, tant en ce
> que concerne nostre religion que aussi l'estat politicq et vie oecono-
> micque.

On remarquera la disparition de la première personne : dans votre
lecture vous trouverez une doctrine qui vous révélera... Cette disparition était dès longtemps préparée. « Mes bons disciples », dit d'abord
Alcofribas à ses lecteurs; puis passage au « nous » : « aulcuns livres
de nostre invention »; et effacement : « les œuvres des humains ».
Avant la discussion de « l'objection », la première personne ne réappa-
raîtra qu'une fois; c'est pour donner la signification de la moelle
(allégorie de l'allégorie) : « [...] ce que j'entends par ces symboles
Pythagoricques [...] » : c'est dire que le « je » ne s'affirme ici que comme
sujet de ce discours critique qu'est en partie le prologue, et non, en
toute rigueur, comme auteur de la révélation qu'il décrit. Le lecteur
a l'espoir d'*être fait* « escort et preux ». C'est *dans sa lecture* qu'il
trouvera la doctrine : le lecteur est seul devant le livre, et déjà responsable; c'est sa propre lecture qui se trouve maintenant ressembler au
Silène ou à l'os.
    Les « tresaults sacremens et mysteres horrificques » que révèle la
doctrine touchent à trois domaines : religion, état politique et vie
économique. La religion, la cité, l'homme privé. Cela couvre tout le
champ des croyances et des activités humaines. Mais en même temps,
cette tripartition du sens allégorique en évoque une autre. On sait
que l'exégèse biblique distinguait le sens littéral du sens spirituel
et, dans sa formulation scolastique, divisait le sens spirituel en
sens allégorique ou typique, tropique ou tropologique, et anagogique

(allégorie désignant à la fois le sens spirituel et une catégorie de celui-ci). Le plus haut sens et la métaphore de la moelle, les sacrements et les mystères, disent bien que le modèle interprétatif prend ici son origine dans la théologie et la tradition exégétique. Le « politique » et l'« économique », *écho* du « typique », du « typologique », du « tropologique » ou de l'« anagogique », c'est là peut-être la dernière étape de ce processus par lequel on nous démontre qu'« au fond » ce livre, à aucun moment, n'est ce qu'il a l'air d'être. On ne s'étonnera plus, dès lors, de la disparition d'Alcofribas. Qu'en est-il donc en effet de ce livre étrange, à lire comme la Bible ? Et qui l'a écrit ?

L'auteur et le livre.

Nous avons vu qu'il était possible d'envisager l'argumentation du prologue de deux points de vue différents. On peut en effet considérer que le prologue traite d'abord du livre et de la lecture qu'on doit en faire ; ensuite, faisant intervenir l'auteur, de la relation que ce dernier entretient avec son lecteur. On peut aussi considérer que le prologue pose d'abord le problème de la discordance du titre et du contenu, ensuite celui de la discordance de la signification littérale et de la signification allégorique. Dans le premier cas, le motif du chien et de l'os médullaire appartient au premier mouvement ; dans le deuxième cas, au second. C'est en fait l'éventualité d'un sens allégorique qui permet de poser le problème de l'intention de l'auteur.

La description du chien qui rompt l'os médullaire a mis l'accent sur le travail du lecteur. Le motif de la bouteille, « prélude », « coup d'essai », introduction à cette page exemplaire, annonçait déjà le problème de la fin du texte :

Crochetastez vous onques bouteiles ? Caisgne! Reduisez à memoire la contenence qu'aviez.

Dans le contexte, la dernière phrase prend quelque ambiguïté : il s'agit du « maintien », de l'attitude du lecteur. Mais « contenir » était employé à propos du livre : « la drogue dedans contenue ». La ruse lexicale nous invite à considérer que ce n'est pas la bouteille qui a un contenu, mais nous qui l'ouvrons. Le problème est ainsi déplacé. L'effacement de l'auteur et la sacralisation du livre vont dans le même sens. Les desseins de l'auteur sont impénétrables, le lecteur en a une responsabilité d'autant plus lourde. Dès lors, ce qu'on appelle l'objection de la fin du prologue est inévitable.

C'est la dernière partie du texte, consacrée à la discussion d'une question :

> Croiez vous en vostre foy qu'oncques Homere, escrivent l'*Iliade* et *Odyssée*, pensast es allegories lesquelles de lui ont beluté Plutarche, Heraclides Ponticq, Eustatie et Phornute, et ce que d'iceulx Politian a desrobé ?

De fait la discussion est plutôt brève et le problème, sitôt posé, est résolu par un décret de l'auteur du prologue, qui fait ici un retour remarquable :

> Si le croiez, vous n'approchez ne de pieds ny de mains à mon opinion, qui decrete icelles aussi peu avoir esté songéez d'Homere que d'Ovide en ses *Métamorphoses* les sacremens de l'Evangile, lesquelz un Frere Lubin, vray croquelardon, s'est efforcé demonstrer, si d'adventure il rencontroit gens aussi folz que luy, et (comme dict le proverbe) couvercle digne du chaudron.

Le terme d'objection ne me semble pas pertinent pour nommer ce mouvement. En effet, la logique du prologue appelait une question de ce type. Pour les raisons que j'ai déjà données, mais aussi pour d'autres qui tiennent à la structure du texte considéré dans sa totalité, au *dessin* de cet objet paradoxal, à sa « figure ». Nous avons vu que la totalité du prologue dépend d'un jeu d'oppositions : titre/matières du livre; sens littéral/sens allégorique. L'« objection » ne fait que reprendre le contraste sous une autre forme : intention de l'auteur/ « découvertes » de ses commentateurs. Résumons. 1° Le titre désigne mal le livre : cela est banal, c'est un lieu commun (l'habit ne fait pas le moine, etc.) et par ailleurs le texte même du prologue le vérifie. 2° Le sens littéral diffère radicalement du sens allégorique : cela est plus élaboré, plus subtil et à vérifier (mais comment ?). 3° L'intention de l'auteur n'a aucun rapport avec les significations déployées par ses commentateurs : c'est la forme extrême du paradoxe fondateur. Il faut d'autre part tenir compte de l'aspect *mimétique* du prologue : parti de la considération du titre, le lecteur en est venu à celle du contenu, puis du sens allégorique, passant d'une matière « folâtre » à des « mystères horrificques » par un mouvement d'approfondissement, effet d'une construction en abyme. C'est ici le mouvement inverse qui s'amorce (toujours par le jeu des oppositions) : des mystères révélés au portrait d'un écrivain dont l'allure, nous le verrons, ressemble à celle de Socrate. Dans ce mouvement, l'alternance plaisant/sérieux est respectée. Nous pouvons en esquisser ainsi le dessin :

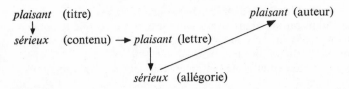

La question que nous pose l'auteur apparaît donc comme une *conséquence* logique et du détail de l'argumentation et du « modèle » du prologue.

Dans la formation de la question qui ouvre cette dernière partie du prologue, « allégorie » a une acception équivoque : ni tout à fait invention de l'exégète — qu'il la « belute » ou qu'il la « calfrete »[1], ni évidemment procédé délibéré de l'auteur. Cette ambiguïté n'a pas de quoi nous étonner. Un certain nombre de critiques ont relevé que les interprètes d'Homère cités ici sont *a priori* fort respectables. Mais il y a l'exégète d'Ovide, frère Lubin. Plutarque, le pseudo-Héraclide, Eustathe souffrent quelque peu de la comparaison. Or, que dit Alcofribas ? Homère n'a pas plus pensé aux allégories « belutées » par ses commentateurs qu'Ovide aux sacrements de l'Évangile. Et cela ne fait pas particulièrement problème. Eustathe, Cornutus, Plutarque, Héraclide du Pont, autant de commentateurs sur lesquels aucun jugement n'est porté. Ange Politien est accusé de plagiat; Rabelais reprend ici une accusation de Budé. Disons que Politien est coupable d'avoir lu plus de commentaires d'Homère que de vers d'Homère ou, peut-être, de ne pas avoir mené honnêtement le travail interprétatif. Quant au commentateur d'Ovide, il n'a pas tout à fait la même attitude que ceux d'Homère. Il s'est en effet efforcé de « démontrer » son interprétation « si d'adventure il rencontroit gens aussi folz que luy ». Dans *Gargantua*, l'allégorie devrait aussi conduire le lecteur à des sacrements et à des mystères. Mais le lecteur essaiera-t-il de convaincre quelque autre lecteur de la réalité de ses découvertes ? Cela est impossible : l'auteur a dit ce qu'il a dit et, il l'affirme ici, il n'a pas pensé à autre chose que ce qu'il a dit. Si frère Lubin veut faire partager ses découvertes, il est fou en effet : il oublie que le texte parle (littéralement) de tout autre chose que des sacrements de l'Évangile; comme ces « *folz* de sejour » qui, au début du prologue, croient

---

1. « Beluter » (bluter) signifie « passer au tamis »; ici, quelque chose comme « discuter en détail ». En 1542, Rabelais corrigera « beluté » en « calfreté ». D'après R. Huguet, « calfreter une allégorie » signifierait « la travailler de façon à la rendre présentable, comme le calfat rend le navire capable de naviguer ». Qu'il s'agisse du texte de 1534 ou de celui de 1542, ces allégories ont un statut équivoque et ne peuvent être envisagées comme de simples constructions du lecteur.

que les titres des écrits d'Alcofribas sont à l'image des matières traitées, frère Lubin oublie, dans son ardeur prosélytique, que le couvercle ne ressemble pas au contenu de la boîte. Il est vrai qu'il veut trouver « couvercle digne du chaudron ».

Il s'agit bien en effet de maintenir une tension fondamentale :

> Si ne le croiez, quelle cause est, pourquoy autant n'en ferez de ces joyeuses et nouvelles chronicques, combien que, les dictant, n'y pensasse en plus que vous, qui par adventure beviez comme moi ? Car, à la composition de ce livre seigneurial, je ne perdiz ny emploiay oncques plus, ny aultre temps que celluy qui estoit estably à prendre ma refection corporelle, sçavoir est, beuvant et mangeant.

Alcofribas est venu sur le devant de la scène. Il demande qu'on fasse pour son livre ce qu'on a fait pour les œuvres d'Homère. Les « joyeuses et nouvelles chronicques » nomment *Gargantua*, et par référence aux *Grandes et Inestimables Chronicques*. Par le rappel du titre (plaisant, joyeux), il s'agit bien de forcer le contraste. Nous en étions au plus haut degré d'élaboration de la lecture. Pareille lecture n'est pas refusée mais opposée à ce que le livre a de plus dérisoire : son titre, et son auteur. La concessive (« combien que, les dictant, [...] ») a la même fonction. De plus, elle met subrepticement les lecteurs dans la même position que l'auteur : « vous qui par adventure beviez *comme moy* [...] » Lorsque les lecteurs étaient invités à l'allégorie, Alcofribas, on s'en souvient, s'adressait à eux en ces termes : il faut « à plus hault sens interpreter ce que par adventure cuidiez dict en guaieté de cueur », et le contexte ne laissait aucun doute : celui qui parle par allégories ne parle pas spontanément. Mais qui parle, encore une fois ? Alcofribas, tel qu'il apparaît à la fin du prologue, n'est pas véritablement responsable de ce « livre seigneurial » (mais de quel seigneur — ou Seigneur — s'agit-il ?). Et il commence, à dessiner le lecteur à son image (un lecteur buveur, comme celui qui a écrit le prologue) : l'imparfait « beviez » se transformera bientôt en futur. Mais, au point où nous en sommes, le lecteur est responsable de cette lecture savante qu'on nous a décrite si bien que l'opposition est maintenant celle de la légèreté de l'écrivain et de la gravité de la lecture.

Elle va se transformer une dernière fois :

> Aussi est ce la juste heure d'escrire ces haultes matieres et sciences profundes, comme bien faire sçavoit Homere, paragon de tous phi-lologes, et Ennie, pere des poëtes latins, ainsi que tesmoigne Horate, quoy qu'un malautru ait dict que ses carmes sentoyent plus le vin que l'huile.

48

Comme dans le premier mouvement, le « je » se met en retrait, par le biais de la généralisation. L'auteur esquisse ici la dernière variante de son opposition : ce sont deux manières d'écrire qu'il compare maintenant.

> Autant en dist un tirelupin de mes livres; mais bren pour luy! L'odeur du vin, ô combien plus est friant, riant, priant, plus ·celeste et delicieux que d'huile!

Ce vin n'est pas celui que buvait Socrate au début du prologue. Il est céleste comme le Socrate « intérieur » et délicieux comme la moelle. « Friant » est ambigu, renvoyant à la fois à la paillardise de Socrate et à la saveur de la moelle. « Riant », c'est l'apparence du Silène; mais, inscrit entre « friant » et « priant », et *dans* l'un et l'autre de ces adjectifs, ce rire est lui-même ambigu. Le jeu verbal unit ici des éléments qui pouvaient être considérés comme des contraires. Le vin semble lié au trivial et au grossier; on se trompe sur sa nature. N'était-il pas symboliquement *sur* le couvercle de la boîte, mais aussi, en vérité, *dans* la bouteille ? L'huile semble liée au contraire à des valeurs sûres : la veille, le travail; en fait, elle n'a qu'une détestable odeur. C'est effectivement celui qui écrit dans le vin qui se montre capable de « *haultes* matieres et sciences *profundes* » : formule où les adjectifs sont synonymes et en même temps s'opposent. Ce n'est pas l'auteur, c'est le vin qui a écrit le livre paradoxal.

La figure de Démosthène va servir de repoussoir. Il se glorifiait de dépenser plus en huile qu'en vin. Alcofribas ici triomphe :

> A moy n'est que honneur et gloire d'estre dict et reputé bon gaultier et bon compaignon, et en ce nom suis bien venu en toutes bonnes compaignies de Pantagruelistes. A Demosthenes fut reproché par un chagrin que ses *Oraisons* sentoyent comme la serpilliere d'un hord et sale huilier. Pourtant interpretez tous mes faictz et mes dictz en la perfectissime partie; ayez en reverance le cerveau caseiforme qui vous paist de ces belles billes vezées, et, à vostre povoyr, tenez moy tousjours joyeux.

Retour triomphal de l'auteur ou retour d'un rôle ? « A moy *n'est que* honneur et gloire d'estre *dict* et *reputé* [...] » Tout le prologue indique le peu de cas qu'il faut faire de la « réputation ». C'est pourtant elle qu'Alcofribas revendique. « En ce nom » est restrictif. C'est le couvercle du Silène que nous revoyons; son contenu, ici, c'est l'interprétation du lecteur. De l'un à l'autre, un rapport de cause à effet : « pourtant » (c'est pourquoi). Si l'extérieur était ridicule, le contenu était parfait. Ici : je (ne) suis (que) « bon gaultier », « pourtant interprétez tous mes faictz et mes dictz en la perfectissime partie ».

Dérision qui touche Alcofribas (le cerveau caséiforme) et son livre (ces belles billes vezées) mais, pour la dernière fois, épargne l'interprétation : c'est encore quelque perfection qu'il convient de rechercher.

Les dernières paroles sont jurons et moqueries. On le sait, Socrate était « toujours beuvant d'autant à un chascun, tousjours se guabelant [...] ». C'est lui qui parle ici :

> Or esbaudissez vous, mes amours, et guayement lisez le reste, tout à l'aise du corps et au profict des reins! Mais escoutaz, vietzdazes, — que le maulubec vous trousque! — vous soubvieigne de boyre à my pour la pareille, et je vous plegeray tout ares metys.

L'auteur part, laissant une image grotesque de lui-même. Et aussi du lecteur. Face à face dérisoire de deux étranges figures. Ce sont « pinctures contrefaictes à plaisir pour exciter le monde à rire (quel fut Silene, maistre du bon Bacchus) ».

La boîte est refermée. Sur le couvercle est représenté le dialogue d'un cerveau caséiforme et d'un vit d'âne. Il faut lire gaiement le reste. Mais si ce couvercle cachait quelque chose ? Faut-il rouvrir la boîte ? Puis de nouveau rompre l'os ? Faut-il *relire ?* Et parcourir encore et encore le cercle des interprétations ? Le prologue mime la lecture qu'on peut faire du livre.

II. RÉFÉRENCES

La logique rigoureuse du prologue de *Gargantua* associe et ordonne des motifs hétérogènes : images platoniciennes, paraboles érasmiennes, métaphores patristiques..., etc. Il convient d'examiner à présent comment le texte rabelaisien s'élabore à partir de ce matériel composite, comment il interprète lui-même ses références.

Références platoniciennes.

Les deux motifs qui rendent compte de la structure du livre et de la lecture qu'on doit en faire — le Silène, l'os médullaire du chien philosophe — sont en quelque sorte « garantis » par des références platoniciennes précises. Cela est remarquable quand on sait que le premier reprend un *Adage* d'Érasme et que le second « file » une métaphore caractéristique de la tradition de l'exégèse biblique. Pourquoi donc Platon ici ?

Le « prélude » suit de près le passage du *Banquet* de Platon auquel il renvoie [1]. Tout d'abord, et c'est l'évidence, il s'agit bien, dans l'un et l'autre cas, d'un banquet. Le texte que présente Alcofribas a été composé le temps d'un repas ; et la comparaison de Socrate aux Silènes appartient aux propos tenus par Alcibiade lors du « banquet ». Mais surtout, on sait qu'Alcibiade a fait une entrée quelque peu bruyante chez Agathon, et que son ivresse joyeuse lui est à la fois un obstacle et un argument : un obstacle, car il craint qu'on ne le croie pas ; un argument, si l'on se réfère comme il le fait au proverbe : « dans le vin (est) la vérité [2] ». Or, la situation du prologue de *Gargantua* est comparable sur ce point : j'ai montré que les conditions dans lesquelles Alcofribas a écrit son livre lui permettent en même temps de soulever une « objection » et d'y répondre. La référence au *Banquet*, loin d'être l'effet d'une érudition gratuite, permet à l'auteur du prologue de préciser en contrepoint une situation discursive : un homme ivre (qui peut-être délire, peut-être est inspiré — à supposer qu'il y ait une différence) décrit à des compagnons de table un « objet » paradoxal.

La seconde référence à Platon garantit l'affirmation selon laquelle le chien est « la beste du monde plus philosophe ». Cette affirmation repose sur un paradoxe du type de ceux que nous avons relevés tout au long de ce prologue, et la suite du texte rabelaisien semble illustrer cette philosophie du chien : le lecteur d'Alcofribas pose en effet que le chien est philosophe parce qu'il est capable de flairer l'os, de le rompre patiemment, d'y trouver la moelle. Or, que dit Platon « *li. 2. de Rep.* [3] » ? Le chien est philosophe parce qu'il considère comme des amis ceux qui sont de la maison et comme des ennemis ceux qui n'en sont pas. Ce n'est pas que les uns lui aient toujours fait du bien, ni que les autres lui aient quelquefois fait du mal ; c'est qu'il connaît les uns et ne connaît pas les autres. La distinction qu'il fait, il la fait donc selon un critère de connaissance : cela est philosophique. En un mot, le chien philosophe aime *a priori* celui qu'il connaît. Rien à voir, donc, avec l'os médullaire. Et pourtant, peut-être, quelque relation, par une voie oblique. Alcofribas, nous l'avons vu, exige pour son livre la

1. *Le Banquet*, 215 a s., 221 d s.
2. *Ibid.*, 217 e.
3. *République*, II, 376 a s.

meilleure part; ce qu'en dernier recours il demande, c'est *un préjugé favorable* : en dépit de tous les obstacles (le titre, la lettre du texte, les conditions d'écriture, sources de déceptions successives), le lecteur est invité à interpréter toujours « en la perfectissime partie ». Il y a là un véritable *a priori*. Lequel est d'ailleurs justifié par l'appartenance du lecteur et de l'auteur à une même communauté. Communauté très vaste, d'abord :

> ... par telle legiereté ne convient estimer les œuvres des humains,

puis plus précise :

> A moy n'est que honneur et gloire d'estre dict et reputé bon gaultier et bon compaignon, et en ce nom suis bien venu en toutes bonnes compaignies de Pantagruelistes.

Au *Tiers Livre*, Épistémon dira :

> Il faut tousjours de son presme interpreter toutes choses à bien (XXII, p. 161).

Écho à Pantagruel :

> Toutes choses prenoit en bonne partie, tout acte interpretoit à bien. (*Ibid.*, II, p. 29).

Reprise enfin de cette déclaration de François Rabelais, parlant de ses lecteurs :

> Je recongnois en eulx tous une forme specificque et propriété individuale, laquelle nos majeurs nommoient Pantagruelisme, moienant laquelle jamais en maulvaise partie ne prendront choses quelconques ilz congnoistront sourdre de bon, franc et loyal couraige. Je les ay ordinairement veuz bon vouloir en payement prendre et en icelluy acquiescer, quand debilité de puissance y a esté associée. (*TL*, Prologue, p. 18).

Le chien de Platon était une métaphore du gardien de la cité; le chien d'Alcofribas est gardien de l'interprétation et membre de cette « cité » des lecteurs : les Pantagruélistes.

Les deux motifs (le chien, le banquet) convergent donc dans la description d'une « micro-société » ou d'un microcosme, qui a son livre, son maître, son mode de vie ou sa philosophie, son principe actif (le vin) et qui repose sur des relations de confiance réciproque.

Mais la mise en scène rabelaisienne les *pervertit* en leur donnant comme référence unique le livre (son écriture et sa lecture). L'« application » de la comparaison du Silène au livre n'est pas sans conséquences. Il s'agissait, dans *le Banquet*, de décrire Socrate; il s'agit ici de décrire le livre même dont fait partie ce prologue — la page de titre a été tournée, le lecteur a commencé sa lecture, à la fin de ce texte on nous invite à lire « le reste ». La référence (le comparé) n'est plus un objet extérieur, mais le texte même qui présente ce motif. Cela donne une singulière importance à la reprise rabelaisienne du thème du chant des Sirènes qui, nous l'avons signalé, se trouvait aussi dans *le Banquet*. Car ce qu'Alcofribas désigne par là, c'est sa propre force de persuasion (et non, comme Alcibiade, celle d'un tiers). L'éloge du livre est construit sur des procédés de rhétorique classique (« exempla », proverbes..., etc. [1]), mais sa force et son ambiguïté tiennent à ce qu'il est aussi éloge de lui-même. C'est comme si Socrate en personne parlait et jouait de sa séduction pour dire, entre autres choses, qu'il ne faut pas se laisser séduire. Dans le prologue, ce déplacement fait passer au premier plan la relation établie entre le livre et le lecteur et permet d'esquiver la question de la « réalité » d'un sens caché. Quant au chien philosophe, il paie de sa philosophie sa métamorphose en lecteur. Ce lecteur, en effet, qui est invité à se comporter comme s'il connaissait Alcofribas, en fait le découvre. A moins qu'il ne le connaisse par *Pantagruel* ? Cet argument paraît ici quelque peu anecdotique. Dans tous les cas, il n'y a pas de pantagruélisme avant *Pantagruel;* plus fondamentalement, la confrérie des lecteurs et de l'auteur est bien évidemment un *effet* du texte. Le livre présuppose une complicité qu'en fait il construit de toutes pièces. Rabelais a besoin de cette présupposition pour sa démonstration. Si bien que les deux motifs platoniciens ont dans le prologue un statut ambigu. Ils garantissent ponctuellement des déclarations d'Alcofribas; ils s'organisent, dans un jeu intertextuel plus complexe, pour fonder un mythe susceptible de rendre compte d'un certain type d'interprétation du livre — fraternel festin où, dans un dialogue confiant, le maître et le disciple recherchent la vérité —; mais ils sont aussi éléments d'une stratégie toute différente et proprement rabelaisienne. L'idée de la fausseté de l'apparence et celle d'un accord donné *a priori* sont hiérarchisées d'une manière nouvelle : c'est parce que son accord est donné *a priori* que le lecteur ne tiendra pas compte de l'apparence, si du

---

1. Cf. J. Larmat (*Le Moyen Age dans le Gargantua de Rabelais*, « Les Belles Lettres », 1973, p. 206 s.) qui analyse le prologue comme « un échantillon de dialectique médiévale ».

moins elle n'est pas élogieuse. L'ordre donné, de faire du livre la meilleure lecture possible, est ici un acte pour le moins acte *arbitraire* [1].

Références à la tradition exégétique.

Les références du prologue à la tradition exégétique sont nombreuses. « Allégorie » est un terme qui appartient à la fois à la rhétorique profane et à l'exégèse biblique. Le « plus haut sens » est un concept de théologie scolastique. Pour saint Jérôme, l'Écriture peut être comparée à une noix dont le sens littéral est la coquille et le sens spirituel la chair ; saint Augustin utilise la métaphore de la cosse *(siquila)* pour désigner la lettre ; Érasme, commentant les allégories de la *Genèse*, parle d'une enveloppe *(tectorium)* qui cache un sens profond ; Érasme encore associe la cosse augustinienne et la moelle *(medulla)* dans l'*Enchiridion militis christiani* [2]. Il est à peine besoin de relever les « tresaultz sacremens et mysteres horrificques » qui appartiennent évidemment à l'exégèse théologique [3]. Le Silène, on sait que sa description renvoie à l'*Adage* d'Érasme *Sileni Alcibiadis* où est comparé à un Silène non seulement Socrate, mais aussi Antisthène, mais aussi Diogène, Épictète, et enfin le Christ, Jean Baptiste, les Apôtres. Le recours au proverbe « l'habit ne fait pas le moine » prend ici quelque résonance particulière : le moine attache plus d'importance au vêtement et aux pratiques extérieures qu'à la foi ; la vie monastique est une réalité qui n'est qu'extérieurement chrétienne, c'est un Silène inverse [4]. Enfin, la mention d'Homère et de ses commentateurs renvoie à un problème classique des théoriciens de l'exégèse : il s'agit de savoir si l'allégorie des poètes est de même nature que l'allégorie des théologiens. Pour ces derniers, en effet, le « *sensus allegoricus* » est une notion essentiellement religieuse : la signification allégorique n'est pas de nature verbale (comme le sens

---

1. Il faut noter que, dans le *Banquet*, l'éloge d'Alcibiade se justifie au moins autant par l'amour qu'il porte à Socrate que par les richesses qu'«objectivement» il lui reconnaît. A la fin du dialogue, Socrate dira ce qu'il faut penser de ces propos ; ils ont une fonction bien précise : Alcibiade veut le séparer d'Agathon (222 c, d).

2. On trouvera une étude du vocabulaire de l'allégorie théologique chez Érasme dans C. Béné, *Érasme et Saint Augustin*, THR, CIII, 1969, p. 268, et dans G. Chantraine, « *Mystère* » et « *Philosophie du Christ* » *selon Érasme*, Namur, 1971, p. 319 s. et 363 s.

3. Cf. H. de Lubac, *Exégèse médiévale, Les quatre sens de l'Écriture*, Aubier, 1959-1964, t. II., p. 201.

4. Cf. G. Chantraine, *op. cit.*, p. 76 et 135.

allégorique des poètes), elle ne peut tenir qu'à la volonté de Dieu, qui fait d'une réalité le signe d'une autre réalité [1].

Qu'il s'agisse du sens allégorique ou de la métaphore de la moelle, le prologue se situe au carrefour de l'exégèse biblique et de la rhétorique profane («*medulla*» est un terme de la rhétorique cicéronienne avant d'être une métaphore patristique). Cette ambiguïté n'est pas un fait de hasard. *Gargantua* est un texte profane qui exige, semble-t-il, une lecture semblable à celle qu'on pratique sur les textes sacrés. On se souvient que la première référence du premier livre d'Alcofribas est une référence biblique; le « modèle » du livre est d'emblée comparé à la Bible :

> [...] vous avez n'a guères veu, leu et sçeu les *Grandes et inestimables Chronicques de l'énorme géant Gargantua*, et, comme vrays fidèles, les avez creues tout ainsi que texte de Bible ou du sainct Evangile... (*P*, Prologue, p. 3).

Plus ou moins latente dans le prologue de *Gargantua*, la même comparaison y joue un rôle décisif. Le grand débat des deux allégories (celle des poètes, celle des théologiens) a dans notre texte une importance capitale.

Cette question a d'abord un aspect satirique. L'enseignement scolastique à son déclin use et abuse de la méthode des quatre sens à propos des textes les plus divers : le littéral, l'allégorique, le tropologique, l'anagogique organisent toute lecture. Car cet enseignement, c'est essentiellement la « *lectio* », et le maître y est toujours un lecteur, jamais un auteur [2]. Or, il se produit une sorte de compensation : la logique du système fait que ce lecteur sera d'autant plus respecté qu'il donnera plus d'importance à sa lecture : importance qualitative — il fait découvrir dans un texte ce que personne n'y avait jamais vu [3]; importance quantitative — il accumule les gloses. Le prologue de *Gargantua* semble faire de son lecteur buveur ou vérolé un « lecteur » de ce type. Pure dérision ? Sans doute cette manière qu'a Alcofribas de dire à son lecteur que le sens de son livre n'est jamais là où on pourrait le croire et cet incessant déplacement de la question, cette

---

1. Cette formulation, dans ces termes, est thomiste. Cf. E. de Bruyne, *Études d'esthétique médiévale*, Bruges, 1946, t. II, p. 317 et *passim*.
2. Cf. E. Garin, *L'Éducation de l'homme moderne*, Fayard, 1968, p. 68.
3. Cf. J. Le Goff, *Les Intellectuels du Moyen Age*, Éd. du Seuil, 1965, p. 100 : « L'intellectuel universitaire naît à partir du moment où il « met en question » le texte qui n'est plus qu'un support, où de passif il devient actif. Le maître n'est plus un exégète mais un penseur. Il donne ses solutions, il crée. »

insistance aussi sur le paradoxe, sont une joyeuse satire de la lecture scolastique. Mais il convient de marquer ce qui fait la différence entre le lecteur de *Gargantua* et le glossateur de la tradition. C'est que le premier doit être, si l'on peut dire, « à la hauteur » du texte qu'il lit. Ce n'est pas le cas du second. Comme le montre par exemple tel passage de *Pantagruel* où l'on voit le jeune géant étudier le droit à Bourges :

> Et disoit aulcunesfois que les livres des loix luy sembloient une belle robbe d'or, triumphante et précieuse à merveilles, qui feust brodée de merde (V, p. 30).

Cette allégorie est décryptée ainsi :

> Car, disoit-il, au monde n'y a livres tant beaulx, tant aornez, tant elegans comme sont les textes des *Pandectes* : mais la brodure d'iceulx, c'est assavoir la glose de Accursius, est tant salle, tant infame et punaise, que ce n'est que ordure et villenie *(Ibid.)*.

Nous retrouvons ici le paradoxe fondateur du prologue de *Gargantua*, mais déplacé et inversé. Le glossateur produit un commentaire « inférieur » au texte commenté. Loin d'interpréter « en la perfectissime partie » ce livre déjà précieux (immédiatement précieux, ce qui n'est pas le cas du livre-Silène d'Alcofribas), il rabaisse le texte qu'il glose. Dans sa reprise parodique de la *« lectio »* scolastique, Alcofribas garde l'idée d'une très grande liberté du lecteur, mais cette liberté il la *limite* à un certain type d'interprétation : une sorte de lecture « généreuse ».

Et c'est ici que nous retrouvons une idée venue, cette fois, de l'exégèse théologique. Alcofribas ne prétend pas être *l'auteur* d'une nouvelle Bible. Mais il exige que ce livre qu'il offre soit *lu comme* la Bible. Il n'y a pas là de contradiction. Saint Thomas, qui est précisément celui qui donne la plus grande précision à la distinction entre l'allégorie des poètes et l'allégorie des théologiens, définit le sens littéral d'un texte comme celui que l'auteur a l'intention d'exprimer : *« sensus litteralis est, quem auctor intendit* [1] *»*. Si un auteur a voulu allégoriser, a « pensé » aux allégories que le lecteur perspicace trouvera dans son œuvre — c'est le cas du poète —, ces allégories sont de simples déguisements, des effets verbaux qui appartiennent au sens littéral. Il suffit donc de prendre à la lettre la définition thomiste pour

---

1. *Summa theol.*, Iª P., qu. 1, art. 10, *resp.* Cité par J. Pépin, *Dante et la Tradition de l'allégorie*, Vrin, 1970, p. 75.

que l'absence d'une intention consciente de l'auteur apparaisse comme la condition de possibilité de l'allégorie au sens théologique du mot : la fameuse « objection » du prologue serait alors le meilleur argument de sa démonstration [1] : du point de vue de l'auteur, il n'y a peut-être que folâtreries dans ce livre; mais c'est précisément cela — la « réalité » d'un sens plaisant et léger — qui permet de suggérer (ou de postuler) l'existence d'un sens allégorique. En toute rigueur, un livre profane est bien susceptible d'une interprétation allégorique *stricto sensu*, mais à la condition suivante : *il faut* « mettre entre parenthèses » le projet conscient de l'auteur.

Finalement, Rabelais retient ici d'une problématique traditionnelle deux idées : la première est que le lecteur doit donner du livre l'interprétation la plus haute et la plus parfaite; la seconde — condition de possibilité de la première — est que ce livre est susceptible d'une lecture allégorique au sens théologique du mot pour une raison aussi simple que paradoxale : celui qui l'a composé n'a pas eu l'intention d'allégoriser. Un processus est ainsi engagé au terme duquel, inévitablement, le lecteur (le parfait lecteur) sera l'auteur du livre.

Conclusion : forme et sens.

Rabelais emprunte ainsi à la tradition un certain nombre d'éléments qui, habilement « montés », en viennent à suggérer un mode de lecture qui n'est rien moins que traditionnel. Le lecteur se nourrit du livre; le lecteur est responsable de sa lecture; l'auteur n'est qu'un copiste; il ne faut pas se fier aux apparences, etc., autant d'idées qui sont garanties par des références précises à Platon, à l'exégèse biblique, à la « *lectio* »... Mais le traitement de ces motifs (qui sont autant de *schémas interprétatifs*) modifie leur signification. Est-ce jeu, dérision, parodie ? Faut-il parler d'ambiguïté ? Contradiction serait peut-être plus juste ? Le prologue de *Gargantua* décrit la lecture qu'on doit faire du livre; pour la décrire, il utilise les concepts et les images dont il peut disposer; ces concepts ou images ne sont pas nécessairement adéquats; donc il les trie, les réorganise, les utilise d'une manière critique; finalement, ce texte interprète lui-même « en la perfectissime partie » une tradition, ou des traditions : son problème consistant

---

1. On s'est posé à propos de Dante le même type de problème. *L'Épître à Cangrande* propose en effet d'appliquer à *la Comédie* la méthode des quatre sens, donc le principe de l'allégorie au sens théologique. Cf. Ph. Damon, « The two modes of allegory in Dante's *Convivio* », *Philological Quaterly*, 40 (1961), p. 144-147; et la discussion de ce problème par J. Pépin, *op. cit.*, p. 65 s.

moins, par exemple, à déterminer si l'allégorie est une bonne ou une mauvaise chose qu'à se demander à quoi elle pourrait bien lui servir, et comment. Car enfin son but est bien de formuler une nouvelle idée de la lecture. Nous avons mesuré les difficultés où cet « exposé » nous met; il est lui-même difficile à « interpréter » selon des catégories traditionnelles, car nous pouvons très légitimement soupçonner qu'il dit autre chose que ce qu'il semble dire : Alcofribas, après tout, n'a pensé qu'à faire rire. D'où ces subtils partages entre ce qui revient à l'auteur et ce qui nous revient à nous, lecteurs; mais aussi ces restrictions à notre liberté d'interprétation et cette exigence d'une lecture parfaite. Cette lecture, le prologue la décrit en fait d'une autre manière. Par sa composition, sa figure, son « dessin ». J'ai à plusieurs reprises souligné son aspect mimétique. L'interprétation que le lecteur en fait est double : il se demande ce qu'on attend de lui, cherche dans ce texte une idée du livre qui suit; mais en même temps il joue ce texte, il l'interprète comme un acteur interprète son rôle. Car le prologue nous décrit, nous qui le lisons, il nous décrit occupés à le lire. Il décrit notre attente, nos surprises, nos déceptions, nos questions. De ce point de vue, le sens, c'est la forme. Les emboîtements successifs, l'ouverture et la fermeture de cet étrange objet, les reprises et les échos. De ce point de vue, la moelle n'est pas une fin mythique de la recherche, elle est ici, au centre du texte, protégée par les joyeux saluts du début et de la fin; en même temps, au fil du texte, elle apparaît progressivement au lecteur, puis progressivement disparaît. Selon que nous considérons le prologue comme un objet dont toutes les parties s'offrent simultanément à notre regard, où comme une succession d'éléments que nous ne pouvons percevoir qu'un à un, nous croyons ou non à l'existence de cette moelle. Elle apparaît et disparaît selon les lectures. Le lecteur ne s'arrêtera pas en chemin.

L'allégorie, c'est évidemment un texte qui en appelle un autre, caché sous le premier, ou derrière lui. C'est aussi un *tableau* plus ou moins énigmatique, un objet dont les éléments entretiennent des relations complexes. Dans le texte allégorique, le sens se constitue comme « en profondeur »; dans l'image allégorique, comme « en surface ». La véritable difficulté du Prologue de *Gargantua* tient à ce qu'il joue de ces deux modèles, exégétique et pictural.

3. Propositions

I. L'EFFET LITTÉRATURE

Les deux textes analysés ci-dessus aboutissent, par des procédures différentes, à un résultat à peu près semblable : la désorientation du lecteur. Dans un cas comme dans l'autre, les mécanismes sont réglés. La description de ces règles relève d'une théorie de la lecture ; leur distribution, d'une histoire de la lecture.

Le texte de Lautréamont peut être considéré comme une *variation figurale*. Il part d'une typologie des lectures ; il « illustre » chaque type de lecture par une ou des séries figurales ; et il prolonge une de ces séries de telle manière qu'elle puisse renvoyer en même temps aux différents modes de lectures séparés antérieurement. Il joue ainsi de l'hypothèse d'une « traductibilité » ponctuelle des figures pour démontrer son inefficacité pratique. Il vise à esquiver l'interprétation : l' « incohérence » de la dernière série figurale n'a pas d'autre but.

Le texte de Rabelais joue de différents modèles herméneutiques. Il ne vise pas à esquiver l'interprétation comme telle ; simplement, il la « dérègle » selon des procédures précises. Le seul instrument méthodologique proposé est en effet un principe de contradiction applicable à plusieurs niveaux (titre/contenu, littéral/allégorique, vouloir-dire/dit). Ce texte est une *variation herméneutique*.

On notera que chacun de ces deux mécanismes est lié à *une* rhétorique (à un moment de l'histoire de la rhétorique) : Lautréamont écrit dans le contexte d'une rhétorique de l'élocution, et, plus précisément, d'une rhétorique des figures ; Rabelais dans un contexte où la rhétorique et l'herméneutique entretiennent encore des relations étroites.

Ces textes constituent l'un et l'autre des gestes inauguraux. *A priori*, ils ont chacun deux fonctions : se définir comme *textes*, se donner à lire. Ces deux fonctions, de fait, n'en font qu'une : c'est par la manière dont ils se donnent à lire qu'ils se définissent comme textes. Ils ont ainsi à s'imposer — et à en imposer. La première difficulté qu'ils rencontrent tient au fait qu'ils sont pris en charge par les narrateurs. L'efficacité du discours dépend alors en principe du « crédit » accordé au sujet de l'énonciation. Notons que deux possibilités théoriques sont à envisager : ou bien le sujet se présente comme exceptionnellement « doué », « inspiré »... etc., ou bien il s'efface. Mais, d'un point de vue fonctionnel, il n'y a aucune différence entre ces deux options : la *sublimation du sujet* proposée par la première vaut en efficacité l'*absence du sujet* proposée par la seconde. Dans les deux cas, le discours bénéficie d'un statut particulier — ayant (faisant *comme s'*il avait) une cause spécifique. On peut imaginer une troisième possibilité, en quelque sorte mixte, qu'on appellera la *feinte du sujet*, où l'auteur se présente comme sujet banal d'un discours banal, au point que l'on supposera à partir de certains indices que « cela n'est pas aussi simple » (voir Montaigne [1]). Rabelais et Lautréamont choisissent la solution la plus « économique »; l'absence du sujet : explicite dans le texte de Lautréamont — *je* est du côté du lecteur inexpérimenté —, elle est remplacée, dans le cas de Rabelais, par le principe de contradiction qui met hors du jeu l'intention de l'auteur. Dans les deux cas, le sujet de l'énonciation s'esquive (au moins provisoirement) pour « laisser parler » le livre.

Dès lors est mise en place ce qu'on appellera provisoirement une relation lecteur-livre. Ici, une seconde difficulté : la mise entre parenthèses du sujet de l'énonciation a ôté toute validité à une lecture qui tenterait de rendre compte du livre par le dessein ou le projet d'une instance discursive privilégiée [2]; il s'agit donc de proposer un *modèle de lecture* tenant compte de cette impossibilité.

A priori, la relation livre-lecteur peut être envisagée dans deux sens (deux directions) : du livre au lecteur, ou l'inverse. Perspectives diamétralement opposées, apparemment, dont l'une semble offrir toutes les garanties de l' « objectvité », l'autre tous les plaisirs et tous les risques de la « subjectivité ». Mais il se trouve que dans un cas comme dans l'autre, on instaure un *dialogue*, supposant *deux* instances (le livre/le

---

1. Il va de soi que cette distinction ne recoupe pas celle des voix narratives. Elle n'envisage que le cas où le narrateur se pose en tant que tel (type canonique : « *arma virumque cano...* ») et se place dans une perspective *rhétorique*.
2. Ce que Tzvetan Todorov appelle « projection » (« Comment lire ? » *Poétique de la prose*, Seuil, 1971, p. 241) : « L'auteur a contribué à un premier passage, de l'original à l'œuvre, c'est au critique maintenant de nous faire parcourir le chemin inverse, de fermer la boucle, en remontant à l'original. Il y aura autant de projections que d'acceptions sur ce qui constitue l'origine. »

lecteur). Or, cette distinction est pour le moins problématique : dans un cas, le lecteur est un effet (un produit) du livre; dans l'autre, le livre est un effet (une construction) du lecteur. Ce n'est donc pas une relation *binaire* lecteur-livre qu'il faut envisager, mais bien la solidarité des instances et la *dynamique* de leurs relations : la lecture.

La proposition d'un modèle de lecture passe donc par deux contraintes : l'interdiction d'un recours aux origines, l'impossibilité d'isoler une entité livre et une entité lecteur. Dans le texte de Lautréamont, le lecteur *est lu* au moment où il lit; dans celui de Rabelais, il est invité à trouver *dans sa propre lecture* des merveilles. Le livre n'est pas envisagé comme tel, mais en tant qu'il est *à lire*, en attente de sens, prêt à la métamorphose. En aucun cas il n'est une « œuvre achevée ». Il faut ici de nouveau recourir à l'idée d'une *efficacité* du discours *littéraire*. Il s'agit de motiver l'interprétation, non de la cautionner : il y aura donc toutes les apparences d'un système cohérent de signifi-cations, mais aussi des failles ou des fissures pour assurer la *disponibilité* de l'ensemble. Le postulat de l'achèvement de l'œuvre ou de sa clôture dissimule le processus de transformation réglée qui constitue le « texte-à-lire »; l'œuvre close est une œuvre lue, ayant du coup perdu toute efficacité et tout pouvoir. Le modèle de lecture d'un texte littéraire doit réactualiser sans cesse ce processus de transformation ; se donner non seulement *à lire*, mais *à relire*.

Risquons ici une hypothèse, celle d'un *effet littérature* : il faut motiver la lecture; il faut décevoir la lecture. Les deux textes que nous avons analysés provoquent un « désir de lire » (la « promesse » rabelaisienne et la « menace » ducassienne ont la même fonction); dans le même temps, ils annoncent leur caractère indécidable. Le désir de lire ne saurait donc finir. Il n'y a pas de lecture « satisfaite ».

C'est pourquoi le discours littéraire se présente comme relevant simultanément de plusieurs modèles de lectures. J'ai parlé, dans le cas de Rabelais, d'un modèle exégétique et d'un modèle pictural : le pre-mier motive la lecture en lui donnant un but : la découverte d'un sens *caché ;* le second déçoit cette interprétation dans la mesure où il valo-rise les relations formelles entre les différents éléments *coprésents*. J'ai proposé, à propos de Lautréamont, une distinction entre discours interprétable et discours descriptible : le premier pose des relations *in praesentia* entre des éléments « figurés » et des éléments supposés « littéraux »; le second articule une série d'éléments supposés « figurés » mais non déchiffrables selon le code donné précédemment. Les pro-cédures sont donc différentes dans un texte et dans l'autre. Rabelais joue d'une opposition entre sens caché et sens apparent, d'une part, et d'une opposition entre *sens* et *configuration*, de l'autre [1]. Lautréamont joue d'une opposition entre discours *déchiffrable* et discours *indéchiffrable*, lisible et illisible [2]. Il reste qu'on peut établir une homologie des fonctions : le sens est à la configuration ce que la lisibilité est à l'illisibilité. La concurrence de différents modèles ou de différentes catégories contribue dans les deux cas à ce que j'appelais plus haut « l'effet littérature » : *entretien du désir de lire.*

Si ce qui fait d'un texte un texte littéraire, c'est la lecture que nous en faisons, cette lecture est « marquée en creux » dans le texte et, comme telle, repérable. Ce qui implique qu'un texte se détermine comme *littéraire* par sa mise en place *rhétorique;* ou bien : la littérature est un effet rhétorique spécifique. Cette proposition *risque* d'être un truisme ou une provocation, sinon les deux (destin peu enviable!). Un truisme dès lors qu'on peut mettre dans « spécifique » ce qu'on veut (jusqu'à faire perdre à « rhétorique » tout son sens); une provocation si la littérature est réduite à un type d' « éloquence ». Faut-il préciser que ma proposition ne veut être ni l'un ni l'autre ? Il règne sur la rhétorique un malentendu — peut-être parce que la rhétorique a longtemps régné sur le malentendu. D'où d'emblée (avant d'y revenir) deux précisions : la rhétorique n'a jamais été l'éloquence, mais une théorie du discours (éventuellement éloquent); la rhétorique a été un art d'orner le discours, mais aussi et, plus anciennement, un art de persuader. Elle partage avec la prose ce privilège qu'on en fait parfois sans le savoir, ce qui n'est pas grave, mais il arrive aussi qu'on la *subisse* sans le savoir, ce qui l'est davantage. Lorsque je parle de mise en place rhétorique, ou d'effet rhétorique spécifique, je veux simplement (pour l'instant) 1. marquer l'importance décisive dans le *processus* littéraire de la « *mise en condition* » *du lecteur;* 2. souligner que cette « mise en condition » peut et doit être théorisée; 3. inviter — dès lors que la rhétorique est un objet historique — à faire l'histoire de ce

1. J'emprunte ce couple de termes à Tzvetan Todorov, *Poétique*, Seuil, 1973, p. 30.
2. Ces textes *se donnent comme* « scriptibles » au sens où Roland Barthes propose le terme (*S/Z*, Seuil, 1970, p. 10 s.) : « Ce que l'évaluation trouve, c'est cette valeur-ci : ce qui peut être aujourd'hui écrit (ré-écrit) : le *scriptible*. Pourquoi le scriptible est-il notre valeur ? Parce que l'enjeu du travail littéraire (de la littérature comme travail), c'est de faire du lecteur, non plus un consommateur, mais un producteur du texte. » Dire que ces textes se donnent comme scriptibles implique qu'ils ne le sont pas (d'ailleurs, évidemment : « le texte scriptible n'est pas une chose, on le trouvera mal en librairie »). Disons que peut-être ils donnent *l'illusion du scriptible.*

que j'appelais modèles de lectures. Pour le premier point, il faut noter que la fonction poétique mise en évidence par Jakobson « coïncide » avec une transformation de l'ensemble des autres fonctions — ce qu'il a lui-même marqué [1] — au point que l'on peut, que l'on doit se demander où est la cause, où est l'effet dans cette « coïncidence ».

Pour le deuxième et le troisième point, la rhétorique, comme théorie et comme histoire, me paraît être une pièce indispensable d'une théorie et d'une histoire de la lecture auxquelles ce livre voudrait fournir quelques éléments. C'est au prix de ce travail que nous pourrons apprendre notre modernité.

Le texte agit sur le lecteur et le lecteur sur le texte, ou plutôt *dans* le texte. Cette étrange opération, prise comme telle, pose quelque problème dans la mesure où elle fait intervenir un grand nombre de variables. Une *rhétorique de l'effet* peut (ne peut que) tenter de déterminer les modalités de cette opération. Elle ne prétend pas décrire le « contenu » des lectures possibles, mais *les procédures textuelles qui rendent ces lectures possibles*, ce qu'on pourrait appeler par métaphore les « ouvertures » du texte. C'est pourquoi cette rhétorique ne peut se constituer qu'à partir de la poétique. Elle n'est pas d'un autre ordre que la poétique. Elle partage avec elle un certain nombre de postulats, dont celui-ci, qui nous importe particulièrement ici : elle ne cherche pas à « nommer le sens [2] ». Dans tous les cas, il n'est pas de poétique sans rhétorique — et l'inverse est vrai. J'y reviens.

II. DÉSIR CRITIQUE, DISTANCE CRITIQUE

« [...] Il existe, je suppose, une poétique. » Cette formule est tirée de l'*Ion* de Platon. Elle pose un premier problème, qui est de traduction [3]. *Poiètikè gar pou estin to holon*, Louis Méridier traduit : « Car il existe, je suppose, un art de la poésie en général », ce qui est peut-être plus près du grec. On peut cependant aujourd'hui se risquer à traduire simplement par « une poétique » dans la mesure où la « géné-

1. *Essais de linguistique générale*, IX, Minuit, p. 248 : « [la poésie] implique une réévaluation totale du discours et de toutes ses composantes quelles qu'elles soient. »
2. Todorov, *Poétique*, p. 19.
3. 532, c. Je me réfère à l'édition Budé (texte établi et traduit par Louis Méridier). Comme il est d'usage, « art » y traduit *technè*.

63

ralité » se trouve désormais clairement inscrite dans ce concept. De plus, « art de la poésie » est ambigu en français, renvoyant aussi bien à la production du poème qu'à la réflexion sur le poème. Il y a dans l'*Ion* des spéculations quant à l'origine de la poésie, mais il me semble qu'elles interviennent à titre d'arguments pour expliquer la possibilité du discours sur la poésie. Et c'est bien de la possibilité d'une poétique qu'il est question dans ce débat. L'inspiration [1], terme clef de la discussion, est évidemment une hypothèse sur l'origine, mais cette hypothèse est soumise à une perpective téléologique. La question posée n'est pas : qu'est-ce qui est poétique, qu'est-ce qui ne l'est pas ? (avec une réponse du type : est poétique le discours « né » de l'inspiration), elle est : comment Ion peut-il parler d'Homère ? (avec cette réponse : Homère inspire Ion).

Un second problème est posé par la formule de Platon. C'est la restriction : « je suppose » (ou « peut-être », « probablement »). La poétique ne va pas de soi. Et cette inquiétude ou cette ironie (on choisira plus tard) nous intéressent directement dans la mesure où l'impossibilité de parler « techniquement » (c'est-à-dire selon une *technè poiètikè*) de la poésie est liée à la « force d'attraction » du poème (puisqu'on est dans l'ordre du magnétisme), comme l'effet à sa cause. *En d'autres termes, l'idée d'une efficacité du poème est* a priori *un obstacle à la constitution d'une poétique.*

On connaît sinon l'objet, du moins l'allure du débat. Ion est un rhapsode, « interprète » d'Homère aux deux sens du mot : il le récite et il le commente, il en est l'acteur et l'exégète [2]. Capable de bien dire le texte homérique, il est aussi capable d'en bien parler; plus précisément, il ne peut bien le dire que parce qu'il connaît la « pensée » *(dianoia)* du poète. C'est du moins Socrate qui l'affirme — Ion, comme il convient à un bon interlocuteur de Socrate, confirmera :

---

1. Je garde volontairement dans le commentaire le terme d' « inspiration »; « enthousiasme » renvoie directement au grec, mais ne peut se lire ici qu'au prix d'une réactivation de son étymologie. « Inspiration » draine toute une tradition. Tant pis (ou tant mieux ?).
2. Sur le double sens d'*hermeneuein* et de ses dérivés, voir Jean Pépin, « l'herméneutique ancienne », *Poétique*, 23, (p. 291-300). J. Pépin rappelle que *hermeneuein* s'entend d'abord du langage et de l'expression, secondairement de l'explication; l'herméneute peut être le porte-parole ou l'exégète, avec un jeu possible sur les deux sens comme dans l'*Ion*, précisément, qui est cité comme exemple : « les deux sens principaux du verbe *hermeneuein* [...] s'entrelacent non sans subtilité avec les deux fonctions du rhapsode, sans que l'on sache toujours bien dans quel registre on se trouve » (p. 296).

SOCRATE : [...] c'est pour vous une nécessité de vivre dans la compagnie d'une foule de bons poètes, surtout dans celle d'Homère, le meilleur et le plus divin de tous, et de connaître à fond sa pensée et non seulement ses vers : sort enviable! Car on ne saurait être rhapsode si l'on ne comprenait ce que dit le poète (530 c).

Seulement, il s'avérera que cette « connaissance » n'en est pas une. Socrate ne parle d'ailleurs pas précisément de la connaissance, mais de l'apprentissage *(ekmanthanein)* de la pensée du poète; c'est une nécessité que de s'efforcer de comprendre le *dit* du poète (c'est pourquoi Ion, bon récitant, est aussi un bon commentateur), il n'empêche que l'excellence du discours critique du rhapsode ne vient pas d'un savoir parfaitement maîtrisé, que son talent n'est pas l'effet d'une *technè*. Ce qui est ici en question, c'est la capacité « critique » du rhapsode, la légitimité de son commentaire. La démonstration est tout entière menée sur le terrain théorique (Socrate refuse à deux reprises des exemples). Elle est faite de deux argumentations (apparemment) différentes. D'une part, Ion déclare qu'il ne peut bien parler que d'Homère; or, s'il disposait d'une poétique, il serait capable de parler de tous les poètes. D'autre part, Homère traite de sujets qui relèvent de *technai* particulières (la course de chars, la guerre, la divination, la pêche...) et qui, à ce titre, sont de la compétence non du rhapsode, mais de « spécialistes » (le cocher, le stratège, le devin, le pêcheur...). L'excellence (supposée) du discours critique du rhapsode s'expliquera donc par l'inspiration : la Muse inspire le poète, qui inspire le rhapsode, qui inspire l'auditeur, anneaux d'une « chaîne » continue où circule une force divine.

En bref, *Ion est agi lorsqu'il parle d'Homère* et ce qui le caractérise est son incapacité à définir son objet. Là est le nerf de la double argumentation. Cette « cécité théorique » est exploitée deux fois, mais dans des directions diamétralement opposées.

Dans la première argumentation, il s'avère qu'Ion en sait plus qu'il ne croit. A la question de Socrate : « est-ce sur Homère seulement que tu es habile ? ou l'es-tu aussi sur Hésiode et Archiloque ? », la réponse est d'emblée négative : « Point du tout; sur Homère seulement » (530 d, 531 a). Or, la discussion qui suit montre que si Ion, *pratiquement*, ne peut parler que d'Homère, il est *théoriquement* capable de parler aussi des autres poètes :

SOCRATE : Donc, excellent ami, en disant qu'Ion est également habile sur Homère et sur les autres poètes, nous ne nous tromperons pas, car il est le premier à convenir que le même homme sera juge compétent de tous ceux qui parlent des mêmes choses, et, d'autre part, que les poètes traitent presque tous les mêmes sujets.

ION : Alors, Socrate, comment expliquer ce qui m'arrive ? Quand on s'entretient de quelque autre poète, je n'y fais pas attention, et je suis impuissant à énoncer rien qui vaille ; je sommeille, tout bonnement. Mais fait-on mention d'Homère ? aussitôt me voilà éveillé, l'esprit attentif, et les idées me viennent en foule (532 b, c).

La restriction est de fait, non de droit. Si Ion ne parle que d'Homère, c'est tout simplement parce que les autres poètes ne l'intéressent pas — ne l'*inspirent* pas.

Dans la seconde argumentation, par contre, Ion en sait moins qu'il ne croit. A la question de Socrate : « parmi les sujets que traite Homère quel est celui dont tu parles bien ? » il répond : « Sache-le, Socrate : de tous sans exception » (536 e). La suite réduit progressivement ce champ donné comme illimité. Une première série d'éliminations concerne précisément les différents « arts » dont parle Homère : du cocher, du médecin, du pêcheur, du devin. Ici, Ion cède volontiers. Mais il y aura un revirement :

SOCRATE : [...] je t'ai choisi dans l'*Odyssée* et dans l'*Iliade* des endroits qui, par leur nature, appartiennent au devin, au médecin, et au pêcheur. Cite-m'en de même, puisque aussi bien tu es plus versé que moi dans les œuvres d'Homère, qui appartiennent au rhapsode, Ion, et à l'art du rhapsode, et qu'il convienne au rhapsode et d'examiner, et de juger de préférence aux autres hommes.

ION : Je le déclare, Socrate, tous sans exception (539 d, e).

Il n'y a pas là contradiction, mais déplacement du problème. Le rhapsode prétend en effet connaître « le langage qui convient à un homme comme à une femme, à un esclave comme à un homme libre, à un subalterne comme à un chef » (540 b). Le débat supposait jusqu'ici une parfaite transparence des textes homériques ; pour la première fois il est question de *discours*. On effleure ici la problématique du *vraisemblable*, peut-être dangereuse à long terme (?), mais à coup sûr fructueuse, qui permettrait d'envisager l'existence de lois discursives et de les analyser [1]. Socrate refuse cette problématique. Le poème d'Homère est considéré non comme discours, mais en tant qu'il « rapporte » des discours ; et ces discours sont eux-mêmes transparents, si bien qu'ils relèvent d'un certain nombre de *technai* particulières dont ils sont parties intégrantes :

1. Ce qu'on effleure donc ici, c'est bel et bien la rhétorique.

66

SOCRATE : Veux-tu dire que le langage convenable à un qui gouverne en mer un vaisseau battu par la tempête, le rhapsode le connaîtra mieux que le pilote ?

ION : Non, celui-là, ce sera le pilote (540 b).

On a retrouvé le problème précédent *au prix d'un nouveau déplacement* qui compense celui opéré par le rhapsode. A preuve, cet écart :

SOCRATE : Veux-tu dire [le langage] qui convient à un esclave ?

ION : Oui.

SOCRATE : Par exemple, d'après toi, le langage que doit tenir un esclave bouvier pour apaiser ses génisses effarouchées, c'est le rhapsode qui le connaîtra et non le bouvier ?

ION : Certes non (540 c).

Ion connaîtrait le langage de l'esclave, mais pas celui de l'esclave-bouvier-qui-veut-apaiser-ses-génisses-effarouchées. La précision de Socrate tourne peut-être le rhapsode en ridicule ; il reste qu'elle est purement et simplement un coup de force destiné à impressionner l'interlocuteur : osera-t-il ? n'osera-t-il pas ? Ion s'était réfugié dans le général. C'est discutable, mais il ne faut pas oublier qu'au début du dialogue Socrate l'avait obligé à sortir du particulier (tu ne connais qu'Homère ?). Si l'on examine la démonstration dans son ensemble et non, séparément, chacune des deux argumentations, il apparaît clairement que Socrate oblige Ion à un va-et-vient, entre, précisément, le général et le particulier. Dans un premier temps, Ion est un « spécialiste » et on le lui reproche ; dans un deuxième temps, Ion n'est pas un « spécialiste »... et on le lui reproche.

La clef de cette procédure est dans l'utilisation faite ici par Socrate du concept de *technè* : « Pour moi, c'est en me fondant sur ce que celui-ci est la science de tels objets, et celui-là de tels autres, que je donne aux arts des noms différents » (537 d). Une *technè* est un savoir *(épistèmè)* qui porte sur un nombre d'objets *(pragmata)* limité. Autant de *technai* qu'il y a d'ensembles d'objets. Le texte d'Homère ne relève pas d'une *technè* parce qu'il rassemble des matériaux hétérogènes (la guerre, la course de chars, la divination...) Dans cette perspective, on dira qu'il n'est pas possible d'élaborer quelque chose comme *une poétique d'Homère* (une homérique). La seule *technè* à laquelle peut donc prétendre le rhapsode est une poétique (« en général ») qui aurait pour objet tous les poèmes. Mais tous les poètes traitent à peu près les mêmes sujets (531 c). Dès lors, la même hétérogénéité qui a été relevée dans l'arsenal homérique se trouvera partout. Il n'y a pas de poétique parce qu'il n'y a pas d' « homérique » : la seconde argumentation explique la première. Cela n'est jamais dit. Un indice seulement, lorsque Socrate fait admettre à Ion sa compétence sur les questions que traitent à la fois Homère et Hésiode, tel l'art divinatoire (la mantique) :

> SOCRATE : Et alors ? Les points sur lesquels s'accordent et ceux sur lesquels diffèrent ces deux poètes touchant l'art divinatoire, est-ce toi qui saurais mieux les expliquer, ou un devin, un bon devin ?
>
> ION : Un devin.
>
> SOCRATE : Mais supposons que tu fusses devin : si tu étais en état d'expliquer où ils s'accordent, ne saurais-tu pas expliquer aussi ceux où ils diffèrent ?
>
> ION : Évidemment.
>
> SOCRATE : Comment donc se peut-il que tu sois habile sur Homère, mais non sur Hésiode, ni sur les autres poètes ? (531 b, c).

Nous sommes au début de la première argumentation ; or, il est évident que les motifs de la seconde y interviennent d'une manière décisive. La seule *réplique* possible serait : « *Mais précisément je ne suis pas devin.* » D'un bout à l'autre du débat, Socrate suppose acquise l'idée que le texte homérique est une collection de « discours techniques ». La première argumentation n'est acceptable que si l'on accepte *d'abord* la seconde.

Or, la seconde tourne court. Il suffit en effet que le rhapsode résiste sur un point pour que Socrate échoue à le convaincre. Le dialogue s'achève curieusement par une discussion sur la distinction de la « stratégique » (l'art du stratège) et de la rhapsodique (l'art du rhapsode). Après avoir admis qu'un certain nombre de langages techniques ne sont pas de sa compétence, Ion, brusquement, « ne se laisse plus faire » :

> SOCRATE : Est-ce le genre de propos qu'il convient à un stratège de profession de tenir à ses soldats pour les exhorter ?
>
> ION : Oui, voilà le genre de choses que connaîtra le rhapsode.
>
> SOCRATE : Quoi ? L'art du rhapsode est celui du stratège ?
>
> ION : En tout cas, je saurais pour ma part, ce qu'un stratège doit dire (540 d).

Socrate va chercher la faille, mais Ion reconnaîtra tout bonnement que la stratégique et la rhapsodique ne sont qu'un seul art, ou plutôt que la stratégique est une partie de la rhapsodique : tout bon rhapsode est bon stratège, mais tout bon stratège n'est pas bon rhapsode. Sur ce point les objections de Socrate seront purement empiriques : pourquoi Ion n'est-il donc pas stratège ? Et le débat théorique s'achève par des considérations sur la possibilité ou l'impossiblité pour Ion d'Éphèse de devenir stratège à Athènes. Conclusion plutôt pauvre, et hautement significative. On peut noter que la stratégique a une place de choix dans l'*Iliade* (« je l'ai apprise dans Homère », dit Ion). On peut aussi se demander ce qui se serait passé si, tout de go, Ion s'était affirmé bon pilote ou, plus précisément, capable de connaître le langage convenant au pilote — pour l'avoir appris dans Homère, évidemment. La même chose, peut-être, car si Socrate peut probablement définir l'art du pilote ou l'art du stratège, il ne peut dire pourquoi ces *technai* ne sont pas la rhapsodique ou la poétique [1], pour la bonne raison qu'il ne sait pas ce qu'est la rhapsodique, ni ce qu'est la poétique. A la fin du dialogue, on aurait ainsi la mise en évidence du caractère *positif* de la méconnaissance d'Ion. Sa *technè* peut n'être rien, elle peut être n'importe quoi, elle peut être tout :

SOCRATE : [...] Tu te conduis tout bonnement comme Protée, prenant toutes les formes et te tournant dans tous les sens, et finalement, après m'avoir échappé, tu es apparu en stratège, pour ne pas faire voir combien tu es habile dans la science d'Homère *(tèn peri Homerou sophian)* (541 e, 542 a).

Le stratège n'est que la dernière métamorphose de ce nouveau Protée. Cette figure n'a pas *ici* de statut particulier. La résistance du rhapsode sur ce point ne serait donc pas plus significative que son abandon sur les autres. A moins que cet exemple n'ait un statut particulier dans le contexte des autres *technai parce qu'il relève typiquement de la rhétorique*. La relation du stratège à ses soldats (l'exhortation) n'est pas si différente de celle du rhapsode (en tant qu'acteur) à ses auditeurs ; le rapport de persuasion n'est pas si différent de la dynamique de l'inspiration. J'y reviendrai.

1. La rhapsodique et la poétique entretiennent, de fait, des relations complexes. Juger d'Homère (première augmentation) relève de la poétique : juger, chez Homère, des « discours techniques » (seconde argumentation) relève de la rhapsodique. Mais l'interaction des deux argumentations permet, me semble-t-il, de parler *ici* d'une superposition des deux notions.

L'existence d'une poétique est *postulée* par Socrate, nous l'avons vu. Les jugements *de valeur* portés par Ion impliquent qu'il y a quelque chose de tel qu'une *technè poiètikè*, mais cette *technè* n'est pas définissable, car, précisément, on ne peut définir l'ensemble des objets sur lesquels elle porte. Il serait facile de montrer que Socrate use et abuse d'une notion fausse : la parfaite transparence du poème ; Homère, Hésiode, Archiloque parlent d'un certain nombre de « choses » et la manière dont ils en parlent ne peut être jugée bonne ou mauvaise que par les spécialistes des « choses » en question [1]. Montrer ce parti pris serait facile, mais excessif. A aucun moment, en effet, Socrate ne dit qu'il n'y a pas une spécificité du poème. Au contraire, tout se passe comme s'il voulait (en vain) faire dire au rhapsode quelle est cette spécificité. L'incapacité du rhapsode à répondre peut dès lors s'interpréter de deux manières : soit comme une dérision portée sur son travail, soit, paradoxalement, comme une réponse pertinente. L'absence de réponse est réponse : c'est-à-dire, en traduisant, que l'incapacité à nommer l'objet est un trait caractéristique de cet objet.

Cultivant ce paradoxe, Socrate termine par une proposition : il offre à Ion de *choisir* entre l'inspiration et la *technè*. Le choix est certes forcé par le rappel que fait Socrate de la « mauvaise foi » du rhapsode (tu te vantes ; tu ne peux même pas définir ton objet ; tu triches ; si tu choisis la *technè*, tu es coupable ou injuste...) ; il reste qu'Ion porte la responsabilité du choix :

> SOCRATE : Choisis donc ce que tu préfères, de passer à nos yeux pour un homme injuste ou pour divin.
>
> ION : La différence est grande ! Socrate. Il est bien plus beau de passer pour divin.
>
> SOCRATE : Eh bien, nous t'accordons, Ion, ce qui te paraît le plus beau : d'être divin, et non d'avoir les connaissances de l'art dans tes éloges d'Homère *(theion einai kai mè technikon peri Homerou epainetèn)* (524 a, b).

C'est donc le rhapsode qui résout la question (là est peut-être sa compétence ?). Le débat n'a, somme toute, apporté aucune *preuve*. L'inspiration est simplement l'*hypothèse* la plus simple, la plus rentable — et la plus belle.

---

1. « Choses », ici (ou « sujets » dans la traduction), correspond le plus souvent à des neutres en grec — ce dont parle Homère... — L'idée d'un *jugement de valeur* (il en parle bien, il en parle mal) est fortement soulignée par Socrate : « Et ainsi, suivant toi, Homère et les autres poètes [...] parlent des mêmes choses, mais non de la même façon, — j'entends l'un bien, et les autres moins bien ? *(all'ouk homoiôs, alla ton men eu ge, tous de cheiron)* ».

Le discours du rhapsode n'a pas d'autre justification que son désir de parler d'Homère. Sur les caractères de ce discours, nous n'avons que quelques indications fort vagues : il s'agirait d'exprimer sur Homère « beaucoup de belles pensées » (*pollas kai kalas dianoias*, 530 d), de « parer Homère » *(kosmein ton Homeron, ibid.)*, de « faire l'éloge d'Homère » (*Homeron epainein*, 536 d)... Le terme neutre (« parler d'Homère ») est ainsi glosé, modulé, en termes signifiant la louange, la mise en valeur, l'arrangement, la parure. En bref, il s'agit d'une *célébration*, qui pourrait, tout compte fait, se comprendre aussi bien de la récitation que du commentaire. La récitation du poème et le discours sur le poème sont séparés par une frontière imprécise. Or, cette indétermination est essentielle : le même ne peut *éprouver* la force du poème et l'expliquer selon une *technè*. Il manque au rhapsode une distance qui lui permettrait de voir son objet et de savoir ce qu'il fait (récitation ou commentaire ?).

Le *désir critique* est, dans ces conditions, incompatible avec la *distance critique* qui est nécessaire pour le légitimer. L'hypothèse de l'inspiration a l'appréciable avantage de résoudre ce problème. C'est en effet Socrate qui la formule : Ion ne se sait ni ne se dit inspiré, et il choisit sans connaître véritablement les raisons de son choix. Or, Socrate (modestement!) ne dit « rien d'autre que le vrai » (532 d). En d'autres termes, Socrate prend la *distance* nécessaire à la légitimation du *désir* du rhapsode.

Il faut ici revenir sur les refus opposés par Socrate au rhapsode qui veut lui donner des exemples. D'abord :

SOCRATE: [...] Évidemment tu ne refuseras pas de me montrer ton talent *(epideixai)*.

ION : Ma foi! Socrate, il vaut la peine d'entendre comment j'ai su parer Homère avec art [...]

SOCRATE : Eh bien, je prendrai le temps de t'écouter une autre fois [...] (530 d, 531 a).

et plus loin :

ION : Tu parles bien, Socrate; je serais surpris, pourtant, si tu parlais assez bien pour me persuader que c'est sous le coup d'une possession et d'un délire que je fais l'éloge d'Homère. Toi-même, je pense, tu ne le croirais pas, si tu m'entendais parler d'Homère.

SOCRATE : Ma foi! je ne demande pas mieux que de t'entendre; pas avant, toutefois [...] (536 c, d).

71

C'est le même qui dira, à la fin du dialogue : « [...] bien loin de me montrer ton talent *(epideixai)*, tu ne veux même pas me dire quels sont ces sujets sur lesquels tu es habile à parler [...] » (541 e). Socrate est plutôt mal placé pour reprocher à Ion de n'avoir pas présenté cette démonstration ou offert cette exhibition, mais, du même coup, il est fort bien placé pour parler de l'expérience poétique. Car le fait que Socrate refuse d'écouter Ion parler d'Homère est peut-être l'effet de quelque tricherie, mais aussi et surtout le préalable indispensable à la formulation de l'hypothèse de l'inspiration. Socrate ne s'inscrit pas dans la chaîne qui va de la Muse à l'auditeur en passant par le poète et le rhapsode; et c'est précisément ce qui lui permet de la *décrire*. Il y a là une sorte de partage des tâches qui fait que la théorie de la poésie impliquée par le texte de Platon n'est pas moins (ou pas plus) dans la « cécité » du rhapsode que dans la « clairvoyance » de Socrate.

La complémentarité des rôles de Socrate et du rhapsode serait donc fondamentale. On retrouve ce partage et cette complémentarité dans ce que j'appellerai le double jeu du rhapsode. Ion récite, Ion commente. C'est à peu près clair. Mais si l'on se demande dans quel ordre d'activité intervient l'inspiration, tout se complique :

> SOCRATE : Quand tu récites comme il faut des vers épiques, et que tu fais sur les spectateurs l'impression la plus profonde, soit que tu chantes Ulysse sautant sur le seuil, ou Achille s'élançant sur Hector [...] as-tu alors ta raison ? n'es-tu pas hors de toi, et ton âme transportée d'enthousiasme ne croit-elle pas assister aux événements dont tu parles [...] ? (535 b, c).

Voilà pour la déclamation. Voici pour le commentaire :

> SOCRATE : [...] Ce n'est point par l'effet d'un art ni d'une science que tu tiens sur Homère les discours que tu tiens; c'est en vertu d'un privilège divin et d'une possession divine (536 b, c).

Les termes de déclamation (ou de récitation) et de commentaire forcent l'opposition. Il s'agit de « dire Homère » et de « parler sur Homère ». Quant à « dire Homère », cette activité relève-t-elle de l'inspiration ? Le fragment cité invite à une réponse positive. Mais il en est tout autrement ailleurs :

> SOCRATE : [...] ni dans le jeu de la flûte, ni dans celui de la cithare, ni dans le chant accompagné de cithare, ni dans la déclamation du rhapsode *(en rhapsôdia)*, tu n'as jamais vu [...] d'homme qui s'en-

tende à commenter *(exègeisthai)* Olympos, ou Thamyras, ou Orphée, ou Phémios, le rhapsode d'Ithaque, et qui sur Ion d'Éphèse reste court, sans pouvoir expliquer ce qui est bien ou non dans sa déclamation (533 b, c).

Il faut donc croire que « dire Homère » se fait en état d'inspiration, mais implique une *technè*. Même tension lorsque, après avoir décrit ses fureurs et ses transports, Ion confirme à Socrate qu'il *sait* l'effet produit sur les auditeurs : « C'est que je suis bien obligé d'avoir l'œil sur eux » (535 e). En effet, la suite le précise, c'est son métier, son « gagne-pain ». Ion inspiré quand il dit Homère ? c'est à voir. Au comble de l' « enthousiasme », il a au moins ce recul, cette *distance* du « professionnel ». Quant à parler d'Homère, il en va tout autrement. C'est là que porte précisément la thèse socratique de l'inspiration. Pourquoi ? parce que le commentaire est *provoqué* par l'écoute ; le premier, sinon le seul, trait caractéristique du poème homérique, c'est qu'il donne le désir d'en parler :

SOCRATE : [...] tu es possédé par Homère. Quand on chante quelque passage d'un autre poète, tu t'endors et ne trouves rien à dire ; mais vient-on à faire entendre un air de ce poète ? aussitôt te voilà éveillé, ton âme entre en transes, et les idées te viennent en foule (536 b).

Résumons : ce qui fait véritablement partie de la chaîne de l'inspiration, c'est le commentaire, non la déclamation. Ion, en tant que commentateur d'Homère, s'inscrit *naturellement* dans la chaîne ; en tant que récitant, *il doit* en assurer la continuité. Dans ce débat, il y a un paradoxe du comédien, il n'y a pas de paradoxe du commentateur. Car le commentateur se trouve ici en fait dans la position de l'auditeur, tandis que le récitant est un « anneau intermédiaire » — « interprète » d' « interprète » — et son *rôle* est de transmettre *au dernier anneau*, précisément, la force qui vient du premier. On considérera dès lors que l'hypothèse de l'inspiration a pour but d'expliquer non l'origine (ou l'absence d'origine) du processus, mais sa fin :

SOCRATE : Sais-tu que [le] spectateur est le dernier des anneaux dont je parlais, qui par la vertu de la pierre d'Héraclée tirent l'un de l'autre leur force d'attraction ? Celui du milieu, c'est toi, le rhapsode et l'acteur ; le premier, c'est le poète en personne. Et la Divinité, à travers tous ces intermédiaires, attire où il lui plaît l'âme des humains, en faisant passer cette force de l'un à l'autre (535 e, 536 a).

La Muse ne fait pas partie de la chaîne. Elle est comparée à la pierre magnétique, non à un anneau. Le *premier anneau*, c'est le poète :

(La Muse) —→ le poète —→ *le rhapsode* —→ l'auditeur.

Le rhapsode tient le devant de la scène parce qu'il est le seul élément de ce processus dont on puisse considérer à la fois d'où il tient sa force et où va sa force. Si donc l'on veut expliquer comment le discours produit effectivement du discours, c'est lui qu'on interrogera. Là est, à mon sens, toute la difficulté du débat. Le discours du poète produit deux types de discours chez le rhapsode : la récitation est une sorte d'actualisation du discours, *réglée* par les lois de la « rhapsodie » — qui est une *technè* —; le commentaire est une transformation non réglée du discours — puisqu'il n'y a pas pour lui de *technè*. On voit dès lors que la continuité de la chaîne occulte la différence des processus qui la constituent. Que la Muse « puisse attirer *où il lui plaît (hopoi an boulètai)* l'âme des humains », implique une *identité* des discours successifs : le poète actualise le discours de la Muse, le rhapsode actualise le discours du poète, mais le poète n'actualise pas le discours de la Muse *comme* le rhapsode actualise celui du poète.

> SOCRATE : [...] ce n'est point en vertu d'un art qu'ils [les poètes] font œuvre de poètes en disant tant de belles choses sur les sujets qu'ils traitent *(polla legontes kai kala peri tou pragmatôn)*, comme toi sur Homère *(peri Homerou)*, mais par un privilège divin [...] (534 b).

La « reprise » par le poète du discours de la Muse est ici explicitement comparée au *commentaire* du rhapsode et non à sa récitation, bien que ce soit cette dernière qui assure la continuité de la chaîne. En effet, si l'on admet que l'inspiration caractérise d'abord le commentaire, il faut qu'*à chaque point de la chaîne* puisse se situer un commentateur. Nous venons de le voir pour le premier anneau; pour le dernier, c'est l'évidence : dès lors que le commentaire est un effet de l'écoute, l'auditeur est un commentateur virtuel. A la limite, le poème, la récitation du poème ne sont que des moyens, des « accessoires », qui permettent que se déploie le discours inspiré du rhapsode, *de l'auditeur*.

Dans le domaine des « activités artistiques », l'exemple de la poésie est unique. Le peintre, le sculpteur, le musicien, ne sont pas inspirés. Ils maîtrisent des *technai :* qui est capable de parler de Polygnote parlera aussi des autres peintres, et le reste à l'avenant (y compris, nous l'avons vu, pour la « rhapsodie » en tant qu'art de la déclamation). L'hypothèse de l'inspiration, dans le contexte platonicien, n'est pertinente que dans le cas de la poésie. La raison n'est pas donnée, elle est maintenant évidente. L'inspiration ne peut intervenir que dans le domaine où le discours critique est homogène à son objet [1]. Le statut du discours produit est « indécis » dans la mesure où il est fait du même matériau (le langage) que ce sur quoi il porte. Et cela explique ce qu'on pourrait appeler l'« individuation » du processus (le rhapsode ne peut parler que d'un poète, un poète est inspiré par une seule Muse, c'est-à-dire produit dans un seul genre) : le commentateur (l'auditeur) ne comprend qu'une seule langue — Ion ne parle que la langue d'Homère. Le poète fait parler, mais, évidemment, dans la langue qui est la sienne.

III. POÉTIQUE ET RHÉTORIQUE

Le détour par Platon [2] n'a pas ici d'autre fonction que de montrer la solidarité de la poétique et de la rhétorique, ou le passage de l'une à l'autre. L'efficacité du poème empêcherait de constituer une poétique. Elle renvoie en fait à une rhétorique. Cette rhétorique est proprement anonyme, ni le poète, ni le rhapsode n'étant évidement des rhéteurs. Elle en est d'autant plus active — l'anonymat et l'efficacité vont souvent de pair. Dès lors, ce qu'il faudrait faire, le seul moyen de sortir de l'impasse (à supposer que l'on veuille en sortir : cette impossible poétique est si « belle »!), c'est non pas tant de la dire par le biais du mythe que de la théoriser. Mais Ion a *choisi* le mythe dans l'alternative que Socrate lui *propose*.

« On reconnaît le poète — ou du moins, chacun reconnaît le sien — à ce simple fait qu'il change le lecteur en « inspiré ». L'inspiration est, positivement parlant, une attribution gracieuse que le lecteur fait à son poète : le lecteur nous offre les mérites transcendants des puissances et des grâces qui se développent en lui. Il cherche et trouve en nous la cause merveilleuse de son émerveillement. » C'est Valéry qui dit ici le non-dit de Socrate [3]. Ce « court-circuit » s'autorise de la perspective téléologique que j'ai relevée dans le dialogue de Platon :

1. On peut juger (et parler) de la *diction* du rhapsode (mimique, inflexions de la voix), mais pas de son discours.
2. Est-il nécessaire de préciser que l'analyse qui précède ne prétend pas à l'exhaustivité ?
3. « Poésie et pensée abstraite », *Œuvres*, Pléiade, t. I, p. 1321.

du fait qu'en disant l'origine (ou l'absence d'origine : *on* parle à travers le poète) Socrate explique l'effet, que peut-être il dit l'origine *pour* expliquer l'effet. On peut voir ici une volonté de tourner en dérision les poètes — le plus mauvais poète peut écrire le plus beau poème —, mais, si tel est le cas, elle rejoint la critique de la rhétorique, envisagée non du point de vue du producteur, mais du point de vue du récepteur du discours, manipulé, agi, « retourné ». Plus fondamentales, à mon sens, sont l'insistance à chercher le lieu où pourrait se constituer une poétique et la rencontre « en chemin » de la rhétorique.

Une poétique ne peut se construire qu'en élaborant un *métalangage* spécifique, en passant par l'abstrait. C'est la seule façon, en effet, d'éviter cette similitude confuse de la production du poème, de sa récitation, et de son commentaire ; la seule façon donc de ne pas subir, de ne pas simplement rester passif. Socrate se met délibérément hors jeu : il ne subit pas, il décrit. Mais cette opération n'est pas suffisante, ou, plutôt, elle est trop radicale. Refusant d'être *pris*, Socrate ne peut que souligner les incertitudes de son interlocuteur, décrire « l'état poétique » et non pas programmer une poétique. S'il y a quelque chose comme une poétique platonicienne, elle est, encore une fois, dans la solidarité, voire dans l'*équilibre*, des rôles de Socrate et du rhapsode. et, de fait, le dialogue ne peut s'achever que parce que ce dernier fait un *choix* et détruit ce savant équilibre.

Lorsque Aristote écrira sa *Poétique*, il ne pourra le faire qu'à deux conditions : ordonner un métalangage de la poésie (imitation, vraisemblance...) susceptible de fonder une « objectivité » de l'examen du *discours* poétique, c'est-à-dire de le définir comme objet ; constituer « en même temps » une rhétorique capable de maîtriser les effets du discours. On sait que, chez Aristote, la poétique et la rhétorique communiquent par la théorie de la *lexis* (de l'élocution), partie essentielle de l'édifice rhétorique dans la mesure où elle est un élément de la persuasion particulièrement efficace si l'on tient compte de la « réalité » de l'auditeur (séduit par les mots et leur diction autant que par l'argumentation). Le métalangage de la poésie donne la distance critique nécessaire à l'analyse de l'objet ; la constitution d'une rhétorique va dans le même sens, mais *reconnaît* dans son principe la place décisive de la « mise en condition » de l'auditeur. C'est en quoi Aristote sort de l'impasse.

Cette construction (poétique *et* rhétorique) a eu bien des avatars. Dans la tradition « classique », la poétique est devenue un art de

76

seconde rhétorique, le discours poétique ayant une « forme » particulière (la versification, le rythme) et un « contenu » plus ou moins allégorique. On ne se pose guère alors le problème de leurs relations, la poétique s'ajoutant à la rhétorique comme une excroissance. Le mouvement inverse a eu lieu, et il se trouve que celle qui fut la parente pauvre tient parfois aujourd'hui le devant de la scène : tout se passe comme si la rhétorique était devenue un art de seconde poétique. Il faut dire que la rhétorique a mauvaise presse — vieille histoire où l'on retrouve précisément Platon. Il faut dire aussi que le champ de la rhétorique s'est considérablement amenuisé, tandis que celui de la poétique s'agrandissait d'autant. On ne peut cependant esquiver une question : si la rhétorique est en principe une théorie du discours en général, on ne voit pas comment une telle théorie pourrait être une partie d'une théorie du discours *littéraire*. Or, c'est bien ce qui semble se passer (ou *s'être passé*). Le plus souvent, des débris de l'arsenal rhétorique sont entrés à titre d'ingrédients dans la poétique. Bref, la poétique a été *préférée* à la rhétorique. Cette situation a un trait commun avec la situation classique : dans un cas comme dans l'autre, on « oublie » les problématiques spécifiques de ces deux disciplines et la subtile dialectique de leurs rapports. La « renaissance » de la poétique, avec Valéry et Jakobson, a permis d'en définir la spécificité, mais son rapport à la rhétorique est resté indéterminé, si du moins l'on considère que l'utilisation par la poétique d'instruments rhétoriques ne résout en rien la question. Si Valéry entendait par poétique « tout ce qui a trait à la création ou à la composition d'ouvrages dont le langage est à la fois la substance et le moyen, — et point au sens restreint de recueil de règles ou de préceptes esthétiques concernant la poésie [1] », il eût pu tout aussi bien proposer le terme de rhétorique. Dans les deux cas, il fallait écarter les connotations normatives. Et en fait, ce n'est ni par la « substance », ni par le « moyen » que poétique et rhétorique divergent, mais peut-être *(peut-être)* par la fin. Encore faut-il noter que, parmi les tâches accessoires de la poétique, il y a une distinction à faire entre les œuvres « qui sont comme créées par leur public » et celles qui « tendent à créer leur public [2] » : la rhétorique a bien évidemment ici son mot à dire. Ce n'est pas pour poser le problème à peu près insoluble de la *valeur*, mais celui, décisif dans la perspective valéryenne même, de la prise ou de l'emprise, délibérée ou non, mais *structurée*, de l'« œuvre » sur le lecteur.

1. « L'enseignement de la poétique au Collège de France », *Œuvres*, Pléiade, I, p. 1440.
2. *Ibid.*, p. 1442.

Dans une perspective moderne, rien n'autorisait à choisir un terme plutôt qu'un autre. La mise en évidence d'une fonction poétique du langage par Jakobson s'illustre aussi bien par les figures lexicales et par les figures grammaticales que par le travail du vers, et l'analyse proposée de l'exorde d'Antoine à l'oraison funèbre de César est une analyse proprement rhétorique [1]. Il est vrai que la fonction poétique ne pouvait être nommée fonction rhétorique, car la rhétorique, encore une fois, implique l'idée d'un discours efficace, donc fortement orienté sur le destinataire. Pour reprendre les termes du schéma jakobsonien, une *fonction rhétorique* subsumerait les fonctions poétique et conative du langage. Mais précisément, « la visée du message en tant que tel » suppose une attitude de lecture spécifique et elle est supposée par elle. Double implication que l'hypothèse d'une fonction rhétorique permettrait de décrire. La notion de message orienté sur lui-même est indissolublement liée à celle d'un *rôle* déterminé du destinataire. Le message qui est à lui-même sa propre finalité toujours *questionne*. Et *la forme de cette question* peut être, comme telle, un objet d'étude.

Le privilège de la poétique s'explique en fait par celui de la littérature. Le texte littéraire est en effet apparu comme le lieu privilégié où pouvait se constituer et s'exercer une théorie du discours. La poétique s'est ainsi « permis » la rhétorique. Mais le mouvement inverse s'amorce. Car « il faut connaître " en tant que tels " non seulement les textes littéraires mais *tous* les textes, non seulement la production verbale mais *tout* symbolisme [2] ». Je m'arrêterai au projet intermédiaire que propose ainsi Tzvetan Todorov (« connaître " en tant que tels " *tous* les textes ») pour noter qu'entre une poétique et une symbolique se dessine une rhétorique, mais une rhétorique qui profiterait de l'*expérience* de la poétique. La littérature s'inscrit dans une multitude de discours; il faut prendre ce fait comme tel et en tirer les conclusions. Du jour où une science des discours apparaît comme possible, la poétique se réinscrit dans la rhétorique, ou s'y ressource.

On peut concevoir *une approche rhétorique de la littérature*. Ce n'est pas retrouver la problématique classique (un chapitre de poétique dans un livre de rhétorique), mais « déplacer l'accent » : le même objet (le texte littéraire), mais envisagé dans une perspective

1. *Essais de linguistique générale*, IX, p. 244 s.
2. *Poétique*, p. 108.

plus vaste. La rhétorique est en effet une théorie du discours, mais, si je puis dire, du discours en tant qu'il est reçu, ou à recevoir, de telle ou telle manière. Disons une théorie du discours comme « effet ». Or, c'est la lecture que nous en pratiquons qui fait qu'il y a quelque chose de tel que la littérature. Dans la tradition de la poétique classique, la littérature est « déjà là ». D'où, nous l'avons vu, la difficulté, à l'origine, de saisir ce qu'elle n'est pas et, plus simplement, d'en parler. La rhétorique, reprise comme « art de questionner » — ou comme « art de lire » (j'y reviendrai) —, ne préjuge pas du discours qu'elle prend en considération. C'est *a priori* un discours parmi d'autres et qui, comme les autres, cherche à se faire « accepter ». Comment, dans le cas de la littérature ? La vraie question est évidemment là. C'est, à mon sens, une question rhétorique. Mais il est probable que la rhétorique ne sortira pas indemne de cette confrontation avec le texte littéraire, qui la questionne autant qu'elle le questionne.

2. La rhétorique comme art de lire

1. L'horreur du plein

Le vide n'[est] pas une chose impossible dans
la nature. PASCAL

Comment l'on devient poéticien :
le discours critique en question.

De *Figures* à *Mimologiques* [1] s'élabore et se systématise une réflexion
ouverte, mais cohérente, touchant la possibilité de tenir un discours
sur cet autre discours qu'est la littérature : « Le mieux serait peut-
être, comme le récit proustien lui-même, de ne jamais " finir " c'est-à-
dire en un sens de ne jamais commencer » (*F* III, p. 273). Gérard
Genette a commencé et c'est là une *figure* d'un « Après-propos ».
Mais, on le sait (le sait-on, au juste?), la figure est pour Genette à la
fois *technique* et *vision du monde*. Ce jeu subtil du silence et de la
parole critique n'est donc pas de « pure forme ». Il s'agit de montrer,
d'exhiber une aporie : il est à la fois nécessaire et impossible de parler
de la littérature, nécessaire s'il est vrai que l'objet littéraire a besoin
pour se constituer comme tel de la lecture et de sa forme « hyperbolique », la critique; impossible, s'il est vrai que toute lecture (toute
critique, donc) modifie son objet, ne serait-ce que parce qu'elle
nomme, donne sens et toujours (plus ou moins) « achève ». Il faut
donc accepter ce paradoxe du discours critique ou, plus précisément,
s'y résigner. Rien de moins « conquérant » que cette démarche.

« On a établi que toutes les œuvres sont les œuvres d'un seul
auteur, qui est intemporel et anonyme. » *Utopie littéraire*, sans
doute, que cette provocante déclaration de Borges et qui risque de
figer la littérature dans quelque éternité où tout est déjà dit. Mais
il faut compléter cette première hypothèse par cette autre (de Borges
encore) : « Le livre n'est pas une entité close, c'est une relation;
c'est un centre d'innombrables relations », ou bien : « Une littérature diffère d'une autre moins par le texte que par la façon dont elle

---

1. *Figures*, Seuil, 1966 (*F* I); *Figures II*, Seuil, 1969 (*F* II); *Figures III*, Seuil, 1972
(*F* III); *Mimologiques, Voyage en Cratylie*, Seuil, 1976 (*M*).

est lue [...] [1]. » Genette opère dans cette problématique. Il n'y a pas *dans* la littérature de principe de diversification ou de différenciation; c'est la tâche (le devoir ?) du lecteur et, *a fortiori*, du critique, d'introduire ce principe dans l'espace littéraire. Or, en littérature comme ailleurs, il n'y a de sens que dans un jeu de relations. Le lecteur (le critique) porte donc la responsabilité du sens. Ici on ne fait pas que se résigner au paradoxe, on le *cultive*. Un livre est « une réserve de formes qui attendent leur sens » (*F* I, p. 132). On pourrait dire (assez vulgairement) qu'elles n'attendent que cela. On peut s'empresser de leur donner satisfaction. On peut aussi *tarder* à le faire. Cette attitude est communément appelée formaliste. Il va de soi que, dans cette perspective, la relation d'un livre à la lecture que l'on en fait n'est pas ce qui sera appelé ailleurs (*F* III, p. 10) « le dialogue d'un texte et d'une *psyché* »; le livre est fait de telle sorte qu'il est possible au lecteur de le réécrire, même et autre. Là est la vraie question : il faut s'interroger sur cette curieuse « *disponibilité* » *du livre* qui lui permet, d'une part, d'être réécriture de tous les autres; d'autre part, de se proposer lui-même à la réécriture. Un recours ici : les « formes littéraires ». Avant de s'interroger sur la pertinence en soi d'une telle notion, il faut préciser sa fonction : à un certain point de son itinéraire, le critique a besoin d'un instrument qui lui permette d'établir des relations ou, plutôt, de rendre compte du livre comme foyer de relations. Évidemment, plus l' « instrument » sera abstrait, plus vaste sera le domaine où son utilisation est possible. C'est ainsi à partir d'une rêverie, d'un mythe, de cette utopie d'un espace réversible de la littérature, que le *critique* devient *poéticien*.

Il y a chez Genette une limite au passage par l'abstraction. Un exemple : si, de droit, l'étude du « récit comme histoire » appartient au champ de la poétique, de fait on ne trouvera pas de telle étude chez Genette. Ce choix (si je peux employer ce terme) est l'effet de la persistance du souci *critique*. Introduisant au « Discours du Récit », Genette écrit : « Comme son titre l'indique, ou presque, notre étude porte essentiellement sur le récit au sens le plus courant, c'est-à-dire le discours narratif, qui se trouve être en littérature, et particulièrement dans le cas qui nous intéresse, un *texte* narratif » (*F* III, p. 72). Le poéticien veut ici rester un critique. Plus précisément, le travail théorique de Genette s'élabore là où il « risque » le plus : aux lisières du *texte*. On trouvera quelque part (*F* III, p. 68) la formule « cautionner en scientificité un vertige » : il faut (on peut ?) entendre

1. Textes cités par Genette (*F* I, p. 123 s.).

« donner le vertige à la scientificité ». La poétique est encore le meilleur moyen d'*entretenir* le désir critique.

Donnant délibérément congé à l'auteur et à l'œuvre, le poéticien est un critique en quête d'objet. Le texte est une « machine » et Genette reprend le mot de Valéry : « Il ne faut jamais conclure de l'œuvre à l'homme, — mais de l'œuvre au masque et du masque à la machine » (*F* I, p. 260). On pourra inverser la proposition et dire qu'il ne faut jamais conclure de l'homme à l'œuvre. Dans son essai sur *Stendhal* (*F* II, p. 155 s.), Genette dénonce ensemble le *fétichisme* de l'auteur et celui de l'œuvre. Car évidemment ils sont liés. Pour éviter tout malentendu sur ce point, il faut questionner Genette selon ses propres catégories, c'est-à-dire, ici encore, demander *à quoi sert* ce congé donné à l'auteur et à l'œuvre ; il faut se débarrasser en quelque sorte à propos du discours critique de ce que Genette appelle, après Valéry, « l'illusion réaliste » à propos du discours littéraire.

Dans cette perspective, la notion d'auteur se dédouble étrangement : il n'y a pas d'auteur, mais un « génie » *ou*, par une provocante synonymie, un « fabricateur ». Commentant Thibaudet, Genette écrit que « génie » est une métaphore (peu heureuse) pour désigner « l'absence du sujet, l'exercice du langage décentré, privé de centre » (*F* II, p. 13) ; « fabricateur » en est une autre, pour désigner ce que n'est pas l'auteur, disons une entité hypothétique permettant, devant certains interdits, de passer outre. L'écrivain n'*est* pas un fabricateur. Pas même l'écrivain baroque, notons-le au passage ; puisque, comme le souligne Genette, le baroque « vit sa rhétorique ». Valéry, après Poe, se facilitait quelque peu la tâche en refusant, en un sens, de maintenir cette distorsion entre un procès d'écriture et une hypo-thèse de lecture : « [...] Si rien ne l'offusque autant qu'une convention inconsciente, rien non plus ne le satisfait davantage qu'un décret explicite » (*F* I, p. 256). Il pourra suffire, en effet, de déclarer que « tout se passe comme si » l'écrivain était un fabricateur ; ce qui reviendra à établir fréquemment une forte rupture entre la pratique d'un écrivain et sa théorie : le *génie*, c'est « l'avance de [sa] pratique sur toute théorie — y compris [la sienne] » (*F* III, p. 181). Hypostasier la « théorie indigène » — celle de l'écrivain — (*F* III, p. 270), c'est nécessairement manquer la *nouveauté* d'un texte. Cela vaut pour Proust comme pour Robbe-Grillet. Genette porte toute son atten-tion au montage, à la machinerie. Par goût de la démystification ? Il y a, écrit-il, une forme de cynisme littéraire assez « salubre » : ainsi Sorel trouvant que l'invraisemblance de la conduite de Chi-mène dans *le Cid* « a donné de bien belles pointes » (*F* II, p. 88) ;

ainsi Genette, dirai-je, estimant que le héros de la *Recherche* « fait deux séjours en maison de santé pour ménager au narrateur deux belles ellipses » (*F* III, p. 181). Mais ce souci de l' « effet » tient surtout au fait que le critique, *en toute rigueur*, ne peut se poser qu'une question : « Comment cela marche-t-il ? »

Écriture/lecture.

Dès *Figures*, Genette reproche à Mauron son « positivisme » (p. 137 s.) et rappelle avec Bachelard : « Rien n'est donné. Tout est construit. » L'étude du phénomène littéraire ne peut prétendre atteindre à quelque « vérité ». Dans *Figures III*, revenant sur son travail, il en souligne le caractère « éphémère » (p. 269). La lecture modifie le livre et, à cet égard, l'expérience de Proust est exemplaire : la *Recherche* a en effet besoin d'un lecteur pour être (ré)écrite. Genette lit Proust « à partir de ce précisément qu'il a contribué à faire naître », la littérature moderne (p. 270), et cette lecture est délibérément l'esquisse d'une réécriture. Mais, si cette opération est possible, c'est bien parce que l' « œuvre » est « ouverte » (c'est-à-dire n'est pas une œuvre) et qu'elle n'est d'aucune manière « l'expression d'un auteur ». Deux exigences jouent ici ensemble : d'une part, celle que je rappelais plus haut, selon laquelle le livre appelle sa mise en relation avec les autres livres, le récit proustien avec le récit « classique... »; d'autre part, dans le cas particulier de *la Recherche*, l'invitation précise faite au lecteur de réécrire le livre. La première exigence guide le travail du poéticien, occupé à délimiter les *lieux* où il pourra « comparer » Proust et Balzac, Proust et Madame de Lafayette, Proust et Robbe-Grillet...; la seconde se généralise aisément en une « règle », explicite ou non, de l'activité critique.

L'originalité du travail de Genette tient peut-être à ce qu'il « joue sur les deux tableaux », réaffirmant chacune de ces deux exigences. Ainsi, reprenant une proposition de Philippe Sollers : « Le texte, c'est cet anneau de Möbius où la face interne et la face externe, face signifiante et face signifiée, face d'écriture et face de lecture, tournent et s'échangent sans trêve, où l'écriture ne cesse de se lire, où la lecture ne cesse de s'écrire et de s'inscrire » (*F* II, p. 18). Déjà, dans *Figures*, Genette montrait que ce qui est signe chez l'écrivain (l'œuvre) devient sens chez le critique, et que ce qui est sens chez l'écrivain (sa vision du monde) devient signe chez le critique (p. 148). Résurgence ici, dans le discours théorique, d'un « thème » baroque : la réversibilité. *Mais*, pour que cette inversion ait lieu, il faut préserver les distinctions et les différences. La bande de Möbius n'a qu'une face ; c'est son intérêt, sa surprise, son plaisir, si du moins l'on croit (on *suppose*) d'abord qu'elle en a deux : le collage de la bande est une transformation à ne pas manquer.

Le poéticien, étudiant le récit *dans* la *Recherche*, *construit*, dans ce texte compact, un objet susceptible d'être analysé, précisément : le récit. Or, c'est cette *construction* qui permet de montrer comment la *Recherche* intègre, reprend, détruit Homère ou Balzac, Mme de Lafayette ou Flaubert. Le travail du poéticien, et le passage par l'abstraction qu'il implique, tendent finalement non pas à réduire une œuvre, mais à étoiler un texte. Le profit théorique se double d'un évident profit critique.

Des hypothèses.

La poétique procède par hypothèses. Elle cherche à constituer une théorie générale des formes littéraires, tout en affirmant la précarité de cette lecture qui, en dernier ressort, la fonde. La poétique élabore, à partir d'un travail critique, un métalangage. Elle ne prétend pas donner aujourd'hui les instruments de lecture nécessaires pour toute œuvre à venir ; mais elle ne se limite pas à forger des concepts dont le champ d'application serait restreint à tel objet particulier. Elle joue, d'une certaine manière, sur une *marge de prévisibilité*. Elle s'inscrit dans un domaine frontalier : quelque peu en dehors — au-delà — de ce que se trouve être la littérature ; quelque peu en dehors — en deçà — de ce que peut l'écriture. C'est dire que son domaine doit se déplacer constamment. On pourrait voir dans cette tension entre critique et poétique une nécessité profonde : la poétique apparaît comme une *discipline* pour le critique. Si Genette est *devenu* poéticien, c'est peut-être d'avoir voulu « régler » ce vertige d'une lecture infinie. Non pour la fixer, mais au contraire, par ce « détour », pour en assurer et en perpétuer le mouvement. L'*œuvre* est un objet trop dense et trop compact. Mais le « récit », dans la *Recherche*, dérive, fuit et s'abolit. Le classique « sans doute, mais n'oublions pas l'œuvre » est un rappel pertinent s'il s'agit de souligner le caractère hypothétique de toute théorie ; mais il ne doit pas être une censure (qui plus est, positiviste), rempart du critique paresseux. Et puis, après tout, ce qu' « il y a », c'est du texte.

Un exemple ici, qui nous permettra de préciser le statut de la poétique.

Genette traite du temps du récit selon les trois catégories de l'ordre, de la durée, de la fréquence. La première est classique, la seconde l'est moins, la troisième est une *invention* de Genette. L'étude de l'ordre (rapports entre l'ordre temporel de l'histoire et l'ordre pseudo-temporel du récit) et l'étude de la durée (rapports entre la durée des segments de l'histoire et la pseudo-durée des segments de récit correspondants) supposent une relation simple entre récit et histoire : à un segment du récit correspond un événement de l'histoire, et l'inverse [1].

Selon la catégorie de la fréquence, le modèle peut être différent. A un signifié narratif peuvent correspondre plusieurs signifiants : c'est le récit répétitif; à un signifiant, plusieurs signifiés : c'est le récit itératif. On a ainsi, d'une part, un phénomène de synonymie; de l'autre, un phénomène de polysémie. Il apparaît donc que la relation simple supposée plus haut est *un cas particulier* : le récit singulatif (à un signifié narratif correspond un signifiant narratif).

Ce n'est évidemment pas un hasard si l'invention de la fréquence est contemporaine d'une lecture de Proust. « Longtemps, je me suis couché de bonne heure... » La pratique critique interroge la théorie. D'où la mise en place d'un outillage conceptuel : singulatif/itératif ; détermination, spécification, extension... et le choc en retour. Du point de vue critique : l'importance du récit itératif dans la *Recherche* (et que Proust semble méconnaître complètement), la liaison entre l'anachronisme des souvenirs et leur caractère statique — « moments presque immobiles où le passage du temps se masque sous les apparences de la répétition » (*F* III, p. 179) —... Du point de vue historique : Genette fait remarquer que le récit itératif est une « forme tout à fait traditionnelle » (p. 148), mais suggère que, jusqu'à Flaubert, « le récit itératif est [...] *au service* du récit « proprement dit », qui est le récit singulatif » *(ibid.)* [2]. Du point de vue théorique : d'une part, la mise en perspective de l'étude des structures narratives

1. Deux cas particuliers sont relevés dans l'analyse de la durée : le cas où à un élément du récit ne correspond aucun élément de l'histoire — cas inconcevable, car la pause est ou descriptive (et le signifiant n'est pas un élément de récit), ou proprement diégétique (et le signifié n'est pas « nul »); le cas où à un élément de l'histoire ne correspond aucun élément du récit : c'est « l'ellipse hypothétique », et les critères de l'analyse sont excédés. Premières perturbations du « signe narratif ».
2. On trouverait de beaux exemples de cette subordination dans *la Princesse de Clèves*. Ainsi (Garnier, p. 258 — je souligne —) lorsque M. de Clèves se plaint que Mlle de Chartres n'ait pour lui qu'estime et reconnaissance : « *Il ne se passait guère de jours* qu'il ne lui en fît de reproches. — Est-il possible, *lui disait-il*, [...] — Il y a de l'injustice à vous plaindre, *lui répondit-elle* [...] — Il est vrai, *lui répliqua-*

sur une analyse sémantique — dans le récit itératif, en effet, si un signifiant renvoie à plusieurs signifiés narratifs, c'est que ces signifiés, ces événements, sont « considérés dans leur seule ressemblance » (p. 145) ou « dans leur seule analogie » (p. 148); d'autre part, une révision du modèle du « signe narratif », et la possibilité, me semble-t-il, d'une redistribution des catégories d'ordre, de durée et de fréquence dans leurs relations réciproques. Car ce qui est proposé ici, c'est une sorte de classification *dynamique*. L'introduction d'un élément nouveau dans le système entraîne nécessairement la modification de l'ensemble. Le tableau n'est pas ici le but de l'activité taxinomique [1].

La poétique vit dans le provisoire et vit du provisoire comme toute activité théorique. C'est pourquoi, d'ailleurs, elle est toujours menacée. Elle n' « existe » que sur le mode du *détour théorique*. Reste que ce détour est indispensable : car si la poétique tient son efficacité de l'objet dont elle traite, cet objet tient la sienne du travail de la poétique. Il s'agit, somme toute, de savoir si l'on veut *connaître* l'objet en question.

L'expérience du baroque (du rhétorique).

Il y a, chez Genette, une expérience du baroque fondamentale et décisive : celle de la poésie dite baroque, mais aussi (surtout) celle d'une manière de *baroque métaphorique* : « son propre est de n'avoir rien en propre et de pousser à leur extrême des caractères qui sont, erratiquement, de tous les lieux et de tous les temps » (*F* II, p. 222).

---

t-il, [...] » (et, à la fin du dialogue : « Mlle de Chartres ne *savait* que répondre. ») L'itératif et le pseudo-itératif de la première réplique ont une fonction de « mise en relief » (j'emprunte le terme à H. Weinrich, *Le Temps*, Seuil, 1973). Le texte romanesque suit sa pente vers la « scène ».

1. Le travail classificatoire de Genette n'a ni le même sens ni le même but que celui des rhétoriciens dits classiques. Notons en bref trois différences. Tout d'abord, la « technique des cases vides », réservées aux formes hypothétiques; il s'agit de permettre *à un système donné* d'intégrer des procédures envisagées *aujourd'hui* comme possibles; première ouverture (premier inachèvement) du « tableau ». Ensuite, le refus du modèle pyramidal : lorsque des oppositions jouent sur des plans différents, cette *différence* est marquée, mais n'est pas « interprétée » comme une *hiérarchie*. Enfin (et ce point résume les autres), le souci taxinomique est lui-même *soumis* à un souci de différenciation. Exemple (entre autres) : « Ce tableau un peu expéditif n'a d'autre but que de manifester à quel point la métaphore n'est qu'une figure parmi bien d'autres [...] » (*F* III, p.31). Le système des objets théoriques a toujours un certain « jeu »; par là, il est un instrument de recherche et non un bilan.

Le baroque c'est — forme et sens — un Autre qui revient au Même; et aussi, l'autre langage du même langage : la *figure*, donc. L'ambiguïté y est délibérée : « le Vertige, mais un vertige conscient et, si j'ose dire, organisé » (*F* I, p. 28).

Genette trouve dans l'expérience baroque la satisfaction d'une triple exigence : intellectuelle, hédoniste, et, si (à mon tour) j'ose dire, éthique. Il se déclare tout de go « *pour* la connaissance, la raison, l'objectivité, le progrès des lumières (et des techniques), et *contre* ce qui y fait obstacle [1] ». Ce principe intellectuel, qui se suffirait à lui-même, se double d'une autre raison : « Mon intérêt pour la " rhétorique " (c'est-à-dire pour l'analyse sémiotique des figures) est né le jour où j'ai compris que telle " image " poétique (" l'or tombe sous le fer ") *gagnait* à l'analyse : c'est-à-dire la saveur d'une dissonance (entre la métaphore *or* et la métonymie *fer*), que l'on manque inévitablement à refuser la distinction » (*ibid.*, p. 77). La construction abstraite satisfait ainsi du même coup et à l'exigence intellectuelle et au principe de plaisir. Genette rappelait en ces termes le postulat du structuralisme : « certaines fonctions élémentaires de la pensée la plus archaïque participent déjà d'une haute abstraction, les schémas et les opérations de l'intellect sont peut-être plus " profonds ", plus originaires que les rêveries de l'imaginaire, et il existe une logique, voire une mathématique de l'inconscient » (*F* I, p. 100). Ces principes de l'analyse critique répondent enfin à une exigence éthique : l'attrait qu'exerce l'univers baroque sur Genette vient d'une volonté d'organisation, de maîtrise, toujours sensible chez des poètes qui se proposent de « sauver les apparences » (*F* I, p. 33). Saint-Amant transforme la « rencontre banale » du blé et de la faucille en « une sorte de duel » de l'or et du fer. Double figuration salvatrice, mais qui n'est salvatrice *que du discours* puisque « l'épi n'est pas d'or *comme* la lame est de fer ». Genette parle plus loin de « voie sèche » où l'on opère par « les brusques réductions d'une heureuse mise en forme », et du dessein de « maîtriser un univers démesurément élargi, et à la lettre *désorienté* en recourant aux mirages d'une symétrie rassurante qui fait de l'inconnu le reflet inversé du connu ». Tel est le *parti pris* baroque.

Car c'est un parti pris. Il y a au moins une autre formule et une autre voie : la « voie humide », celle qui poursuit l'unité du monde « à travers le continu de la substance » (*F* I, p. 37), et la formule d'un langage comme celui de Ronsard dans le sonnet de la mort

1. « *Question* à Michel Deguy », *Les Cahiers du Chemin*, 12, avril 1971, p. 77 (*CC*).

de Marie « où le poème se fait rose, chair odorante, fraîcheur mira-
culeusement préservée de la dissociation et de la mort » (*ibid.*, p. 30).

Mais le parti pris baroque a quelque (subtil) privilège dans la mesure
où il permet d'éviter ce piège ou cette illusion qu'est la croyance
en un « langage *immédiat* », accusant une forte rupture entre le
désordre des choses et l'ordre du discours. De fait, c'est l'analyse
rhétorique qui exhibe la rupture et la tension. Dans le texte, les
différences sont gommées. S'il est vrai que « le langage, même poétique — surtout poétique —, a mieux à faire que d'imiter le monde »
(*M*, p. 277), étant capable, *dans son ordre*, de le maîtriser, on ajoutera
que le discours critique a mieux à faire que d'imiter le discours littéraire : c'est *à ce prix* qu'il en montrera l'*efficacité* (on sauve les apparences) et la *fragilité* (on ne sauve que les apparences). L'analyse
rhétorique « dénaturalise » le discours. Il se trouve en effet que
par le travail littéraire, l'effet de discours se présente comme un
fait de langue et le fait de langue comme reflet du réel; continuum
illusoire et à présenter comme tel. Mais, là non plus, la dénonciation
de l'illusion n'est pas sans profit; car il s'agit, tout compte fait, de
rendre *au discours* ce qui lui appartient : dans le travail sur la langue,
rien n'est donné d'avance.

Motivation et différence.

Choix de la rupture et de la différence. Ce « parti pris » s'autorise
de toute une réflexion éparse sur la motivation, menée longtemps
avant les études sur le cratylisme. Dès l'étude sur Robbe-Grillet, par
exemple, où Genette rappelle la définition des formalistes russes : le
contenu est « une justification *a posteriori* de la forme » (*F* I, p. 87, n. 1).
L'étude fonctionnelle d'un texte tient la motivation pour ce qu'elle
est : l'apparence (*F* II, p. 96). Il faut penser le phénomène littéraire
en termes d'*arbitraire*.

Mais le plus souvent, nous l'avons vu, la théorie de l'écrivain est en
retard sur sa pratique; mais surtout, l'attitude motivante est *imposée*
par le texte. Curieux mécanisme. Étudiant les « procédés de motivation », Genette expose que, en dernier ressort, « l'essentiel de la motivation poétique est dans l'attitude de lecture que le poème réussit (ou le
plus souvent, échoue) à imposer au lecteur, attitude motivante qui,
au-delà ou en deçà de tous les attributs prosodiques ou sémantiques,
accorde à tout ou partie du discours cette sorte de présence intransi-
tive et d'existence absolue qu'Éluard appelle l'*évidence poétique* »
(*F* II, p. 150). Conception ici de la poésie comme « écart à l'écart, néga-

tion, refus, oubli, effacement de l'écart, de cet écart qui *fait* le langage ; illusion, rêve, utopie nécessaire et absurde d'un langage sans écart, sans hiatus — sans défaut » (*ibid.*, p. 152-153).

C'est l'amorce d'une réflexion sur cette illusion en tant que telle, que Genette appellera ailleurs l'idéologie du langage poétique : « Toute sémiotique rationnelle doit se constituer en réaction contre cette illusion apparemment première, *illusion symboliste* que Bachelard aurait pu ranger au nombre de ces obstacles épistémologiques que la connaissance objective doit surmonter en les " psychanalysant ". La motivation illusoire du signe, par excellence, c'est la motivation analogique, et l'on dirait volontiers que le premier mouvement de l'esprit, devant un rapport sémantique quelconque, est de le considérer comme analogique, même s'il est d'une autre nature, et même s'il est purement " arbitraire ", comme il arrive le plus souvent dans la semiosis linguistique par exemple : d'où la croyance spontanée en la ressemblance des mots aux choses, qu'illustre l'éternel cratylisme — lequel a toujours fonctionné comme l'idéologie, ou la théorie indigène du langage poétique » (*F* III, p. 39). *Mimologiques* explore la « Cratylie » ; histoire et typologie du mimologisme [1], ce livre donne « en contrepoint » les conditions d'une poétique formaliste. De fait, il est difficile de *rester* formaliste. Si le cratylisme a toujours fonctionné comme l'idéologie du langage poétique, et fonctionne encore comme tel, c'est tout simplement parce que la notion même de langage poétique est cratylienne ; mimologisme « savant », certes, ou « sophistiqué » (sinon, précisément, sophistique) ; mimologisme qui tient compte d'un certain nombre de difficultés de fait, mais ne les *accepte* pas. Ce que Genette appelle le mimologisme secondaire, pour lequel

1. Sans entrer dans le détail de cette typologie ni de cette histoire (de cet essai de typologie historique ?), je noterai simplement deux faits qui touchent au statut de ce livre. *Mimologiques* est l'étude d'un genre (p. 10) : ce que « perd » tel ou tel texte à l'analyse scientifique, il le « gagne » à sa mise en place finalement littéraire ; cette double relation évite la « réduction » de l'objet. Et c'est là peut-être que le titre et le sous-titre important. Soit à étudier « ce tour de pensée, ou d'imagination, qui suppose à tort ou à raison entre le « mot » et la « chose », une relation d'analogie en reflet (d'imitation), laquelle *motive*, c'est-à-dire justifie, l'existence et le choix du premier » (p. 9) : la formulation même du problème est typiquement rhétorique (« ce tour de pensée, ou d'imagination »), mais entre *mimologie*, qui désigne ce type de relation, *mimologique*, « la rêverie qu'elle enchante », *mimologisme*, « le fait de langage où elle s'exerce ou est censée s'exercer, et par glissement métonymique, le discours qui l'assume et la doctrine qui l'investit », Genette choisit pour titre *mimologique(s)*. Les « figures » du cratylisme n'ont de sens que par rapport à l'imaginaire linguistique, et leur *explication* rend nécessaire une « exploration » de cet imaginaire. L'analyse du discours cratylien ne le « condamne » pas ; elle le (re)met à sa place.

la langue *doit* et *peut* être mimétique, mais ne l'*est* pas (*M*, p. 36)). La théorie du langage poétique, effet d'un déplacement du mimologisme — rejeté du domaine de la science à celui de la littérature[1] —, est *une* théorie : « Cette idée nous est devenue aujourd'hui si familière, si naturelle, si transparente que nous avons quelque peine à concevoir qu'elle est une théorie parmi d'autres, qu'elle n'a pas toujours été, qu'elle ne sera pas toujours. Cette vulgate ne va pourtant pas de soi, nous l'avons vu, elle est un fait d'histoire : elle appartient déjà à l'Histoire, c'est-à-dire, somme toute, au passé » (*M*, p. 314).

Il n'y a pas lieu de le regretter. Et pourtant... Cette « compensation » et ce « défi » à l'arbitraire ont (avaient ?) leur fonction. Décréter l'arbitraire — non du signe, mais des dénotations[2] — revient à *déposséder* le sujet parlant de son (propre) langage. Opération douloureuse, s'il en est. Par bonheur, il y a (il y avait ?) la littérature, à l'écart de cet écart, pour reprendre une formule citée plus haut, dernier espace euphorique où la langue et la réalité sont (étaient) en parfaite adéquation. Or, la même opération peut et *doit* se répéter là. Curieusement, ce n'est pas chez les linguistes que Genette voit la première esquisse de ce geste (ils avaient sans doute des tâches plus urgentes). C'est chez Valéry. Au terme de l'analyse, une « contradiction irréductible [...] entre une poétique " formaliste " qui décrète l'autonomie de la forme poétique, et une poétique néo-cratylienne, qui préconise l'indissolubilité du son et du sens » (*M*, p. 294). A partir de là, une hypothèse : la nécessité (interne) du texte poétique est interprétée en tant qu'expression d'un certain contenu. D'où l'illusion du mimétisme. Or, cette nécessité interne est elle-même une illusion : « impression de lecteur » qui croit l'œuvre achevée. « L'illusion de mimétisme procéderait donc d'une illusion d'achèvement. » Conclusion logique : « le vrai thaumaturge cratylien, le vrai " inspiré ", ce n'est pas le poète, c'est le lecteur » (*M*, p. 295).

Cette « poétique sans illusion » est évidemment, elle aussi, liée à un parti pris ; en l'occurrence, c'est celui d'Hermogène. On a ainsi, chez Valéry, une poétique hermogéniste en période cratylienne (finissante); en gros (et au prix d'une excessive simplification), ici, l'écrivain est Hermogène, le lecteur est Cratyle. Or, à supposer que nous sortions de l'ère de Cratyle, ce n'est pas pour entrer dans celle d'Hermogène.

1. Voir particulièrement le chapitre x, sur la naissance de la grammaire comparée.
2. On connaît le fameux texte de Benveniste sur cette question (« Nature du signe linguistique », repris dans *Problèmes de linguistique générale*, Gallimard, 1966, p. 495).

Genette montre fort bien que tout part d'un problème mal posé (le tête-à-tête mots/choses, la langue comme nomenclature, la nécessité interprétée comme analogie...); ce (faux) problème n'a pas été résolu — et pour cause —, il a été *déplacé* [1]. Il faut donc sortir ou tenter de sortir du débat, c'est-à-dire abandonner l'attitude « réaliste et substantialiste » qu'il implique. Il reste, et c'est sans doute ce qui motive l'entreprise, que l'on sort mieux ou plus facilement de l'hermogénisme que du cratylisme.

Il est nécessaire, en effet, quand on étudie la langue, ou la littérature, ou leurs relations réciproques, de maintenir, voire d'*instaurer* des différences. Le « défaut » du mimologisme est de n'en pas connaître, ou plutôt d'être *tenté* par le « plein », l'indivision, la ressemblance absolue, d'y vivre et d'en vivre; absurdité et quiétude d'un même sans l'autre : « [...] la rêverie mimologique [...] est rêverie par excellence, puisque refus et fuite de la différence, désir ou nostalgie, projetés sur la réalité verbale, d'une identité rassurante et bienheureuse, paresseuse peut-être, du mot et de la chose, du langage et du monde. En ce sens, le mimologisme n'est pas une rêverie linguistique parmi d'autres, c'est la rêverie même du langage — ici encore au double sens, comme si le langage lui-même, oubliant le " défaut " dont il vit, rêvait sa propre (et illusoire) intimité, sa propre (et impossible) identité à soi, son propre (et mortel) repos » (*M*, p. 393).

Commentant un texte du versant « hermogéniste » de la poétique de Jakobson [2], Genette souligne que « [la] différenciation [y] est exaltée comme un instrument de prise de conscience de la réalité » (*M*, p. 304). Décréter l'autonomie du « message poétique » est tout le contraire d'une résurgence de la « théorie » de l'art pour l'art; il se trouve que c'est dans la rupture que « le jeu des concepts » et « le jeu des signes » acquièrent, dans le même mouvement, une liberté inégalée. La diversité du réel « gagne » à cette formule, qui est celle du langage même.

---

1. Voir le dernier chapitre : s'établit entre le support matériel du langage et le signifiant linguistique une radicale distinction qui bouleverse les données du débat, ou, plus précisément, l'annule.
2. Dans « Qu'est-ce que la poésie? », *Questions de poétique*, Seuil, 1973, p. 124 : « [...] Pourquoi faut-il souligner que le signe ne se confond pas avec l'objet ? Parce qu'à côté de la conscience immédiate de l'identité entre le signe et l'objet (A est A_1), la conscience immédiate de l'absence de cette identité (A n'est pas A_1) est nécessaire; cette antinomie est inévitable, car sans contradiction, il n'y a pas de jeu des concepts, il n'y a pas de jeu des signes, le rapport entre le concept et le signe devient automatique, le cours des événements s'arrête, la conscience de la réalité se meurt. »

Les partages.

Il faut préserver des distinctions (quitte à les remettre en question ou à voir comment elles se remettent en question). Il peut être utile de revenir ici sur une formule citée plus haut et qui donnait, « en passant », une définition : « [...] la " rhétorique " (c'est-à-dire [...] l'analyse sémiotique des figures ». Les guillemets indiquent qu'il ne s'agit pas de *la* Rhétorique, mais bel et bien de la « rhétorique restreinte ». Ainsi l'auteur de « La rhétorique restreinte », précisément, garde, malgré tout, son « privilège » à la figuratique — comme au nom emblématique de *figures* (au pluriel). « Figures » : un quasi-éponyme. La figuratique de Genette se trouve, de fait, au centre d'un réseau de choix décisifs pour son entreprise. Une figure est un élément à double face, formelle *et* historique (dès les premières études sur le baroque, les métaphores mises à jour par l'analyse sont comprises et expliquées comme interprétations de la Nature ou visions du monde); elle joue au niveau des petites *et* des grandes unités discursives. Les figures renvoient à un *espace* du langage, ou, plutôt, elles l'ouvrent; elles jouent sur les *possibles;* elles donnent à percevoir les *relations* plutôt que les termes mis en relation; enfin et surtout — et cela résume leurs fonctions [1] —, elles permettent de préserver les *différences*. Dès *Figures*, elles sont *des* procédures de motivation : « par un détail dans la synecdoque, par une ressemblance dans la métaphore, par une atténuation dans la litote, par une exagération dans l'hyperbole, etc. » (*F* I, p. 219). *Le privilège donné aux figures marque paradoxalement un refus généralisé du privilège;* la classification est comprise comme une variation continue.

Cette entreprise se caractérise finalement par son refus de (se) donner un « centre », qu'il s'agisse de la métaphore, de l'œuvre, du langage poétique. Le centre est toujours illusion : il n'y a pas de point d'ancrage. Dans le flux des discours, dans la multitude des textes, s'essaient des hypothèses, s'esquissent des classifications, s'instaure un jeu infini de relations. Travail toujours à refaire, car il s'agit de ne rien *perdre* de la diversité. Un formalisme conséquent refuse ainsi la « réduction » de son objet; plus simplement, ou plus radicalement, il refuse que ce dont il traite ait *déjà* statut d'objet. La littérature

---

1. Il me semble que le malentendu vient parfois de ce que l'on ne s'interroge pas suffisamment sur les fonctions des différents concepts dans une théorie — à moins que la théorie ne soit pas assez explicite sur ce point —; on ne peut questionner en soi une pièce d'un système.

n' « existe » que dans la mesure où l'on s'interroge sur elle, elle se multiplie ou « éclate » dans les questions qu'on lui pose. Il est dans la logique de cette *expérience* — qui est celle de l'écrivain comme elle est celle du critique — qu'une théorie de la littérature se définisse comme « art de questionner »; invention, mise au point, mise en ordre de questions. La théorie de la littérature est toujours en même temps théorie de notre *rapport* à la littérature. Là se (re)constitue un projet rhétorique susceptible (enfin) d'*expliquer* la modernité.

2. Conscience
et inconscience du langage *

> Il est probable, puisque tout le monde le répète,
> qu'il y a un mystère dans la poésie. Il est sûr en
> tout cas que nous nous conduisons à son égard
> comme s'il y avait un mystère. JEAN PAULHAN

Il ne s'agira ici que de s'attacher à un concept rhétorique parmi
d'autres : celui de figure. Mais ce concept a quelque subtil privilège
dans la mesure où il définit l'expérience ou le savoir à partir desquels
il devient possible de parler de « fait de langage ». Je ne chercherai
pas à le reformuler ici; simplement, je voudrais le laisser dériver et le
suivre à travers quelques textes de Paulhan : réflexions systématiques
et désinvoltes, analyses faussement naïves et subrepticement rouées,
expériences linguistiques énigmatiques et lumineuses.

Figure/Cliché.

Paulhan a écrit un *Traité des figures* [1] où il résume, reprend, critique toute une tradition rhétorique. A cette tradition il emprunte une
définition selon laquelle « figure » désigne « tout ornement de langage »
(II, p. 201) et une classification où s'opposent les figures de pensée,
qui « tiennent à un tour particulier de l'esprit » (telles l'antithèse, la
prosopopée, l'hyperbole, l'apostrophe...) et les figures de langage où
« l'attention se voit portée sur un mot » (telles la contrepèterie, l'ellipse,
la métaphore...)
   A ce premier grand partage est confrontée une division des figures
fondée sur leur « nouveauté » : on peut distinguer en effet deux espèces
ou deux natures de phrase, selon que la figure est ou non usée
(*ibid.*, p. 222). Ainsi « voyez le miracle » est grammaticalement une
apostrophe, mais si l'on analyse cette phrase de Ramuz :

---

* Communication à la décade de Cerisy-la-Salle sur Jean Paulhan. Texte
remanié.
   1. Jean Paulhan, *Œuvres complètes*, Cercle du livre précieux, t. II, p. 195 s.
Les références renverront à cette édition sauf indication contraire.

> Paris est une ville à la taille de l'homme. Il y a bien la tour Eiffel, mais voyez le miracle, c'est qu'elle est transparente, elle est comme une fumée.

on ne verra ici ni « le trait mordant lancé à quelqu'un » ni « la figure par laquelle un auteur, s'interrompant tout à coup, adresse la parole à quelque auditeur ou lecteur ». L'expression figurée équivaut finalement à quelque adverbe : « Mais justement elle est transparente. » C'est, d'une certaine manière, le degré zéro de perception de la figure, l'extrême *inconscience* du langage.

A l'inverse, dans cette phrase de Giraudoux :

> Cette jeune fille me pèse des cerises sans se douter qu'elle me revend, si fraîche et propre et vernie (je ne dirai pas si ces adjectifs s'appliquent à jeune fille ou à enfance), mon enfance.

la figure est l'événement qui focalise l'attention :

> De quel nom qu'on veuille nommer une telle comparaison — *oscillation*, peut-être; *ambiguïté*, pourquoi pas ? — c'est ici sur la figure que se concentre l'attention; mais le reste du sens, au prix d'elle, demeure fruste comme la figure l'était tout à l'heure (*ibid.*, p. 211).

On notera ici que cette « construction équivoque » (puisque c'est ainsi qu'il faut la nommer; selon la tradition, s'entend) est comme exhibée par l'intervention du narrateur, et ce redoublement de la figure n'est évidemment pas hasardeux. Nous le retrouverons [1].

Si donc l'on considère l'usure ou la « fraîcheur » d'une figure, on distinguera entre les figures invisibles et les figures à l'état surprenant. La rhétorique des figures d'un Fontanier [2] distinguait, de la même manière, la catachrèse (figure passée dans l'usage : feuille de papier, pied de fauteuil, on le sait) et la figure proprement dite qui a lieu « par choix » et non « par nécessité ». Paulhan ne fait que retrouver sur ce point une problématique attestée par la tradition. Mais il la prolonge et la fait dévier ou dériver. Il reprend en effet, dans cette seconde perspective, le premier partage des figures en figures de pensée et figures de langage (II, p. 226 s.).

---

1. L'ambiguïté grammaticale, du fait de l'intervention « critique » du narrateur, qui la propose comme telle, a une efficacité moindre : d'une certaine manière, tout est joué d'avance.
2. Fontanier, *Les Figures du discours*, Flammarion, 1968.

La figure de pensée « se trouve assurée d'une certaine *constance* de l'attention [1] ». Ainsi, lorsque Huysmans écrit :

> La critique d'art, ce sont de versatiles louanges tirées au petit bonheur, ainsi que des boules de loto, d'un sac.

sa comparaison restera une comparaison, quelles que soient sa nouveauté et sa fraîcheur. C'est que la comparaison est une figure morphologiquement marquée. Ce qui n'est pas le cas de la métaphore ni plus généralement des figures de mots. Il faut citer ici Paulhan :

> [...] la *figure de mots* [...] serait à ce compte la figure capable par excellence de l'un ou l'autre état extrême et apte aussi bien, à tout instant, à n'être qu'un mot entre tant d'autres, au service de l'événement qu'il s'agit d'exprimer, qu'à *constituer* l'événement même et la chose que les mots voisins reçoivent tout aussitôt fonction d'exprimer. Bref, c'est une expérience dont le sens ni la portée ne sont jamais donnés *à coup sûr*.

Tout se passe donc comme s'il était deux catégories de figures : l'une où la figure peut devenir « catachrèse » tout en restant figure; l'autre où ce curieux processus n'est pas possible. Le rhétoricien trouve quelque réconfort dans le premier cas (figures de pensée), puisqu'il lui est toujours loisible de parler de figure, mais rencontre un choix difficile dans le second (figures de langage), puisqu'il devra « prendre parti » en disant si oui ou non il y a figure. En d'autres termes, dans le premier cas, l'analyse rhétorique se suffit; dans le second, elle renvoie à un acte proprement critique.

Difficile question que celle qui consiste à se demander, quand on lit « un nuage voilait le soleil », la *valeur* de « voilait ». Ou bien : si le latin *gemmae* signifie *perles* et *bourgeons*, faut-il s'étonner, avec Cicéron, du talent poétique des paysans qui ont nommé *perles* leurs bourgeons, alors que, selon le linguiste, c'est le citadin qui a nommé *bourgeons* ses perles ? « La métaphore n'arrête pas d'apparaître et de disparaître », note Paulhan. Comme le soleil du premier exemple, peut-être [2]. Certaines figures, quelle que soit leur valeur (« fraîcheur »,

---

1. Il est évident que la classification des figures proposée ici par Paulhan mériterait d'être analysée pour elle-même. Elle ne va pas de soi : en quoi, par exemple, la comparaison n'est-elle pas une « figure de langage » ? Je ne me propose pas ici ce travail. Je trouverais d'ailleurs peut-être quelque justification dans le fait que Paulhan utilise délibérément un cadre tout fait, pour y situer d'autres systèmes d'opposition, qui sont *sa* rhétorique.
2. Le caractère mimétique de la remarque de Paulhan fait écho à celui de l'exemple même : comme on sait, le trope a, entre autres fonctions, celle de voiler (sans cacher).

usure), sont *marquées* et l'on peut s'entendre à leur sujet : toute comparaison est une comparaison ; toute apostrophe, une apostrophe. Par les autres, on entre dans un curieux mécanisme de renversement ; dans ce cas, nommer la figure, c'est faire acte critique. « Les figures ont pour seule caractéristique les réflexions et l'enquête que poursuivent à leur propos les rhétoriqueurs » (II, p. 229). Renvoi ici de la figure au discours qui la fonde. C'est le secret de la rhétorique. Définir, classer, nommer les figures sont autant d'interventions lourdes de conséquences ; un traité des figures n'est pas une collection de procédés d'écriture — ce que l'on croit généralement, ce qui permet à bon compte de reléguer la rhétorique au rang des curiosités —, il est une sort de rite d'initiation à ce phénomène étrange et peu connu nommé lecture. *La figure, hypothèse de lecture ; la rhétorique art de lire ;* double définition que je crois pouvoir induire de cette première étape de la réflexion paulhanienne.

La figure et le cliché sont les deux termes clefs de cette nouvelle rhétorique. L'examen du mécanisme de renversement propre à la catégorie des figures non marquées, conduit Paulhan à souligner l'ambiguïté de « nature » du fait de langage :

> Tantôt la figure devenait l'objet même et l'événement, dont le reste du discours n'était plus que l'expression. Tantôt au contraire elle devenait — si je puis dire — plus mot que les mots, simple apparence superficielle, au prix de quoi tout le reste du discours passait objet (II, p. 230).

Ce fonctionnement est précisément décrit par Paulhan à l'aide d'un instrument linguistique qu'il nomme paramètre : la citation, le cliché, le proverbe sont des paramètres. Ils mettent en évidence le mode de fonctionnement du discours dans la mesure même où ils sont susceptibles de différentes *valeurs* ; en quelque sorte, ils différencient et organisent les *lectures possibles* [1]. Ainsi, dans ce fragment de la *Recherche ;*

> Pendant plus d'un mois, les ennemis de Vaugoubert ont dansé autour de lui la danse du scalp, dit M. de Norpois... Ces injures, il les a repoussées du pied, ajouta-t-il plus énergiquement encore. Comme dit un beau proverbe arabe : « Les chiens aboient, la caravane passe. » Après avoir jeté cette citation, M. de Norpois s'arrêta pour regarder et juger de l'effet qu'elle avait produit sur nous. Il fut grand [...] (cité p. 231).

---

1. C'est là que se situe la part du lecteur. Comme on le verra, elle est prévue par le texte de Proust qui suit.

Une première lecture (naïve) considérerait que le proverbe signifie ici le dédain de Vaugoubert; une seconde, tenant compte de l'*effet* noté par le narrateur, que l' « événement » — pour reprendre un terme paulhanien — est le proverbe, signifié cette fois par le dédain de Vaugoubert : il s'agit pour Norpois d'utiliser ce dédain pour placer son proverbe. Mais pour le narrateur « le proverbe n'est plus qu'une *phrase* », c'est-à-dire que le discours où l'on peut utiliser ce type de signifiant (première lecture) ou de signifié (seconde lecture) est en fait un discours « banal ». Lecture complexe où apparaissent le sujet de l'énonciation (Norpois) et le narrateur dans sa duplicité. On a là un modèle du fonctionnement de la figure. Lorsque Mme Cottard dit qu'elle a renvoyé son « Vatel », la synecdoque ou antonomase (Paulhan dit : la métonymie) est susceptible du même renversement : « dit-elle *Vatel* parce qu'il lui faut parler d'un cuisinier, ou parle-t-elle d'un cuisinier parce qu'elle tient à placer son *Vatel ?* » (p. 223). Le signifié est-il Vatel ou cuisinier? S'il est cuisinier, on a une « façon de parler »; s'il est Vatel, on a un « événement ». C'est évidemment un problème d' « intention ». Il reste que la véritable structure de cette figure est ternaire, et non binaire, dans la mesure où cuisinier pour Vatel (seconde lecture) est le signifiant d'un signifié du type : Mme Cottard veut « faire distingué »; ou bien Vatel pour cuisinier (première lecture), le signifiant d'un signifié du type : Mme Cottard a les tics de ses amies.

On notera qu'une lecture « terroriste » de ces fragments proustiens — selon laquelle le signifié ultime de la figure ou du proverbe serait péjoratif : banalité, poncif — ne saurait rendre compte de leur système d'énonciation (le narrateur/le héros/Norpois et Mme Cottard). Il n'y a donc pas de choix ici entre une lecture terroriste et une lecture rhétorique : la Terreur n'est qu'un aspect de la Rhétorique, la Terreur est naïve; la Rhétorique, on le sait, se permet la Terreur.

La rhétorique paulhanienne ne se préoccupe plus ici des mêmes problèmes que la rhétorique dite classique. Sa perspective est, en effet, définie par la réponse qu'elle doit donner à l'événement moderne qu'est la Terreur.

Dans *le Don des langues* (III, p. 369 s.), Paulhan distingue deux cas de polysémie : « Les linguistes appellent *polysémie* la faculté que possède un même mot de disposer de plusieurs sens, tantôt voisins, tantôt divergents et même contraires » (*ibid.*, p. 410) : changement de catégorie grammaticale (« une fille très sport »), tropes (« le trône » pour « la royauté »), mots « chargés de sens opposés » (« défendre » au sens d' « interdire » et au sens de « protéger »). Cette première classification tend à mettre en relief le dernier cas, que Paulhan appelle « union des contraires ». Mais ce n'est pas de ce type de polysémie qu'est issue sa réflexion rhétorique. Au prix d'un désinvolte détournement du sens de « sens », Paulhan relève un autre type de polysémie : « Tout se passe comme s'il n'était pas de mot qui ne puisse être entendu en trois sens, différant du tout au tout. Point de mot qui ne *soit* ces trois sens à la fois » (*ibid.*, p. 387). Le mot évoque, en effet, soit l'objet réel, soit l'idée que l'on se forme de cet objet, soit encore le mot qui sert à le nommer. Ainsi, « montagne » évoque soit la chose : grande élévation de terrain; soit l'idée, lorsqu'on dit par exemple qu'on se fait une montagne de quelque chose [1]; soit le mot même, lorsque Chateaubriand note que « Montagne a le son sourd et grave qui annonce les grottes, les cavernes, les dangers » (p. 389). Ces deux types de polysémie ont des propriétés spécifiques. La première est imprévisible :

> [...] Les polysémies qu'observent les grammairiens paraissent, auprès de la nôtre, de pure fantaisie. Qu'elles soient dues à des métaphores, à des exagérations, à des allégories, voire à des calembours ou à des synecdoques, il n'en est pas une que l'on eût pu prévoir à partir d'un mot donné [...] Au lieu que l'on ne trouverait pas un mot de pas une langue qui pût échapper à la triplicité de l'idée, de la chose, du mot (*ibid.*, p. 412-413).

Le premier type de polysémie est strictement linguistique, le second plus logique que linguistique; la question dont relève la tripartition (idée/mot/chose) est la suivante : que peut-il en être du langage, pour que les rapports du langage à la réalité soient tels ? Et l'on débouche inévitablement sur des considérations extra-linguistiques : c'est la fin du *Don des langues*.

Pour la rhétorique classique, ce qu'on appelle figure relèverait plutôt du premier type de polysémie [2]. Paulhan, en rattachant sa rhétorique au second type de polysémie, déplace le problème. Il se situe en deçà des définitions et des nomenclatures, et sa recherche porte sur ce qu'on pourrait appeler la *conscience* rhétorique du langage. Car *la figure, comme le cliché, dépend d'une prise de conscience*, et c'est à ce point qu'il convient de situer son analyse. Pour reprendre un exemple

---

1. On notera que ce que Paulhan appelle ici l'idée est un signifié métaphorique.
2. Elle y trouve un principe de diversification *complexe*, décrivant les diverses relations possibles entre les signifiés alors que Paulhan procède par renversements et choix *simples* (« opinion »/« événement », attention/distraction...)

paulhanien, la relation de Vatel au cuisinier n'a rigoureusement aucune importance : la question de savoir s'il s'agit d'une relation de contiguïté ou d'une relation d'inclusion, d'une métonymie ou d'une synecdoque, est secondaire ; c'est, nous l'avons vu, le « sens » de la relation qui importe, de Vatel au cuisinier ou l'inverse. Peu importe de savoir comment et pourquoi l'on peut dire « flamme » pour « amour », ce qui compte c'est la « place » de la métaphore.

Pour le rhétoriqueur, la « passion [...] devient signe de métaphore, loin que la métaphore lui soit signe de passion » (III, p. 187). On peut refuser de choisir en ce sens, mais on ne peut esquiver la question. La rhétorique a pour unique fonction d'exhiber ce problème, qui est son secret même :

> [...] si la figure elle-même n'est caractérisée, en dernière analyse, que par certain *passage*, et le jeu d'une réflexion qui nous la fait considérer aussi bien comme l'expression d'un événement que comme l'événement que l'on exprime — comme le mot d'une chose que comme la chose d'un (ou de plusieurs) mots, sans doute faut-il voir là le secret même que nous cherchions (II, p. 235).

ou encore :

> [...] la Rhétorique a pour effet naturel de me faire hésiter — à propos de toute expression — entre deux *natures* opposées de cette expression : soit un mot (ou une phrase) *spontané*, tout d'un bloc, sans analyse ni recherche — l'un de ces mots, dont on dit volontiers, dont le parlant éprouve en tout cas, qu'ils se confondent à la chose qu'ils nomment. Soit au contraire une phrase ou un mot concertés, combinés, artificiels, faits de pièces et de morceaux plus ou moins heureusement réunis (II, p. 236-237).

Il y a un certain nombre de procédés qui permettent d'arrêter cette oscillation, de *régler l'usage des figures* et du même coup d'*orienter la lecture*. Ces techniques visent à assurer à la figure son statut d'événement ; donc, d'une certaine manière, à garantir au cliché un *effet constant*. C'est la « méthode préventive » des *Fleurs de Tarbes* (III, p. 79 s.)

Le cliché est « un monstre de langage et de réflexion » ; simplement, il a mauvaise presse. Il ne suffit pas de remarquer que « [les lieux communs] ne sont pas communs » ; qu'une pensée, pour être commune, n'en est parfois pas moins intéressante ; qu'un objet linguistique comme le proverbe a par nature une signification flottante, susceptible de se diversifier à l'infini; qu'enfin si l'on dit qu'un sou est un sou, c'est bien qu'un sou n'est pas toujours un sou, comme Rome peut ne plus être dans Rome. Il reste que l'utilisateur du cliché est d'emblée un suspect. Il faut donc qu'il y mette sa *marque*. Il faut jouer du cliché, en avoir conscience et le montrer :

> Les clichés pourront retrouver droit de cité dans les Lettres, du jour où ils seront enfin privés de leur ambiguïté, de leur confusion. Or il devrait y suffire, puisque la confusion vient d'un doute sur leur nature, de simplement *convenir*, une fois pour toutes, qu'on les tiendra pour clichés. En bref, il y suffit de *faire communs* les lieux communs [...] (III, p. 80).

Si le Terroriste n'hésite pas à utiliser le cliché comme titre — *Point du jour* ou *les Pas perdus* de Breton — c'est en vertu d'un principe selon lequel ces mots, seuls jetés sur la couverture du livre, doivent bien « cacher quelque chose ». La mise en page innocente l'écrivain, le *démarque*, précisément en *marquant* le cliché. Il y a d'autres procédés : l'ironie, une subtile déformation, une inflexion de la voix. Balzac a sa méthode, il « souligne » :

> Une femme dévote et d'une intelligence étroite qui, pénétrée de ses devoirs (la phrase classique), avait accompli la première tâche d'une mère envers ses filles [...].

Il convient, par divers procédés d'écriture [1], que le cliché soit « ouvertement traité comme cliché » (III, p. 289). Dans la reprise proustienne du proverbe « les chiens aboient, la caravane passe », la situation narrative donnait, nous l'avons vu, toutes ses chances au proverbe, en le marquant, c'est-à-dire, en l'occurrence, en le signant Norpois. Un autre s'y entendait en clichés, il signait Ducasse : « Le phénomène passe, je cherche les lois. » Écho sonore et rythmique du même proverbe peut-être, mais où les valeurs sont inversées puisque ce qui « passe » est ici congédié; du proverbe n'est gardé que la forme, et bien sûr l'autorité — le caractère péremptoire. Au lecteur de l' « appliquer ». Soit dit en « passant ».

A propos de Jules Renard, Paulhan a montré comment une écriture pouvait se fonder sur cette thérapeutique (IV, p. 117 s). Renard se

---

1. M. Riffaterre a analysé ces « signaux » par lesquels l'écrivain évite que le lecteur ne fasse une confusion. Cf. *Essais de stylistique structurale*, Flammarion, p. 176 s.

méfie des « grands mots »; il a peut-être tort, note Paulhan. Il y a en effet, pour l'écrivain, un piège plus redoutable que celui des grands mots qui ne font jamais qu'avoir des connotations différentes selon les locuteurs :

> Il n'y aurait à proprement parler trahison de langage que s'il existait quelque mot, quelque phrase capable d'offrir à la fois l'un et l'autre sens radicalement différents ou, mieux, opposés. C'est très précisément le cas des lieux communs, des clichés, des proverbes (p. 122).

Ces deux sens opposés sont l'effet, on l'a compris, du second type de polysémie que relevait Paulhan. Renard en joue délibérément, qui emploie le cliché et le lieu commun, mais ajoute « comme on dit ». Ou bien, par une méthode plus subtile, qui juxtapose ou superpose deux textes, l'un tissé de clichés, l'autre fait de « récits simples et bruts », d'« histoires sèches ». C'est, transposée en littérature, la technique du « papier collé » :

> Il s'agissait, pour les peintres modernes, de substituer à la profondeur apprise de la vieille perspective — la profondeur, si je puis dire, clichée —un espace nouveau, véridique et sans calculs. On y parvenait très bien en collant un galon de tapisserie peint suivant tous les clichés de la vieille peinture, et qui représentait, par exemple, un bouquet de roses, sur un simple triangle ou un carré de papier de couleur (ou l'inverse) (p. 126).

Modèle pictural de l'écriture, donc; mais, par un curieux paradoxe, c'est l'écriture moderne qui, historiquement, l'aurait « découvert » : Flaubert, Lautréamont, Rimbaud, Mallarmé et Joyce. Et sans doute déjà Rabelais. Toute une pratique de la littérature qui résout la vieille question de la norme et de l'écart en inscrivant la norme dans le texte.

Le même problème de « prévention » du cliché se pose au traducteur, et de façon urgente, car une traduction, surtout si elle est fidèle, « a pour premier effet de *dissocier les stéréotypes* d'un texte » (II, p. 181), c'est-à-dire de ne pas rendre communs les lieux communs. Aussi le principe du traducteur doit-il être le suivant :

> [...] obtenir du lecteur qu'il sache *entendre en cliché* la traduction comme avait dû l'entendre le lecteur, l'auditeur primitif, et à tout instant *revenir* de l'image ou du détail concret, loin de s'y attarder (p. 182).

Il s'agit donc d'abord d'établir un *code de lecture* — Paulhan parle d' « une certaine éducation du lecteur »; cette exigence se précise par ailleurs d'un parti pris par lequel est refusée une « réactivation » systématique du texte. La « pente » naturelle de toute traduction étant précisément de réactiver le texte à traduire, la méthode préventive est alors une méthode corrective. Il s'agit, ici comme ailleurs, de *contrôler l'effet*.

On a en fait deux moyens d'éviter l'utilisation naïve du cliché. On peut utiliser le cliché comme tel, et on est renvoyé à la « méthode préventive ». On peut tenter de « supprimer » le cliché. C'est pour une bonne part un leurre. Mais il y a de ces tentatives. Dans une note sur la *Syntaxe*, Paulhan écrit que l'on reproche à Reverdy et à Breton de « [manquer] de syntaxe » (IV, p. 427). Ce reproche porte à faux car il s'agit chez eux d'ellipses — suppression d'un certain nombre d'articulations syntaxiques — et non, bien évidemment, d'« absence de syntaxe ». Paulhan, notant ce fait, appelle ici lieux communs les conjonctions de subordination :

> comme, puisque... sont des lieux communs épuisés; de sorte que leur suppression seule, où ils sont trop attendus, peut contraindre un sens neuf.

et plus loin :

> [...] je vois [...] que ceux des écrivains qui connaissent trop de mots, et trop constamment se tiennent au courant d'une sorte de langue idéale, leurs œuvres sont les plus ternes qui soient. Sans doute faut-il aller jusqu'à l'oubli.

On pourrait dire que l'écrivain moderne est un *parodiste* (c'est la méthode préventive) ou un *syntaxier* (ce sont les figures de construction). Il s'agit de jouer du montage du texte, de sa « syntaxe », et/ou de se démarquer d'un certain lexique qui véhicule toute une tradition littéraire. Les deux aspects de la modernité vont évidemment de pair. Les figures de construction, nous l'avons vu, permettent, selon Paulhan, d'échapper au poncif. De fait, l'activité de montage joue sur des unités « préformées », sur des lieux communs lexicaux, et, par là, retrouve la nécessité de la parodie; inversement, le parodiste rencontre inévitablement le problème du montage — ainsi de la juxtaposition des textes chez Renard. Par une coïncidence évidemment non fortuite, on retrouve ici certains traits de l'œuvre critique paulhanienne : puzzle savant dont les pièces sont substituables, montage capable d'intégrer une très grande diversité d'éléments.

Il semble, au terme (provisoire) de ces réflexions, que l'écrivain selon Paulhan s'avance prudemment sur un terrain dangereux et que l'écriture se définit par l'esquive. *Il n'en est rien.* Comment en effet doit écrire « le jeune écrivain »? « comme si ni Gide, ni Claudel, ni Proust n'avaient existé ». Et comment doit vivre « l'amateur de littérature »? « comme s'il n'y avait pas encore eu de grande littérature [1] ». C'est sur ce « comme si » que je voudrais maintenant m'interroger.

Comme si.

Que l'écrivain puisse écrire comme s'il n'y avait pas de littérature, c'est déjà problématique, et contestable. Or, Paulhan va plus loin : s'il est bien vrai que l'écrivain travaille dans et sur le langage, il parvient, au terme de sa recherche linguistique (et si tout se passe bien), à une pertinence, une justesse, une nécessité du mot ou de la phrase qui sont telles qu'il croit avoir écrit *comme s'il n'y avait pas de langage.* De fait, il arrive qu'il « traverse » le langage sans le voir. Rapports étranges de l'écrivain au linguistique. Valéry se trompe, estime Paulhan, lorsqu'il déclare que l'écrivain est un faussaire : il projette sa préoccupation sur les textes des autres. Plus généralement, on a là une *illusion de lecteur :*

> Le simple lecteur qui voit dans le langage et les mots particuliers de l'écrivain l'effet d'une recherche verbale et comme d'un *exercice*, ne fait guère que projeter et situer dans cet écrivain la même difficulté qu'il éprouve à le comprendre. C'est parce qu'il a besoin de réfléchir à ces mots en tant que mots, qu'il forge un auteur tout verbal [...] (III, p. 218).

C'est pourquoi « faire comme si » est plus difficile pour le lecteur que pour l'écrivain [2].

1. J. P., *Les Incertitudes du langage*, Gallimard, p. 68. Il va sans dire que cette « insouciance » s'inscrit dans une stratégie d'ensemble. On rappellera ici le projet de Paulhan : « Je n'ai tâché de mener à bien à propos d'expression — et en particulier d'expression littéraire — qu'une enquête rigoureuse, logique, qui n'est pas poétique ni littéraire pour deux sous. Ce serait la fausser du tout au tout qu'y voir de la littérature » (*ibid.*, p. 116).
2. On voit que ce qui intéresse *ici* Paulhan, c'est en premier lieu le passage d'une lecture « savante » à une lecture « naïve », une sorte de *désapprentissage* Ce que j'appelle l'illusion du lecteur est en fait l'illusion du *critique*.

Soit Perse, par exemple, et sa *rhétorique sans langage* (IV, p. 176 s.).
Paulhan joue à nommer les figures du texte de Perse. C'est plutôt
gratuit. La nomenclature rhétorique apprend peu de choses sur
Perse ; une, peut-être : que Perse a tort de ne marquer qu' « horreur
et dégoût » pour la rhétorique. Plus précisément, c'est cette dissymétrie entre la théorie et la pratique de l'écrivain qui est en soi capitale.
Perse ignore qu'il écrit ; d'une certaine manière, tout se passe comme
si Perse n'écrivait pas. Et pourtant, il écrit. C'est l'effet de cette
« rhétorique profonde » dont parlait Baudelaire et qui, chez Perse,
méprise l'autre — qui, chez Baudelaire, ne la méprisait pas. En bref,
Paulhan — le critique — perçoit un langage qui reste invisible à
l'écrivain. Nous avons vu qu'il y a des écrivains plus « conscients » :
ils utilisent la méthode préventive, ils sont des parodistes ou des
syntaxiers, ils prennent eux-mêmes en charge la *conscience rhétorique*
et les problèmes qui s'ensuivent. Le chemin de la lecture est alors
balisé. Mais, lorsque Paulhan demande à l'écrivain d'*oublier* ces problèmes, il ne supprime pas l'instance rhétorique, il la *déplace :* il
reverse à la lecture les problèmes de l'écriture. Ainsi, à propos de
Perse, le critique (donc, aussi, le lecteur) perçoit ce discours que l'écrivain ne peut littéralement pas voir.

Dans *les Fleurs de Tarbes*, Paulhan parlait d'une maladie des
Lettres ; elle faisait l'écrivain malheureux et le critique heureux. Peut-
être veut-il rendre l'écrivain heureux, quitte à rendre le critique
malheureux. Encore faudrait-il s'entendre sur ce « malheur » : il
s'agit plutôt de mauvaise conscience ; ou, plus simplement, d'inquiétude. Paulhan n'a, somme toute, rien d'autre à dire à l'écrivain que
cette « règle » simple : il convient d'écrire ce qu'on désire écrire. Pour
le lecteur, il en va tout autrement : dans son cas, « faire comme si »
demande un *apprentissage*. L'inquiétude du lecteur est un effet de
son indécision, de l'*hésitation* où il se trouve lorsqu'il rencontre le
texte. Paulhan a précisément décrit cette hésitation, nous l'avons vu,
et montré comment la mise en place des codes de lecture permettait
d'en sortir. A supposer qu'il faille en sortir, car l'indécision du lecteur et l'alternance de différents modes de perception du texte ne
sont pas sans profit.

Lorsque Paulhan déclare que l'écrivain écrit comme s'il n'y avait
pas de langage, il ne fait que retrouver une tradition qui veut que
« les tropes naissent *naturellement* du sujet [1]», *comme* s'il y avait une
sorte de *connivence* entre le réel et le discours. Dans le même sens,

---

1. Fontanier, *op. cit.*, p. 182 s. (je souligne).

on remarquera que la classification des figures qu'il propose dans son *Traité* est fondée non sur la nature des mécanismes mis en jeu, mais sur une typologie classique des « facultés » : les figures de pensée sont divisées en figures de raison, figures d'imagination et figures de passion. Paulhan renoue ici avec une « idée de la rhétorique » où sont supposées des relations complexes entre les formes du discours et un système de l'homme et du monde : tout un courant de la rhétorique médiévale, sans doute, mais aussi ses résurgences renaissantes marquées de néo-platonisme. C'est l'*observation* de ces relations qui intéresse Paulhan. Et, pour conduire cette enquête, l'indécision du lecteur est plus riche d'enseignement que l'« authenticité » de l'écrivain.

Les fonctions initiatiques que Paulhan accorde à la rhétorique s'expliquent par le postulat d'une *correspondance* secrète entre le réel et le discours. Ce lien entre une philosophie hermétique et la pensée rhétorique relève encore d'une tradition dont les exemples les plus remarquables seraient des traités de la Renaissance italienne, telle cette *Idée du théâtre*, de Delminio, que E. Garin décrit comme « un curieux mélange de cabale, de néo-platonisme et d'hermétisme » et qui « nous fait assister à une tentative pour faire correspondre les articulations oratoires du discours avec les structures fondamentales de l'être, de telle sorte que les paroles prononcées constituent seulement l'écho ultime et le prolongement extrême des idées éternelles et leur manifestation *concrète* [1] ». Cependant, à la différence de cette philosophie rhétorique, Paulhan ne propose pas une ascension mystique, mais un *détour*. Traditionnellement, l'initiation emprunte des chemins montants : c'est, par exemple, chez Delminio, cette colline à partir de laquelle on verra dans son entier le grand bois qu'on ne voyait qu'en partie lorsqu'on se trouvait en son milieu. Chez Paulhan, l'initiation emprunte une *voie oblique*.

Le Don des langues s'ouvre par une question, « comment assister à sa pensée ? » (III, p. 371) :

[...] il ne nous a jamais été permis d'observer notre esprit comme nous observons un caillou, un arbre ou un muscle. Certes, notre pensée nous est donnée et nous en disposons. Cependant, elle ne nous est jamais donnée si entière que nous ne prélevions sur elle la part qui nous permet de l'observer. En sorte que nous ne la considérons qu'*amputée*.

1. E. Garin, *Moyen Age et Renaissance*, Gallimard, p. 116. Sur Giulio Camillo Delminio et les spéculations sur l'éloquence magique, voir F. A. Yates, *L'Art de la mémoire*, Gallimard, 1975, chap. VI et VII.

Pour sortir de cette aporie, une hypothèse :

> J'imaginerai [...] qu'il existe une ombre portée, et comme une projec-
> tion, de ce même esprit qu'il ne nous est pas donné d'apercevoir
> directement : où se trahissent ses moindres mouvements, où laissent
> trace les diverses démarches de la pensée. Il y aurait toutes chances,
> si cette projection nous révélait quelque trait constant et cependant
> étrange et propre à dérouter notre réflexion, pour que ce trait, sitôt
> traduit en termes d'esprit, nous renseignât sur la face de la pensée
> qui nous demeure obscure, ou du tout invisible.
> Cette projection n'a pas besoin d'être imaginée. Elle existe, et cha-
> cun peut l'examiner à loisir : c'est le langage (*ibid.*, p. 375).

Par ce *biais*, l'observation de la correspondance qu'on suppose entre
le réel et le discours peut se réduire à une observation du seul discours. Il suffira, en effet, de comparer deux états du langage : l'un,
antérieur, l'autre, postérieur au regard que nous portons sur lui. La
différence entre les deux est la trace de ce regard, de cette « face de
la pensée qui nous demeure obscure », de l'*impensable*. Et l'on
retrouve les intermittences de la conscience rhétorique, la perception
de la figure, la *lecture*. « Qui veut se connaître, qu'il ouvre un livre »
(II, p. 189).

Dans *la Demoiselle aux miroirs* (II, p. 169 s.), Paulhan propose ce
qu'on pourrait appeler, par analogie avec la méthode préventive,
une *méthode corrective*, destinée à compenser la privation ou l'am-
putation liées à notre position de « spectateur » de notre pensée.
Toute réflexion agit, en effet, sur notre pensée « à la façon dont la
traduction altère un texte » : car, de même que la traduction « réactive »
les figures, notre attention prive notre esprit de ses stéréotypes et de
ses lieux. Il s'agit donc de les lui restituer. Le « *traitement rhétorique* »
consiste à induire de notre « pensée immédiate », qui est arbitraire
et fausse parce que déformée par le regard que nous portons sur elle,
une (notre) « pensée authentique » : la méthode corrective n'est donc
pas autre chose que la méthode préventive sous son aspect philosophique. Entendre le cliché en cliché, c'était une riposte à la Terreur ;
c'est aussi un élément essentiel de la philosophie de la rhétorique
ou de la rhétorique de la philosophie. La conscience rhétorique du
langage a cette efficacité, et les rhétoriqueurs ce pouvoir :

> [...] en restituant à notre pensée la part de liens et de liaisons, dont
> le regard la prive, ils reforment par artifice une pensée authentique,
> *avant conscience* (II, p. 189).

La fin des *Éléments* (II, p. 191 s.) oppose ce traitement rhétorique et la réflexion étymologique. Dans l'un et l'autre cas : des mots que l'attention modifie. Mais cette modification, dans le cas du travail étymologique, n'est pas « réglée ». « Salaire » peut conduire à « sel » ou à « sale »; l'étymologie est sérieuse, le jeu de mots, lui (la paronomase), est absurde. Pourtant, « *(salaire)* n'a guère plus de liens avec *sel* qu'avec *sale* ». On ne peut donc pas compter sur l'étymologie. Il en va tout autrement avec le lieu commun :

> [...] le lieu commun est le point du langage où l'attention que nous portons aux mots exerce un effet sur eux régulier, constant — où cette attention peut donc se voir déterminée à partir de cet effet, définie par cet effet. Où nous savons enfin *ce* que porte avec soi un regard lourd de conséquences.

Ainsi de « Pas perdus » : prise « négligemment », la locution est indécomposable, simple; ce ne sont que des « mots ». Considérée attentivement, la locution se décompose, donne son origine, devient « phrase », ou « histoire » motivée, détaillée avec ses articulations et ses métaphores. « Pas perdus » est donc susceptible d'une double visée précisément réglée. C'est la simplicité du choix (mot/histoire) qui importe à Paulhan.

Paulhan attend donc du traitement rhétorique ce que ne peut lui apporter l'étymologie. Pourtant, dans *Alain, ou la Preuve par l'étymologie* (III, p. 261 s.), il refuse précisément, et fort explicitement, ce dont l'étymologie tire son autorité et son prestige, à savoir la thèse cratylienne : « une langue originelle n'a pu manquer d'être *motivée* » (*ibid.*, p. 267). Il faut en fait corriger d'emblée : Paulhan refuse l'étymologie comme science, mais l'accepte comme procédé. Car l'étymologie, c'est la figure étymologique :

> [...] l'étymologie littéraire — quoi qu'elle nous laisse entendre, n'est pas une science, bien au contraire la science la condamne et la dément. Elle n'est qu'un procédé, une forme de discours, à la vérité particulièrement avantageuse et plaisante (p. 280).

Il y a des cas où le « jeu étymologique » non seulement est permis, mais s'impose : lorsqu'on rend par exemple à ses éléments une locution, comme les Pas perdus de tout à l'heure, ou comme cette plaisanterie :

> Georges atteignit l'âge de raison sans en avoir donné la moindre preuve.

On serait tenté de croire que ces cas sont permis parce qu'il s'agit d'étymologies « sérieuses ». Il me semble que la logique de la réflexion paulhanienne nous permet de considérer la question sous un autre angle. Encore une fois, c'est la juxtaposition de *deux* perspectives sur *les mêmes* mots qui importe ; de salaire à sel — étymologie tout aussi sérieuse — il y a une modification de l'objet (de la lettre) qui « gêne » le jeu de l'attention et de la négligence, en faisant intervenir une variable. L'étymologie est une expérience linguistique imparfaite. C'est pourquoi elle est (elle n'est qu') « une approche et comme une ébauche de ce " plaisir rhétoricien " dont parlent assez mystérieusement les vieux traités » (*ibid.*, p. 286).

L'étymologie, prélude au plaisir rhétoricien : la remarque n'est pas anodine, car elle implique que la rhétorique et ses renversements a quelque rapport avec la nostalgie d'une langue originaire motivée. Dans cette utopie, se rejoignent d'ailleurs la Rhétorique et la Terreur :

> Il nous est arrivé d'observer (non sans regret ni gêne, et comme si le langage manquait ici à l'un de ses devoirs) que tout mot, peu s'en faut, nous était arbitraire. Telle est aussi la nostalgie ordinaire de la Terreur : cette hantise d'une langue innocente et directe, d'un âge d'or où les mots *ressembleraient* aux choses, où chaque terme serait *appelé*, chaque verbe « accessible à tous les sens » (III, p. 81).

La Terreur a (faut-il le préciser ?) la nostalgie du cratylisme. Mais, d'une certaine manière *(indirectement)*, la rhétorique aussi, et l'art étymologique. Ce sont les moyens qui diffèrent.

> Il est curieux qu'*expression* se dise à la fois de la physionomie et du style, comme s'il fallait discerner de la langue aux traits du visage quelque ressemblance secrète, mais constante (IV, p. 309).

Cette ressemblance est une utopie ; plus simplement, une erreur. Le *Portrait de Montaigne* est précisément une réflexion sur le délire de l'interprétation physiognomonique. « [...] l'oreille épaisse veut dire trahison ; la lèvre mince, avarice [...] ». Peut-être ; mais « le mouchard prend comme personne un air distrait ». Il en est de même de l'« expression » littéraire, où la question se pose de savoir « si le signe peut être *ressemblant* ». En d'autres termes (mais ce sont les mêmes), existe-t-il un « langage de la figure » ? Aux deux sens du mot, il va de soi. En fait, il n'y a pas de langage de la figure ; mais la question revient sans cesse avec la même urgence :

Or cette science demeure pourtant, et chaque jour recommence : comme si c'était sa présence qui importât, non son contenu, et qu'elle fût elle-même *ce* qu'elle ne parvient pas à nous dire. En bref, comme s'il était en nous *cela* qui sait confondre à tout instant la pierre et l'âme, et prend une voyelle pour une émotion, le pli d'une chair pour une pensée.

Paulhan critique donc les effets d'un principe de confusion, mais il en maintient l'existence. C'est qu'il n'est pas dit que cette confusion ne va pas le satisfaire, à condition toutefois qu'elle soit au terme de la démarche, et non à son origine. C'est une question de *méthode*.

Si l'on veut en effet retrouver la langue de l'âge d'or ou le verbe rimbaldien, il suffit d'adopter une stratégie correcte ; en l'occurrence, une lecture rhétorique :

> [...] il n'est pas de lieu commun — ni de vers, de rime ou de genre — *dès l'instant qu'on le tient pour tel*, qui n'appartienne à cette langue et ne soit précisément ce verbe (*ibid.*, p. 82).

C'est ainsi qu'on ne comprend pas pourquoi « langueur » désignerait la langueur plutôt qu'autre chose, note Paulhan. Mais on comprend pourquoi « langueur mystérieuse » désigne une variété de langueur. Paulhan ne fait que reprendre ici le principe de l'analyse syntagmatique et l'idée d'une motivation indirecte : Saussure notait que « vingt » est immotivé alors que « dix-neuf » est un cas de « motivation relative ». Il reste évidemment quelques différences : c'est que « dix-neuf » est une unité lexicale donnée pour l'usager de la langue, alors que « langueur mystérieuse » n'est une unité lexicale que pour qui sait l'entendre en cliché ; d'où l'importance capitale des problèmes de « perception » du cliché que nous avons vus plus haut. Il s'agit, en fait, dans l'exemple paulhanien, de faire se succéder deux modes de perception : comme « cliché » et comme « opinion ». Dans le cas présent, aucune de ces perceptions ne va de soi ; ici s'élabore d'une manière feutrée une véritable linguistique du discours. « Langueur mystérieuse » n'a, en effet, de place dans aucun dictionnaire et l'analyse rhétorique a cet avantage sur l'analyse étymologique d'être capable de « traiter » des éléments discursifs codés, de tenir compte de leur place et de leur distribution dans tel ou tel texte. Elle procède finalement par accommodations successives du regard, déplacements, focalisations variables : du cliché à l'opinion — c'est la lecture savante, qui perçoit dès l'abord le cliché —, mais aussi de l'opinion au cliché — c'est le temps de l'apprentissage ; il s'agit de proposer des découpages divers du discours et d'observer les modifications qu'ils impliquent. La pratique de la rhétorique est, somme toute, un jeu, une manipulation.

Au terme, après ces tours et ces détours, ces défiances, ces « sophistications », une découverte simple : une langue « directe » susceptible de dire l'événement ou l'opinion dans sa transparence; au terme, quelque chose comme *les vertus du cratylisme* :

> S'il fallait tant de sentiers et de broussailles pour retrouver une vieille route royale, je n'en sais rien. Il me les fallait, je ne puis dire plus. (Comment ne pas faire ici l'aveu que j'étais, au fond, terroriste ?) (III, p. 83).

Cet aveu, à la fin des *Fleurs de Tarbes*, consacre les retrouvailles avec la rhétorique. Mais, précisément, sitôt retrouvée, elle est oubliée. La rhétorique est un moyen de « prendre les devants », une garantie ou une *assurance;* une fois cette assurance souscrite, Paulhan peut se dire terroriste, et l'être effectivement, en toute quiétude. C'est sans doute par sa nostalgie du cratylisme qu'il est un terroriste. Mais un terroriste sans naïveté, et capable de quelque « discipline ». Sans compter que le *retour* est d'autant plus agréable que le *détour* a été plus long.

Lorsque Paulhan déclare que « toute pensée critique se voit de nos jours curieusement suspendue à l'existence d'un pouvoir néfaste des mots » (III, p. 121), et qu'il répète par ailleurs avec obstination qu'il n'y a pas de pouvoir des mots, son parti pris, peut s'interpréter de deux manières : comme la nostalgie d'une pensée pure ou comme la nostalgie d'un cratylisme hyperbolique, qui annulerait toute différence entre l'objet et son nom [1]. La seconde interprétation me semble être la meilleure, où la force de ce qui est proprement, sinon une chi-

---

1. Ce « cratylisme » n'est évidemment pas celui du *Cratyle :* cf. Genette, *Mimologiques*, p. 33. Il faut préciser que cette utopie n'implique pas la moindre « croyance » : c'est au contraire, on le sait, de la dénonciation des illusions de langage que Paulhan part, estimant que l'on va chercher bien loin et par de mauvais chemins (Alain par l'étymologie, Benda par le recours polémique aux langues primitives) ce qu'on a « sous la main ». Pour une démarche analogue, voir le refus du symbolisme, toujours projeté vers un ailleurs (par l'étymologie) ou vers un autrefois (par la référence aux langues primitives), selon Todorov (« Introduction à la symbolique », *Poétique* 11). Cette utopie n'implique pas non plus un quelconque réformisme linguistique (ce que Genette appelle « mimologisme secondaire ») : il ne s'agit pas pour Paulhan de corriger le « défaut des langues » mais bien de *corriger notre perception défectueuse de la langue*. D'apprendre à lire, en quelque sorte.

mère, du moins une utopie, est comme « compensée » par la longueur, la difficulté et la rigueur de l'itinéraire suivi.

On pourrait multiplier les exemples de cette pratique de la lecture qui nous est ici proposée. Dans *A demain, la poésie*, Paulhan cite un poème « un peu mièvre » ou « trop parfait » dans lequel un mot, en particulier, le gêne : c'est un mot « un peu trop épais, un peu plat, inavalable » : « agrestement ». Or ce mot est devenu pour lui « le plus allègre du poème (et même le plus agreste) [...].» C'est qu'il faut « le penser deux fois » (II, p. 317). La nécessité, ni la justesse du nom ne sont données dès l'abord. Par un subtil « décalage », par quelque modification de l'*attention*, s'effectue cette transparence du mot à la chose.

> On moque les poètes qui tiennent que la forme et le fond, c'est tout un; les orateurs, qui confondent langage et pensée. Or tout se passe de vrai *comme si* langage et pensée, forme et fond ne faisaient qu'un (II, p. 63).

C'est évidemment ce « comme si » qui nous importe, car il marque la différence ténue, mais décisive, par laquelle cette déclaration ne retrouve pas le commode poncif qui permet trop souvent de « résoudre » un problème mal posé. Il s'agit de définir la position ou le point de vue selon lesquels « tout se passera comme si... » La « justesse » du poème tient alors, dans une large mesure, à l'attitude de lecture qu'il impose. Plus précisément, elle tient à la « dimension » des éléments discursifs que le lecteur considérera comme unités :

> [...] [le vers] n'est pas tout à fait un mot, mais une addition, une combinaison de mots divers, dont chacun garde une certaine autonomie, et tolère même d'être considéré à part, comme il arrive dans l'explication de textes. Reste que cette explication n'est jamais tout à fait satisfaisante, ni complète; comme si la synthèse de ces mots se voyait douée d'une vertu nouvelle, qui n'était pas dans les éléments (II, p. 268).

On retrouve ici la problématique du cliché, modèle de toute la réflexion linguistique de Paulhan. Les codes et les règles imposent un certain découpage du discours qui n'est pas celui de la langue. De cette *concurrence*, on peut et on doit jouer; *oscillation* par laquelle l'attention se fixe et se déporte; curieux processus d'intermittence de la conscience linguistique.

Il reste à préciser dans quel espace se fait cette oscillation, ou quels sont les points extrêmes qui définissent les limites de ce mouvement pendulaire. Dans sa *Petite Préface à toute critique*, Paulhan examine les diverses relations possibles entre ce qu'il appelle les mots bruts et le sens — face signifiante et face signifiée, si l'on peut se contenter de cette approximation — :

> Tantôt les deux éléments opposés nous semblent étroitement collaborer et comme se fondre l'un dans l'autre [...] Tantôt le matériel verbal s'efface devant les idées ou les faits, se laisse aussitôt oublier [...](*) Il est d'autres cas plus singuliers, où les deux éléments opposés semblent se prêter un appui inattendu, et l'on glisse par surprise de l'un à l'autre [...] Et d'autres cas encore où ces éléments semblent se combattre (II, p. 281-282).

Donc, différents phénomènes que l'on pourrait nommer, en gardant le vocabulaire proposé : de fusion; d'effacement des mots devant les idées; de glissement; de conflit. Phénomènes que Paulhan illustre par : la réplique heureuse, pour la fusion; le discours scientifique, pour l'effacement des mots devant les idées; le calembour pour le glissement; le discours moral pour le conflit — selon qu'on le considère, pour dire les choses rapidement, comme discours ou comme moral(e). Il manque évidemment un élément à cette classification : le cas des idées effacées devant les mots. A vrai dire, il ne manque que par l'effet d'une tricherie de ma part : je l'ai remplacé par le signe (*). Mais voici en fait comment Paulhan le présente :

> Tantôt encore les mots ne se laissent point résorber, mais demeurent inséparables de l'état d'esprit qu'ils évoquent. (Ainsi en va-t-il des proverbes, de certains vers : la « goutte d'eau qui fait déborder le vase », le « forçat intraitable et la fille perdue », voilà qui ne peut se dire par d'autres mots, et l'on n'imagine pas d'idée abstraite qui puisse en tenir lieu.)

Il ne s'agit pas d' « idées effacées devant les mots », comme on pourrait s'y attendre, mais d'une certaine « résistance » du matériel verbal : « les mots ne se laissent point résorber ». Il faut se souvenir ici de ce que disait Paulhan de la figure : mot au service de l'événement ou événement même que le contexte a pour fonction d'exprimer. On peut dès lors considérer que le *sens* de ces expressions quasi proverbiales, c'est leur *forme* même; les idées ne s'effacent effectivement pas devant les mots; simplement, les mots ici ont statut d'événement et leur sens — qui est en quelque sorte « innommable » : « on n'imagine pas d'idée abstraite qui puisse en tenir lieu » —, c'est la perception que nous en avons, en l'occurrence la *conscience* que nous avons de ces formes linguistiques comme formes proverbiales. Pour Paulhan, il y a toujours sinon *un* sens, du moins *du* sens. Dans *l'Expérience du proverbe*, il montre comment ce « fait » ou cet « événement » qu'est le proverbe, dans certaines conditions d'utilisation — la langue proverbiale à Madagascar —, a des relations spécifiques avec le sens :

> Il semble que le sens ne soit pas ici un fait stable, simple, donné avec le proverbe, mais à propos de ce proverbe une invention et comme un exercice (II, p. 122).

Le caractère péremptoire du proverbe, l'« autorité » du lieu commun, sont en fait une « mise en demeure » : le proverbe, le lieu commun n'expliquent rien, ils sont à expliquer.

Finalement, il n'y a pas loin du proverbe « creux » à la réplique heureuse — de l'effacement des mots devant les idées à une subtile résistance des mots — : les mots qui ne se laissent point résorber sont en effet « inséparables de l'état d'esprit qu'ils évoquent »; ce « sentiment de figure », donc, pour parler comme les anciens rhétoriqueurs, et cette conscience linguistique, doivent aussitôt se transformer, voire disparaître, puisqu'il ne s'agit plus de « fait de langage » mais d'événement, d'accident du réel. Prendre conscience du langage comme tel, c'est n'y plus voir du langage.

Ultime retournement, qui fait qu'on ne peut précisément définir les deux termes de l'alternative dont joue constamment Paulhan; *conscience et/ou inconscience du langage*, faudrait-il dire : l'une, l'autre, l'une et l'autre. Il n'est pas indifférent de noter que « tout se passe comme si » le mouvement même importait plus que ses points d'aboutissement. En rhétorique, c'est l'*exercice* qui compte le plus. Peut-on le répéter ?

> [...] les figures ont pour seule caractéristique les réflexions et l'enquête que poursuivent à leur propos les rhétoriqueurs [...]

Et ce n'est pas rien.

REMARQUES (I)

Toute rhétorique court deux risques : celui de s'ériger en système normatif, celui de se dissoudre en un inventaire purement descriptif. Une rhétorique ne doit être ni un ensemble de préceptes (ou de recettes), ni un catalogue de curiosités, mais un système de questions possibles. *Ainsi : personne n'a peut-être jamais écrit* flamme *pour* amour, *mais si* flamme *« ne voulait pas dire »* flamme *? L'analyse rhétorique introduit un doute, un soupçon. A la sémantique, à la syntaxe, à la prosodie d'examiner les parcours possibles à partir de* flamme. Métaphore, synecdoque, ironie, *et tout ce qu'on voudra, ne sont pas des descriptions de procédés d'écriture : ce sont différents types de* questions *à poser et différents parcours à effectuer. De même pour* didactique, narratif, autobiographique... *ou pour* exemple, description, citation... *Points de vue variables et dont la variabilité est sinon réglée, du moins contrôlée par la rhétorique. Le métalangage rhétorique permet d' « essayer » différentes relations possibles du lecteur au texte, différentes modalités de la lecture. Une relation figurale implique un geste du lecteur, comporte une intervention critique. A chaque fois une décision est à prendre. Est-ce à dire que cette décision est libre ? Évidemment non : un texte est fait (aussi) de trous et de failles où intervient, où se place l'interprétation ; mais ces trous et ces failles sont marqués, signalés. Et à supposer que la décision soit libre, c'est (encore) un effet du texte. L'analyse rhétorique peut (doit ?) se réduire à relever ces marques et ces signaux. Elle est en fait une* pré-analyse *: il s'agirait d'abord de définir le statut d'un mot (problématique de la figure), d'un fragment discursif (problématique du registre de parole), d'un livre (problématique du type de discours). C'est par là qu'une rhétorique peut être un « art de lire », une théorie de la lecture.*

La rhétorique postule que le texte est connaissable. *Cela ne signifie pas qu'au terme de l'analyse il sera* connu, *mais simplement que l'on* saura *pourquoi il ne l'est peut-être pas, par quels moyens, par la mise en œuvre de quelles techniques connaissables, précisément, il dérape, dévie, dérive. Il n'y a pas de contradiction à parler ici de* moyens, *quand on a refusé là le procédé. Car ce dont joue le texte, c'est de nos propres forces, de la variation de nos points de vue, de la diversité de nos investissements, de nos besoins, de nos désirs.* « Montage », « statut », « texte-test », « texte-prétexte », « variabilité » *seraient quelques-uns des termes clefs de cette rhétorique. Examinant ce qui peut faire sens, comment on peut produire du sens, elle* n'attribue *pas ce sens, ces sens, au texte même, mais justement à son montage.*

La rhétorique « classique » *a été normative; elle s'est aussi dissoute en inventaire. Alors qu'en faire ? Il n'est pas sûr qu'elle n'ait plus rien à nous apprendre dans la perspective qui est la nôtre : l'art de persuader, la* « mise » *sur les faiblesses (ou les forces; ici, c'est la même chose) de l'auditeur, ont parcouru longtemps les traités.*

Les études qui suivent se veulent une contribution à l'histoire de la rhétorique selon deux modalités spécifiques. La rhétorique y est « cherchée » *comme* art de lire *— on sait qu'elle est dans la tradition un art de parler — : de cette formulation je préciserai simplement qu'elle n'implique évidemment pas que les trajets de l'écriture et de la lecture soient les mêmes, ni que lire et écouter soient une même opération. L'indistinction est à éviter d'emblée. Pour le reste, les analyses expliqueront, je l'espère, les raisons de la persistance ici de cette formulation. C'est par ailleurs d'une* « relève » *de la rhétorique qu'il s'agira, je veux dire d'un remplacement d'une rhétorique par une autre. Cette autre ne tombe pas du ciel. Elle se cherche laborieusement* dans *la première. Ce remplacement est en fait, à partir de la poétique actuelle, un* « retournement » *(retourner à la rhétorique et retourner la rhétorique).*

Le point de départ : la figuratique (encore). Le point d'arrivée — le projet, en réalité : une théorie du discours en tant qu'effet. En contrepoint, très fragmentairement, les rapports de la rhétorique et de l'écriture : conflictuels ? peut-être, mais cela reste à démontrer.

En un mot, je l'avoue (ou je le revendique), je me sers *ici de la tradition.*

(Et, puisque j'en suis aux aveux, cet autre : il est toujours un peu inquiétant de s'occuper de rhétorique. La rhétorique est un discours sur le discours : dès lors, traitant de rhétorique, on se trouve au troisième niveau. Ce que Roland Barthes dit quelque part à propos de la lecture de la critique, que le commentaire peut y devenir « un texte, une fiction, une enveloppe fissurée », *je le dirai ici à propos de la lecture des rhétoriques de Fontanier, Dumarsais, Lamy, Fleury : l'ancienne rhétorique est d'une certaine manière une vaste fiction. Ce n'est pas sa moindre force — son moindre* « danger » *— si l'on veut s'en servir. On fait ainsi deux choses à la fois.)*

3. Le discours des figures

Ennui de lire un traité des figures, d'abord. Vertige des classifications et des définitions. Découragement, parfois, et puis fascination : subtile consonance des termes, appels et échos. Chemins qui ne mènent nulle part. Et d'autres, trop loin. Lire ici Fontanier comme un livre, bouleverser parfois sa belle ordonnance, y revenir aussi. On ne maîtrise pas ce genre de texte, parce que c'est toujours toute la Rhétorique qui parle à travers lui — et, évidemment, elle s'y connaît, en paroles. Rien d'autre, donc, que des hypothèses fragiles. — Mais il faut s'embarquer...

EXEMPLE EN GUISE D'INTRODUCTION

C'est, nul ne s'en étonnera, la synecdoque *voiles* pour *vaisseaux* [1]. Voyons ce qu'en dit le rhéteur :

> Les Tropes par *connexion* consistent *dans la désignation d'un objet par le nom d'un autre objet avec lequel il forme un ensemble, un tout, ou physique ou métaphysique, l'existence ou l'idée de l'un se trouvant comprise dans l'existence ou dans l'idée de l'autre* [2].

1. On peut hésiter entre *voile* pour *vaisseau*, *voiles* pour *vaisseau* et *voiles* pour *vaisseaux*. Subtilité rhétorique dont il va être question.
2. P. Fontanier, *Les Figures du Discours*, Flammarion, 1968, p. 87. Je désignerai désormais cet ouvrage par *FD*.

Voiles pour *vaisseaux* est plus précisément une synecdoque de la partie :

> Elle consiste à prendre une partie du tout pour le tout lui-même, qui frappe tellement l'esprit par cette partie, qu'on semble n'y voir pour l'instant qu'elle seule *(ibid.)*.

Cette seconde définition se risque à une explication psychologique de la figure ; du même coup, elle soulève une question : comment s'opère le choix de la partie ? On ne verra que le *toit* ou le *seuil* pour la maison, que la *poupe* pour le vaisseau. Mais ce dernier exemple est plutôt latin. L'esprit français serait-il plus frappé par la voile que par la poupe ?

> Mais *voiles*, au pluriel, se dit bien plus souvent en français que *poupe*, pour vaisseau ; *Une flotte de cinquante voiles ; Il parut cent voiles à l'embouchure de la rivière.* Il est vrai que cette *synecdoque* ne paraît plus être qu'une *catachrèse :* qui sait même si elle ne fut d'abord imaginée dans l'unique vue de distinguer un *vaisseau à voiles* d'un simple *vaisseau à rames ?* (*ibid.*, p. 88).

Il y a deux « causes occasionnelles » des tropes : la nécessité et le plaisir (*FD*, p. 160) ; si *voiles* pour *vaisseaux* a une fonction distinctive, le trope est de nécessité, il n'est donc pas figure ; si inversement, il est figure, c'est qu'il s'est constitué en fonction d'un principe de plaisir. Quel plaisir y a-t-il donc à substituer *voiles* à *vaisseaux ?* La première définition ne dit rien ni de l'usage, ni de l'effet. Entre la définition de la « nature » du procédé et la considération de ses lois d'utilisation, il y a de fait un changement radical de perspective : d'une conscience paradigmatique du discours à une conscience syntagmatique de ce même discours. C'est dans leurs commentaires d'exemples, dans leurs notes, dans leurs marges que les traités des figures posent ces problèmes et, me semble-t-il, y répondent partiellement. Cette réponse est l'esquisse d'une théorie syntaxique de la figure. Toute occurrence d'une figure donnée a un contexte culturel : il y a des synecdoques latines et des synecdoques françaises ; parmi les secondes, il y a les synecdoques de la langue et celles de l'écrivain (*FD*, p. 164), *voiles* pour *vaisseaux* étant un trope de la langue, parfois une catachrèse.

Ces distinctions, sur lesquelles nous reviendrons, supposent comme une mémoire de la figure lexicale, réserve de virtualités, centre d'un réseau associatif constitué par le jeu des modèles littéraires. Pour qu'un trope soit un trope-figure, il est nécessaire et suffisant qu'il soit d'un usage libre. Or, et c'est là un paradoxe, pour qu'il soit une figure « réussie », il doit aussi se soumettre à des règles contextuelles précises. Pour le cas qui nous intéresse, la première de ces règles, indiquée par les exemples choisis, pourrait être la suivante : *voiles* peut se substituer à *vaisseaux* quand le mot est accompagné d'un adjectif numéral. Dumarsais aussi, prenant « au hasard » un exemple de figure de mots, commence : « lorsque, parlant d'une armée navale, je dis qu'elle était composée de cent voiles [1][...] ». Plus nettement, lorsqu'il introduit ce trope en son lieu, il écrit : « On dit en français *cent voiles* pour dire cent vaisseaux » (*DT*, p. 122), et non pas « *voile(s)* pour *vaisseau(x)* ». Première règle qui sera complétée et précisée par Fontanier dans son *Commentaire* : « Et pourquoi *voiles* se dit-il quelquefois pour vaisseaux ? » (*CR*, p. 33). Avec Laharpe, il remarque que « la première chose qui frappe les yeux dans un grand nombre de navires, ce sont les *voiles*, et que le moyen le plus court pour dénombrer une flotte, c'est de compter les voiles ». L'usage de la synecdoque est donc limité à certains contextes, ici en vertu d'une loi d'économie. Cette règle est insuffisante. En effet :

On dira bien, par exemple, *une flotte de vingt voiles sortit du port et prit sa route vers Port-Mahon;* mais on ne dira pas, *une flotte de vingt voiles se battit contre une flotte de vingt voiles (ibid.).*

Seconde règle contextuelle dont une citation de Condillac fournit le commentaire : la voile, étant l'instrument qui fait mouvoir, représente le vaisseau en mouvement. Voile/voir/mouvoir/, série lexicale où le jeu des signifiants redouble la chaîne des signifiés ; surdétermination du trope, dont la définition explicite — la partie pour le tout — se révèle n'être qu'un aspect parmi d'autres. Dire *voiles*, c'est dire peut-être *vaisseaux*, c'est dire aussi vue, mouvement, dénombrement. Pour transformer *vaisseaux* en *voiles*, il faut donc qu'un certain nombre de conditions soient remplies, la réussite de l'opération étant relative au nombre d'éléments de la série paradigmatique inscrits dans la chaîne syntagmatique. De ce point de vue, et pour en finir avec cet exemple, réussite totale du trope cornélien :

Cette obscure clarté qui tombe des étoiles
Enfin avec le flux nous fait voir trente voiles (*Le Cid*, iv, 3).

où l'on trouve en effet tous les éléments que nous avons répertoriés : un verbe de vision, l'indication d'un mouvement (« avec le flux »),

1. C. Ch. Dumarsais, *Des tropes*, Slatkine Reprints, Genève, 1967, I, p. 15. C'est à cette édition que je ferai référence en la nommant *DT*. Je désignerai par *CR* le *Commentaire raisonné sur les tropes de Dumarsais* par P. Fontanier, second volume de l'édition.

un dénombrement, et où leur mise en place se fait par un jeu complexe d'allitérations (/f/, /v/) et d'assonances (/a/, /ã/). Mais précisément le mécanisme de surdétermination est ici tel que *voiles* peut être considéré comme le mot propre. Le problème serait alors un problème d'effet de lecture, sans doute ; plus radicalement, il faut s'interroger sur la possible convergence, dans l'analyse rhétorique, de la perfection de la figure et de son annulation comme figure du fait même de cette perfection. La désignation d'un phénomène comme figure, sa « mise en place » dans une gamme de procédés, ne servent peut-être, en dernier recours, qu'à exiger sa résolution, en réclamant du lecteur une activité de déchiffrement. A ce titre, la rhétorique des figures est une hypothèse de lecture indispensable, et, par nature, provisoire. Dans le cas qui nous intéresse, la définition dit : on peut prendre la partie pour le tout, on peut prendre *voiles* pour *navire ;* le commentaire explique, en déplaçant subrepticement le problème, que lorsqu'on lit *voiles*, on doit se demander si *voiles* est pris pour *vaisseaux :* entre la question « comment *voile(s)* pour *vaisseau(x) ?* » et la question « pourquoi *voiles* plutôt que *vaisseaux ?* » se déploie une analyse, que l'on retrouve, éparse et démembrée, dans les marges du traité.

Le problème qu'il faut alors poser est le suivant : si la définition d'une figure « par son effet plutôt que par sa nature » (*FD*, p. 87) est plus pertinente, permettant d'analyser par un certain nombre de règles contextuelles le surplus de sens produit par la figure, si vraiment la rhétorique des figures véhicule implicitement une théorie du contexte, pourquoi tout s'y passe-t-il comme si l'inverse était vrai ? Toute figure implique un déchiffrement, et ce déchiffrement, le rhéteur l'indique, mais d'une manière oblique ; toute définition d'un procédé implique une réflexion plus vaste et plus complexe, et le rhéteur, encore une fois comme de biais, se situe plus ou moins dans cette problématique. Pourquoi donc ces déplacements, ces rétrécissements des perspectives ? Nous avons là d'une part, un effet de la restriction du champ rhétorique décrit par Gérard Genette [1] ; d'autre part, comme une méconnaissance, par le rhéteur lui-même, de ce qui rend possible sa réflexion et ses analyses. Coupée de l'ensemble d'un système, coupée, en particulier, de la problématique des « genres », donc de toute réflexion sur les grandes unités discursives, séparée, d'autre part, d'une théorie de la lecture ou d'une herméneutique capable de fournir des modèles de

---

1. « La rhétorique restreinte », dans *Communications* 16 (repris dans *Figures III*). Voir, dans ce même numéro, le « démantèlement » rhétorique décrit par P. Kuentz (*in* « Le rhétorique ou la mise à l'écart ») et l'Aide-mémoire de R. Barthes, panorama de l'ancienne rhétorique.

déchiffrement, la théorie des figures se présente comme une classification de phénomènes ponctuels, un ensemble d'opérations de détail.
Il reste que cette théorie tient elle-même un discours qui, d'une manière
confuse, désordonnée, marginale, indique ses tenants et ses aboutis-
sants et se définit, jusque dans ses derniers avatars, comme région d'un
espace rhétorique plus vaste. Les figures du discours renvoient ainsi
à un discours des figures que l'on peut reconstituer partiellement en
utilisant les difficultés, voire les contradictions, d'un Dumarsais ou
d'un Fontanier, comme autant d'indices de la permanence d'une problématique plus vaste et plus complexe qui, à leur insu parfois, les
guide.

I. LA DOUBLE RÉFÉRENCE

> Les figures du discours sont les traits, les formes ou les tours plus ou
> moins remarquables et d'un effet plus ou moins heureux, par lesquels
> le discours, dans l'expression des idées, des pensées ou des sentiments,
> s'éloigne plus ou moins de ce qui en eût été l'expression simple et com-
> mune (FD, p. 64).

Problématique définition : la différence figure/non figure est quantitative et mesurable, de l'ordre de la distance, du « plus ou moins ».
Il n'y a pas un ordre des figures, pas d'accès à cet ordre comme à
un autre langage; cette définition, délibérément, ne cherche pas à
ménager la possibilité d'un domaine propre du figuré. La rhétorique
des figures, et c'est sa force, ne décrit pas un langage poétique, mais
une poétique du langage : « Elles sont elles-mêmes dans l'ordre
naturel et commun du langage » (CR, p. 4); or, Fontanier modifie
quelque peu la perspective en poursuivant : « mais elles y tiennent
un rang d'honneur et de distinction, elles y font précisément ce que
leur nom même indique : elles y figurent ». Cette « mise en scène »
des figures n'est pas sans conséquence : personnage plus ou moins
accessoire de la scène du langage, la figure « intervient » dans les
fragments discursifs, mais sans véritablement provoquer une réévaluation complète de l'ensemble d'un discours, et c'est sa faiblesse. Ce
discours est en effet essentiellement fragmenté :

> Il doit se prendre pour une pensée rendue sensible par la parole,
> et dont l'expression s'étend à une proposition, à une phrase ou à
> une période entière, mais ne va guère au-delà. C'est du moins dans
> ce sens que nous le prenons (FD, p. 64).

125

Intervention ponctuelle dans un fragment de texte, la figure n'est pas ici l'effet d'une quelconque « fonction figurative » du langage. Elle semble être « ornement ».

Et pourtant, au seuil même du traité de Fontanier, la première analyse du mot « figure » nous invite à dépasser cette conception :

> Le mot *figure* n'a dû d'abord se dire, à ce qu'il paraît, que des corps, ou même que de l'homme et des animaux considérés physiquement et quant aux limites de leur étendue. Et, dans cette première acception, que signifie-t-il ? Les contours, les traits, la forme extérieure d'un homme, d'un animal, ou d'un objet palpable quelconque.
>
> Le discours, qui ne s'adresse qu'à l'intelligence de l'âme, n'est pas, même considéré quant aux mots qui le transmettent à l'âme par les sens, un corps proprement dit. Il n'a donc pas de *figure*, à proprement parler. Mais il a pourtant, dans ses différentes manières de signifier et d'exprimer, quelque chose d'analogue aux différences de formes et de traits qui se trouvent dans les vrais corps. C'est sans doute d'après cette analogie qu'on a dit par *métaphore*, les *figures du discours* (*FD*, p. 63).

Il faudrait remonter l'histoire de cette métaphore [1]. Si la figure est la forme d'un discours-corps, elle est aussi bien le genre que la figure au sens strict du mot : « *Sunt igitur tria* genera, *quae genera* figuras *nos appellamus* [2]. » Cette polysémie du terme, dès la rhétorique latine, indique le lien étroit qu'il y a entre la théorie des figures et la théorie des genres, entre les figures dans le discours et le discours comme figure. Si l'on revient au texte de Fontanier, le premier critère de la figure est sa perceptibilité, donc sa descriptibilité. Il retrouve sur ce point Dumarsais et sa définition de la figure par une « modification particulière » (*DT*, p. 8) [3]. Traditionnellement, le discours est métaphorisé en corps et les différents types de discours en différents types de corps. L'ambivalence du terme « figure » va plus loin : chaque discours a des caractéristiques formelles qui le particularisent, ce sont les figures; chaque discours a donc des marques perceptibles à la lecture. La figure se définit ainsi dans les rapports qu'entretient

---

1. Et aussi la suivre jusqu'aux modernes. Par exemple, « le côté palpable des signes » chez R. Jakobson (*Essais de linguistique générale*, Éd. de Minuit, 1963, p. 218).
2. *Rhétorique à Herennius*, IV, 8.
3. Cf. T. Todorov, *Littérature et Signification*, Larousse, 1967, p. 101 s.

un discours avec une activité de lecture. Le genre est, d'une part, la résultante de toutes les marques particularisantes que sont les figures; d'autre part, une manière de protocole de lecture, la définition d'un *mode d'emploi* du livre. A tel mode de lecture donné correspondra tel arsenal de figures. Marque du sujet dans son discours, caractérisation de ce discours comme différent des autres et question à poser par le lecteur à ce discours, la figure, dans la généralité de sa définition, reconquiert la quasi-totalité du champ rhétorique, étant le discours même considéré sous le double aspect de sa production et de sa lecture.

Ainsi, l'écart entre les deux définitions proposées par Fontanier de la figure — forme d'un discours-corps et/ou élément relativement complexe et rare d'un fragment discursif — signale la restriction de champ opérée au XVIIIe et au XIXe siècle. Mais l'acception métaphorique reste active, d'une activité sourde et confuse qui marque le traité. On pourrait parler ici d'une double référence de l'analyse rhétorique : à la logique et/ou la grammaire, d'une part (la figure comme anomalie); au corps, au vécu d'autre part (la figure comme caractéristique d'un discours-corps). C'est la première qui est explicite, régit les définitions et commande la classification; la seconde apparaît subrepticement dans les commentaires, les remarques marginales et les difficultés internes.

Deux critères explicites de la figure sont présentés concurremment par Fontanier, que j'appellerai critère de non-fréquence et critère de non-simplicité : la figure étant définie dans sa relation au commun, d'une part, dans sa relation au simple, de l'autre.

Sans doute, « il se fait plus de Figures un jour de marché à la Halle, qu'il ne s'en fait en plusieurs jours d'assemblées académiques » (*DT*, p. 3), et, sur ce point, Fontanier est d'accord avec Dumarsais; on ne peut pour autant faire l'économie du critère de non-fréquence : « On pourrait prouver par mille exemples que les figures les plus hardies dans le principe, cessent d'être regardées comme figures lorsqu'elles sont devenues tout à fait communes et usuelles » (*CR*, p. 5). Dans le paragraphe consacré à la « distinction à faire entre les tropes, relativement à leur origine » (*FD*, p. 164 s.), Fontanier distingue, dans l'ordre, les catachrèses, les tropes d'usage et de la langue, et les tropes d'invention ou de l'écrivain : ainsi « chargé d'âge » est un trope d'usage, « dévorer un règne » un trope d'invention. Le « progrès » de la langue fait des tropes d'invention des tropes d'usage, et des tropes d'usage des catachrèses. Tel trope d'invention est jugé

« encore trop nouveau » pour devenir trope d'usage, tel trope qui fut d'usage n'est plus qu'une catachrèse. Dans cette perspective, s'il y avait quelque langage autonome des tropes que l'on puisse définir, il ne serait qu'un signe avant-coureur ou avant-gardiste du langage dit usuel. Il y a « éloignement » de l'un à l'autre, mais dans le temps, et toute figure sera nécessairement normalisée tôt ou tard; toute métaphore est une catachrèse en puissance; il faudrait dire : toute métaphore doit ainsi pouvoir devenir une catachrèse, et cela explique un certain nombre de conseils normatifs. Écrire qu'il faut que les tropes *« naissent naturellement du sujet »* (*FD*, p. 182), c'est admettre que, du point de vue du locuteur, il n'y a pas de « possibles » — ce qui confirme l'idée que le critère de substitution vaut comme *hypothèse de lecture*, sans que la substitution soit un *procédé d'écriture*. A la limite, il n'y a pas de figures pour celui qui parle. Ainsi Racine : « Il les emploie si naturellement, il les fond tellement dans sa phrase, qu'elles s'y cachent en quelque sorte, et qu'il faut souvent de la réflexion pour les y apercevoir, lors même qu'elles sont le plus hardies » (*FD*, p. 183). Il faut en vérité une rhétorique pour les y apercevoir. Du point de vue du locuteur, la figure n'est pas figure (on ne songe pas à « faire des tropes », dit Fontanier); du point de vue de l'allocutaire, la figure n'est figure que dans la mesure où il y a, entre le discours de l'autre et sa lecture, distance, participation réduite. Une critique de « sympathie » est par nature anti-rhétorique. Une critique de « distanciation » est rhétorique, mais provisoirement, puisque la déconstruction du procédé, en l'annulant comme tel, lui fera rejoindre l'autre mode de lecture. C'est dans cette marge étroite entre deux « natures », celle du langage usuel et celle, ambiguë, de l'invention, que se situe, dans sa totalité, l'espace tropique.

La typologie des tropes selon leur origine n'est pas mise en parallèle avec une quelconque typologie des figures non-tropes selon leur origine. Remarquable dissymétrie, sur laquelle il faut s'interroger. Son effet immédiat est évidemment de limiter la validité du critère de non-fréquence. Elle indique en outre une première différence entre tropes et figures non-tropes — retour, ici, du partage classique entre « tropes » et « figures » qu'analysait Quintilien. C'est qu'il n'y a pas véritablement de modèles concevables pour les figures non-tropes. Les tropes sont des figures lexicales et, par un effet de mémorisation, tendent à constituer un dictionnaire du langage poétique. Les figures non-tropes sont des formes vides. Jusqu'à Fontanier, les tropes sont les seules figures à avoir, outre une dimension syntagmatique qui permet de les repérer, une dimension paradigmatique. Fontanier, étendant le critère de substitution à l'ensemble des figures [1], veut considérer la dimension paradigmatique des figures non-tropes. Mais une norme est évidemment beaucoup plus difficile, sinon impossible, à établir pour ces dernières, même si elles donnent effectivement lieu à des conseils d'usage (*FD*, p. 465 s.). Sans insister pour l'instant sur cette différence de statut, on notera simplement qu'aucun « progrès » de la langue, au sens où l'entend Fontanier, ne saurait résorber les figures non-tropes, figures parfois sans mémoire et toujours sans « histoire » par un curieux effet de distorsion. Un exemple particulièrement intéressant est celui des figures de construction. Distinguant construction et syntaxe, comme le veut l'analyse de la grammaire générale, Fontanier montre que la construction ordinaire d'une phrase laisse à l'utilisateur une certaine liberté, lui permet donc de « s'écarter de l'usage ordinaire ». Or, un certain nombre des figures de construction analysées pourraient être considérées comme relevant d'une hypothétique catégorie des figures d'usage. Ainsi l'ellipse (*FD*, p. 305 s.) : figure des plus communes, elle est, pour cette raison même, à peine une figure. Reprenant Laharpe, Fontanier note que la plupart des ellipses ne sont regardées que comme des « phrases faites » (*CR*, p. 6; *FD*, p. 308), remarque éminemment ambiguë puisqu'il y a là effectivement une espèce de processus de normalisation mais que, contrairement à ce qui se passe pour les tropes d'usage, l'analyse ne peut être présentée d'un point de vue historique. Les figures non-tropes ne pouvant se codifier en un lexique, ne peuvent, du même coup, avoir des occurrences qui soient véritablement des modèles. A un moment où le « langage poétique » est considéré plus comme lexique que comme syntaxe, elles échappent plus ou moins à la nomenclature.

Le second critère, celui de non-simplicité, a une portée plus vaste. Mais d'emblée, nous devons nous interroger sur le sens de l'opposi-

---

1. Cf. G. Genette, Introduction à *FD*, p. 12. Rappelons ici la classification de Fontanier :
    I) Figures tenant à l'expression :
    a) mots pris dans le sens propre :
    1) altération dans le matériel primitif des mots : *figures de Diction*.
    2) manière dont les mots sont combinés : *figures de Construction*.
    3) manière de rendre une idée : *figures d'Élocution*.
    4) manière de rendre une pensée : *figures de Style*.
    b) mots pris dans un sens détourné :
    1) portant sur un mot : *tropes en un mot, ou figures de Signification*.
    2) portant sur plusieurs mots : *tropes en plusieurs mots, ou figures d'Expression* (tropes improprement dits).
    II) Figures indépendantes de l'expression : *figures de Pensées*.

tion figuré/simple et sur la signification du deuxième terme. Pour les tropes, le simple équivaudrait à ce que l'on appellerait aujourd'hui le littéral [1], en précisant toutefois que le sens produit par les mécanismes tropiques est un sens *littéral* tropologique figuré (*FD*, p. 58), par une fidélité de la rhétorique des figures à l'analyse de saint Thomas. Mais dans le cas des figures de pensées, le « simple » serait plutôt le non-artificiel, le non-fictif, donc, grossièrement, le naturel, le vrai. Il ne s'agit pas de s'étonner qu'une théorie de l'écart ait quelque difficulté à définir la norme, mais plutôt ici, jouant le jeu rhétorique, d'inscrire un certain nombre de termes dans ce contexte plus vaste que nous suggérions. Dumarsais rappelait pour l'écarter, comme une tautologie, la définition de Rollin, reprise avec quelques nuances par Fontanier : « *certains tours et* [...] *certaines façons de s'exprimer, qui s'éloignent en quelque chose de la manière commune et simple de parler* » (*DT*, p. 2). Et dans l'*Encyclopédie*, Fontanier le note non sans perfidie, Dumarsais définit les figures comme « *des modifications particulières par lesquelles les mots ou les phrases s'éloignent plus ou moins de l'état simple, primitif et fondamental du langage* » (*CR*, p. 3). *Commun, simple, primitif, fondamental*, associations de mots fréquentes et « classiques », auxquelles on pourrait ajouter *ordinaire* et *naturel*.

Une acception du terme « simple » est relativement précise; c'est celle de Dumarsais, dans sa grammaire, lorsqu'il oppose construction simple et construction figurée [2]. La construction simple est directement « syntaxique » au sens où l'entend Dumarsais, elle est « celle par laquelle seule les mots ont un sens »; la liaison, le rapport des mots entre eux y est directement observable; la construction figurée, au contraire, souffre d'un certain nombre d'irrégularités et doit être réduite à la construction simple pour la bonne intelligence du discours. On pourrait dire ainsi que le système transformationnel qui applique les structures profondes (de « syntaxe ») dans des structures de surface (la « construction ») est un mécanisme analogue à celui de la « figuration », et que l'analyse grammaticale selon la grammaire générale est une démarche analogue à celle de la réduction des figures. Lorsque Dumarsais oppose les figures aux « manières de parler dans lesquelles [les Grammairiens et les Rhéteurs] n'ont remarqué d'autre propriété que celle de faire connaître ce qu'on pense » (*DT*, p. 9), il considère en fait les figures comme les produits de transformations

1. Cf. G. Genette, Introduction à *FD*, p. 10.
2. Cf. N. Chomsky, *La Linguistique cartésienne*, Seuil, 1972, p. 81 s. et M. Arrivé et J.-C. Chevalier, *La Grammaire*, Klincksieck, 1970, p. 93 s.

plus complexes. La grammaire se prolonge ici en une rhétorique et lui fournit un modèle. Lorsque Fontanier réduit un certain nombre de figures non-tropes, il fait une manière d'analyse logico-grammaticale. Ainsi pour un exemple d'incidence, citant un passage de Boileau :

> Mais, sans errer en vain dans ces vagues propos,
> Et pour rimer ici ma pensée en deux mots,
> *N'en déplaise à ces fous nommés sages de Grèce,*
> En ce monde il n'est point de parfaite sagesse.

il commente [1] :

> Et peut-être pourrait-on, à la rigueur, regarder comme deux autres *incidences* les propositions des deux premiers vers, *Sans errer en vain*, etc., et *Pour rimer en deux mots*, etc. En effet, ces deux propositions ne tiennent pas plus que la précédente à la proposition principale, qui est celle du dernier vers, et on ne pourrait pas moins les retrancher sans que le sens de cette proposition reçût la plus légère atteinte (*FD*, p. 322).

Le processus de réduction consiste ici à retrouver, sous un discours bavard et confus, l'ordre simple d'une proposition, d'un jugement. La dernière proposition, terme de la réduction rhétorique, est simple au sens strict du mot (elle a un sujet et un attribut).

Il reste évidemment que *simple* ne peut avoir le même sens pour toutes les catégories de figures. Mais ce qui importe, c'est que cette théorie des figures trouve l'invariant dont elle a besoin pour se constituer, non pas tant dans un usage que dans un substrat logico-grammatical, fondement de la linguistique dont elle relève. Cet invariant n'est donc pas d'une autre « nature », d'un autre ordre ; il est le simple, l'élémentaire, par opposition au composé, au complexe. La figure s'inscrit en effet dans le champ du composé et du complexe, elle relève d'une combinatoire. Les figures non-tropes ne peuvent se déployer que dans un fragment discursif relativement complexe, même si, comme dans le cas des figures d'élocution, on se situe au niveau de l'« idée » — donc de l'élémentaire : en effet, elles jouent sur « le choix, l'assortiment et la combinaison » des éléments de la diction (*FD*, p. 323), donc sur une certaine pluralité.

Quant aux tropes, leur condition de possibilité est qu'un « objet n'agit presque jamais seul sur nous » (*FD*, p. 160). Nous rencontrons alors un autre partage fondateur :

---

1. L'exemple d'incidence est évidemment le troisième vers.

Les idées, de quelque nature qu'elles soient, *abstraites* ou *concrètes*, *générales* ou *individuelles*, *simples* ou *complexes*, *partielles* ou *totales*, *physiques* ou *métaphysiques*, se lient et s'enchaînent les unes aux autres dans notre esprit, de manière à y former des multitudes d'associations, d'assemblages ou de groupes divers (*FD*, p. 43).

A l'intérieur de ces réseaux, on distingue le « principal » du « secondaire » ou de « l'accessoire ». Sortant ici d'une problématique strictement grammaticale, le rhéteur, par cette reprise d'un partage classique, se donne les moyens d'un principe de variation, lié à l'activité d'un sujet et inscrit non pas dans les choses, mais « dans notre esprit ». Si la distinction principal/accessoire est d'ordre logique, l'analyse de ce réseau associatif des « idées » renvoie à l'autre référence dont nous parlions : au vécu et au corps, à l'affectivité.

Dans la définition de la figure chez Fontanier, on peut noter une distorsion remarquable : la norme, c'est l'expression simple et commune « des idées, des pensées ou des sentiments ». Or, le sentiment, « c'est cette affection, ce mouvement de l'âme qui accompagne quelquefois l'*idée* ou la *pensée*, et qui, à un certain degré de vivacité ou de violence, prend le nom de *passion* » (*FD*, p. 64). En toute rigueur, le « sentiment » ne peut donc être désigné comme objet d'expression au même titre que l'idée ou la pensée. Cette définition montre qu'il est une expression *simple* du sentiment, et cela n'est pas conforme à la « tradition », selon laquelle il y a figure lorsque sont exprimés, outre la chose principale, le mouvement et la passion de celui qui parle [1]. Parmi les causes génératrices des tropes (*FD*, p. 161 s.) et des figures non-tropes (*FD*, p. 461 s.), il sera question non pas du sentiment, mais de la « passion ». Du sentiment à la passion, il est une différence de « degré » (différence quantitative et non qualitative, encore une fois), celle même peut-être qui sépare la figure de la non-figure. Le style simple ne diffère plus vraiment chez Fontanier du style figuré comme le langage-raison du langage-émotion. On esquive ici l'interprétation psychologique des figures qui chez Lamy ou H. Blair ordonnait la typologie. Mais cette rationalisation du domaine des figures n'est pas complète; de même que le partage accessoire/principal mettait un ordre fragile dans l'incontrôlable mouvance du langage, de même le refus de la psychologie n'est que provisoire. Contradiction féconde, d'ailleurs, puisqu'elle permet à la rhétorique de définir (confusément) l'autonomie de son domaine.

1. Ainsi dans la *Logique de Port-Royal*, I, 14.

Le classement des figures, comme leur définition, fait intervenir plusieurs critères : tout d'abord, celui de la nature du procédé (mécanisme sémantique, mécanisme syntaxique...) et celui du degré d'extension syntagmatique de la figure [1]. La division des figures en sept classes, pourtant, du fait même de la concurrence des critères, pose un certain nombre de problèmes : il est remarquable qu'un esprit systématique comme Fontanier fasse alterner des critères, passant des tropes en plusieurs mots aux figures de construction en considérant la différence de nature du procédé, et des figures d'élocution aux figures de style en considérant son champ d'application, sans parler du passage des figures de construction aux figures d'élocution qui se ferait plutôt selon un principe de restriction syntagmatique. On peut considérer que deux catégories de figures se distinguent absolument des autres : les figures de diction, « altération produite dans la forme primitive ou ordinaire des mots » (*FD*, p. 222), ont une « *matérialité* absolue » (p. 452); à l'autre extrémité du tableau, les figures de pensées ont une existence « tout intellectuelle » (p. 454). Les premières méritent rarement le nom de *figures* (p. 222); les dernières, d'un « ordre nouveau et plus élevé », touchent à l'invention et à la composition, sont à l'extrême limite de la rhétorique des figures. Cette rhétorique a effectivement comme domaine propre celui des figures qui sont un mixte de matérialité et de spiritualité (p. 452), c'est-à-dire les tropes et les figures de construction, d'élocution et de style. C'est sa spiritualité qui « donne lieu à la figure, qui en fait toute la valeur, tout le prix » (p. 452). Le dosage matérialité-spiritualité est progressif, des tropes en un mot aux figures de style. Les tropes en un mot sont des figures du sens littéral; les tropes en plusieurs mots, des figures du sens *spirituel*. L'ensemble forme la catégorie des figures lexicales, par opposition aux figures « syntaxiques » au sens large et qui tiennent à la « structure du discours » : figures de construction, d'élocution et de style. Du point de vue de leur « spiritualité », ces trois dernières catégories pourraient être confondues (p. 453). Procédé linguistique, la figure tient sa valeur et son existence même de l'extra-linguistique, de ce que Fontanier appelle la « spiritualité » :

> [...] la figure a, s'il faut le dire, non seulement un corps, mais encore une âme, un esprit; et [...] son influence s'étend jusque sur l'idée ou sur la pensée même, ou [...] elle va tout au moins jusqu'au sentiment moral, jusqu'à ce sentiment non de l'*animal*, mais de l'*homme*, ou, si l'on veut, non des sens, mais de l'âme, qui tient au souvenir ou à la réflexion (p. 452-453).

1. Cf. G. Genette, Introduction à *FD*, p. 13.

133

La spiritualité d'une figure est finalement son *effet*. Du même coup, nous avons là une définition acceptable — rendant compte des choix de Fontanier — et un principe de classification pertinent. Tout se passe comme si cette rhétorique des figures était une rhétorique de l'effet. On y trouve évidemment un dualisme et une hiérarchie : au-delà du corps des mots, il s'agit de retrouver l'esprit de la figure, et la matérialité du langage est le laissé-pour-compte de cette théorie. Mais il y a chez Fontanier cette intuition capitale, en contradiction avec son projet avoué, que le jeu des figures modifie les signifiés du discours, et qu'à la limite il n'est pas d'invariant s'il est vrai que « leur influence s'étend jusque sur l'idée ou la pensée même ». De ce point de vue, il y a véritablement un langage propre des figures. Ici se marque une différence qui n'est plus seulement de degré. Le terme d'« esprit de la figure », métaphore évidemment idéologique, en même temps qu'il renvoie à un mode d'organisation du traité, fondé sur une philosophie dualiste du langage, met le livre en perspective sur une théorie de la lecture. Des deux critères explicites (non-fréquence, non-simplicité), l'un ne vaut que pour les tropes, l'autre soumet la rhétorique à la grammaire générale. Ce dernier critère, dissimulé et efficace, pose, pour l'ensemble des figures, le problème de leur utilisation et de leur effet, celui de l'insertion du sujet dans le discours, celui, enfin, du déchiffrement des « marques » de ce sujet. Du sens à l'effet de sens, ou, selon la terminologie de Fontanier, de la « signification » au « sens » — « le mot est considéré quant à son effet dans l'esprit » (*FD*, p. 55) — se reconstitue une autre dimension de la pensée rhétorique.

Résidus.

La traduction de la figure en termes « simples » laisse un certain nombre de résidus, qui sont ses effets. L'effet est traité à part, dans les annexes du *Manuel*. Le rhéteur rejoint ainsi la pratique classique de la traduction, qui opère un partage entre l'« idée principale », traductible, et les « idées accessoires », rejetées en note : c'est de cette façon que procède l'abbé Delille traduisant ce passage de l'*Énéide* (IV, 63-64) :

> Instauratque diem donis, pecudumque reclusis
> Pectoribus inhians spirantia consulit exta.

Deux éléments sont à distinguer, la traduction :

> [Didon]
> Tous les jours, au milieu des victimes mourantes,
> Consulte avidement leurs fibres palpitantes.

et la note : « Le mot *inhians* peint avec une grande énergie l'attention profonde avec laquelle Didon cherche à lire son destin dans les entrailles des victimes. » On ne traduit pas l'« image », ou plutôt on lui substitue l'expression neutre : « la bouche ouverte » signifie « l'avidité »; restriction évidente, dont le traducteur est conscient, puisqu'il joint une note à sa traduction. Dans la rhétorique des figures, l'« accessoire », dont on pressent confusément qu'en littérature il pourrait être l' « essentiel », reste cependant toujours rejeté, comme tel, au rang du superflu.

Pour décrire ce supplément, ce surplus produit par la figure, le rhéteur utilise le vocabulaire de la sensibilité : rendre plus vif ou vivifier, faire respirer, rendre sensible, habiller ou revêtir [1], peindre. La figure constitue un discours-corps, perceptible, « palpable », descriptible. Chacune des deux grandes catégories de figures, tropes et non-tropes, a cependant ses effets propres. Noblesse, dignité, force, éclat, énergie, agrément, sont les qualités de tout discours figuré. Mais si l'on considère ce discours par rapport à une activité de lecture, « *les Tropes donnent au langage plus d'intérêt et plus d'agrément* » (p. 173); les figures non-tropes « plaisent » parce qu'elles embellissent le langage (p. 464).

L'intérêt procuré par les figures tropes est d'une nature particulière :

> Les autres figures sont à peu près bornées à une seule idée ou à une seule pensée, et celles-ci, dans leur plus grande simplicité, n'en présentent jamais moins de deux à la fois, ou du moins jamais une seule qu'il faille prendre à la lettre pour ce qu'elle paraît et que, par conséquent, il ne faille réduire à ce qu'elle doit être réellement. De là pour l'esprit des espèces de mystères, d'énigmes, de problèmes, qui, faciles et très faciles même à pénétrer, à deviner, ou à résoudre, le tiennent cependant en éveil, exercent son activité, lui font parcourir, rassembler, rapprocher une foule d'idées, et lui fournissent l'occasion d'un exercice sans travail et sans peine, qui, non seulement lui plaît, mais l'enchante, fait ses délices (p. 174).

Ce caractère « énigmatique » des tropes, sur lequel nous reviendrons, fait de la lecture une activité de déchiffrement. La marque du trope est une difficulté de lecture; l'analyse du trope est la résolution de cette difficulté. Hédoniste, la rhétorique des figures d'un Fontanier valorise le plaisir de l'exercice sans en indiquer la fin. Dans son exposé *De l'origine des tropes* (p. 157 s.), il l'indique, de biais, comme il se doit;

---

1. Avec des raffinements remarquables : voiler (pour les tropes), mais d'un voile transparent.

la cause « occasionnelle » des tropes-figures est le plaisir, un plaisir qui est abandon à une véritable séduction des idées « accessoires », à un jeu dans les réseaux associatifs :

> [...] il n'est pas rare que ces idées *accessoires* frappent bien plus fortement l'imagination et lui soient bien plus présentes que l'idée *principale;* ou comme par elles-mêmes plus riantes, plus agréables; ou comme plus familières à notre esprit, et plus relatives à nos goûts, à nos habitudes; ou enfin comme réveillant en nous des souvenirs plus vifs, plus profonds, ou plus intéressants (p. 160).

Parmi les causes « génératrices » — qui tiennent à notre « organisation », à nos « facultés » —, il faut distinguer une « cause motrice », la passion, qui met en activité deux facultés, ensemble ou séparément, l'imagination et l'esprit. L'imagination, « pleine des images qu'elle a reçues des sens, et de celles qu'elle se forme elle-même, [...] n'est occupée que de les reproduire au-dehors par tous les moyens possibles [...] »; l'esprit « se plaît à se jouer avec les idées et avec les mots; à exciter l'étonnement, la surprise, par des combinaisons nouvelles, inattendues; à dire une chose pour faire penser à une autre, souvent contraire, ou toute différente ». Les mécanismes tropiques sont ainsi rapportés à une typologie des facultés. C'est un sujet qui s'y inscrit. Dans le cas des tropes d'usage, on pourrait dire que ce sujet est collectif; ce n'est plus une mémoire individuelle qui s'éveille dans le jeu des tropes, c'est une mémoire collective, mémoire éparse et fragmentée des textes; plaisir de lire, ici, mais c'est un plaisir de connaissance, une activité de déchiffrement. Les tropes... « comme à l'ombre de certaines idées qu'ils mettent en jeu, [...] en font passer ou venir adroitement d'autres qui risqueraient à se montrer directement ou à découvert » (p. 167). Telles sont les références de cette tropologie à l'affectivité. La passion qui est, nous l'avons vu, une certaine vivacité et une certaine violence du sentiment ou de la sensation, fournit à l'activité d'un lecteur des énigmes. Force irrépressible, elle marque le discours, le forme et l'informe, dans sa totalité.

Lorsqu'il s'agit des origines et des effets des figures non-tropes, la perspective est sensiblement différente. Il n'est pas question de plaisir de déchiffrement. De plus, deux causes génératrices des figures non-tropes sont ajoutées aux trois que nous connaissions : la sensibilité organique et la raison (p. 463). La raison intervient ici comme force de persuasion — et il faut rappeler que les figures de pensées touchent à l'argumentation. Quant à la sensibilité organique, c'est « la sensibilité de l'oreille, ou plutôt la sensibilité de l'âme par rapport à l'oreille » :

L'oreille, aussi ennemie des sons durs, rudes, pénibles, des sons propres à l'offenser, qu'amie des sons doux, coulants, et propres à la flatter agréablement, ne supporte les premiers qu'autant qu'ils offrent une imitation de ce qu'il faut peindre et veut que les autres, hors ce cas-là, règnent partout dans le discours seuls et sans partage. Elle met, s'il faut le dire, la langue sous l'empire de l'euphonie et de l'harmonie, exige que l'on sacrifie à l'une dans les mots, à l'autre dans les phrases, et commande des arrangements ou assortiments particuliers, des changements ou modifications de tout genre. C'est donc elle qui préside à la formation des *figures d'Élocution par consonance*, et sans doute elle n'est point étrangère à la formation de bien d'autres figures, non seulement de cette même classe, mais même des classes de Construction et de Style (p. 463).

La dernière remarque de ce paragraphe permet d'étendre son champ d'application. Les figures non-tropes recouvrent le domaine de ce que la rhétorique médiévale appelait l'*ornatus facilis*, par opposition à la *difficultas ornata*, domaine des tropes[1]. Ces deux catégories, bien définies, demandent des modes de lecture différents et relèvent de types d'analyse linguistique différents. L'*ornatus facilis* n'exige d'effort ni de la part du lecteur, ni de la part de l'écrivain. Le plaisir procuré par ce style de figuration est, pourrions-nous dire, un plaisir pur — et non pas un plaisir de déchiffrement —; mode de figuration du style « simple », l'*ornatus facilis* peut ne relever que d'une analyse syntagmatique; la « substitution » ne sert qu'à faire apprécier la beauté du discours, elle n'a pas de fonction de déchiffrement. Ce partage, refusé par Fontanier, explique pourtant un certain nombre de difficultés : difficulté à définir le « degré zéro » pour les figures non-tropes, difficulté aussi, nous l'avons vu, à définir le « simple » dans ce domaine, si précisément il s'agit du style « simple ». D'où peut-être un déplacement de la notion de simplicité, et cette réinterprétation du terme à partir des analyses « récentes » de la grammaire générale. Ce n'est là qu'une hypothèse. Nous retiendrons cependant de ces difficultés que toutes les figures relèvent de la catégorie du *descriptible* et que seuls les tropes relèvent aussi de la catégorie de l'*interprétable*. Ce grand partage ne peut réapparaître que dans cette rhétorique de l'effet que nous esquissions et qui double la rhétorique du procédé voulue par Fontanier. Il tient à l'énonciation et ne peut se manifester au niveau de l'analyse des énoncés.

Cet ensemble de questions est lui-même la trace, dans le domaine de la rhétorique des figures, de la problématique de la rhétorique des

---

1. Cf. E. de Bruyne, *Études d'esthétique médiévale*, Bruges, 1946, II, p. 36.

genres. Ainsi, les trois genres anciens traditionnellement hiérarchisés et représentés par la « roue de Virgile » sont distingués en fonction des procédés utilisés [1]; la théorie des figures renvoie à une typologie des discours qui la fonde. Chaque style, chaque mode ou chaque figure (selon l'ambiguïté du mot que nous avons notée) a ses personnages, ses décors, ses tropes et ses figures; la typologie des personnages et des « décors » intervient ici surtout pour définir des registres de figures, plus précisément, l'investissement sémantique d'une tropologie, le « champ » ou la « cité » étant moins des signifiés obligés que des titres de séries lexicales pouvant fournir des tropes. Dans cette perspective, nous devons noter que l'ensemble des trois styles correspond à l'ensemble d'une société idéalisée — c'est le sens, à l'époque médiévale, de la référence au modèle virgilien — ou à la totalité du corps social. Cette relation est doublée par une référence à la totalité de l'homme. La rhétorique de Hraban Maur [2] lie les trois fonctions du discours — instruire, charmer, émouvoir — aux trois genres de style, — le simple, le mesuré, le grand —; aux trois facultés de l'homme — la raison, la sensibilité, la volonté —; à trois types de réaction possibles au discours — le silence, les applaudissements, les larmes —. Si l'on considérait non plus les genres de style, mais les genres oratoires — judiciaire, délibératif, épidictique —, ou bien encore les trois genres littéraires — dramatique, narratif, mixte —, on trouverait, de la même façon, l'examen de situations de discours ainsi qu'une référence à des modes d'insertion du sujet dans le discours et/ou à l'effet de ce discours et à sa relation à l'affectivité [3].

Lorsque Fontanier examine l'usage des tropes « selon les sujets » (p. 175 s.), il se situe dans cette problématique et souligne la différence de statut entre tropes et figures non-tropes :

> Il ne paraît pas [...] qu'une grande multitude d'idées se présente à un homme plongé dans la consternation, et dont l'imagination, voilée

1. En voici une représentation parmi d'autres (d'après De Bruyne, *op. cit.*, II, p. 42).

STYLUS HUMILIS	STYLUS MEDIOCRIS	STYLUS GRAVIS (GRANDILOQUUS)
pastor otiosus	agricola	miles dominans
Tityrus, Melibœus, etc.	Triptolemus, Cœlius	Hector, Ajax
ovis	bos	equus
baculus	aratrum	gladius
pascua	ager	urbs, castrum
fagus	pomus	laurus, cedrus

2. De Bruyne, *op. cit.*, p. 233.
3. Pour les genres oratoires, cf. A. Kibédi Varga, *Rhétorique et Littérature*, Didier, 1970, p. 27.

par de sombres images, n'a ni activité, ni énergie. Or, si les idées sont en petit nombre et peu variées, et si, de plus, elles sont ordinaires, faciles à saisir, si elles sont toutes en sentiment, pour ainsi dire, est-il bien naturel qu'on cherche à les revêtir d'images étrangères, à les présenter sous des formes d'emprunt, sous des mots *figurés?* On peut, dans ces cas-là sans doute, employer des *figures?* Mais lesquelles ? ces figures de construction, d'élocution ou de style, qui semblent partir du cœur et en être le cri; mais non pas ces figures riches et magnifiques qui, par une sorte de magie et d'enchantement, transforment le langage ordinaire en un langage tout nouveau et tout différent de lui-même (p. 178-179).

Fontanier ne fait sans doute que reprendre ici la théorie de la rhétorique des passions d'un La Mesnardière ou d'un d'Aubignac et le mythe du naturel dans l'art — dans les lignes qui suivent, il cite Racine —; mais l'enjeu est chez lui tout autre : chaque catégorie de figures, de par la nature même des mécanismes décrits, implique une certaine situation de discours et un certain mode de lecture. Immédiateté du rapport au sujet dans le cas des figures non-tropes, médiation dans le cas des tropes; parallèlement, si l'on fait l'économie du problème du sujet, rapport direct au texte dans le premier cas, dépassement du texte vers son « interprétation » dans le second. La question se pose alors de savoir si cette hétérogénéité tient aux procédés mêmes mis en œuvre dans le discours, ou si elle est le résultat de la concurrence de deux modes d'analyse (description/interprétation). La rhétorique classique, établissant une typologie des discours, implique que la première hypothèse soit vérifiée; on tendrait aujourd'hui à considérer que le partage description/interprétation est purement idéologique. Encore faut-il savoir de quel mode d'interprétation il s'agit ici. La référence à un principe de plaisir qui organise la rhétorique de l'effet, résidu de la théorie des figures, conduit à une distinction grossière du plaisir de la sensibilité organique et du plaisir du jeu — du déchiffrement. Pour expliciter l'un, il faut une théorie du sujet; pour expliciter l'autre, il faut un code herméneutique. La rhétorique unit les deux problèmes, y répondant à sa manière.

II. RHÉTORIQUE ET INTERPRÉTATION

A la fin du traité de Dumarsais (*DT*, p. 263 s.), au début de celui de Fontanier (*FD*, p. 55 s.), c'est-à-dire, encore une fois, dans les marges de ces livres, sont analysés « ce qu'on appelle les *Tropes des philosophes* » (*FD*, p. 55); réflexion sur le sens qui déborde largement l'objet de leurs ouvrages. Est-ce là partie obligée du discours rhétorique ? ou bien la nécessaire délimitation du champ sémantique et herméneutique où s'élaborera la théorie des tropes ? ou bien encore le moyen de réunir le « laissé-pour-compte » de la description qui suit ou précède ? Nous nous attacherons à suivre, d'un texte à l'autre, un certain nombre de distorsions, de ruptures, de décrochements, autant de signes de la modification d'un projet peut-être, et, dans tous les cas, d'une difficulté de la science rhétorique des figures.

La place même de ces analyses et leurs titres sont significatifs. D'un côté, chez Dumarsais, nous avons, à la fin du traité, une manière d'ajout : « *Des autres sens* dans lesquels un même mot peut être employé dans le discours. » L'introduction à cette partie ne fait que souligner l'hésitation du rhéteur sur le statut de son propre texte : « Outre les Tropes dont nous venons de parler [...] *il y a encore d'autres sens* dans lesquels les mots peuvent être employés, et ces sens sont *la plupart* autant d'autres différentes sortes de tropes [1] [...] » Chez Fontanier, il s'agit d'un préambule philosophique, d'un exposé des fondements : « Des différents sens dont la proposition est susceptible, soit dans ses éléments, soit dans son ensemble. » Développement général, mais qui par sa généralité même ne doit intéresser que les « spécialistes ».

Si l'on met en parallèle ces deux « essais de sémantique », on remarque trois types de divergences de Dumarsais à Fontanier : le regroupement de sept chapitres en un qui traite du « Sens objectif [2] »; le développement d'un chapitre en deux (« Sens littéral » *et* « Sens spirituel »); la suppression enfin de quatre chapitres, dont nous retrouverons ailleurs les traces. Le tableau suivant montre le détail de ces opérations.

---

1. C'est moi qui souligne dans ces deux citations.
2. L'ensemble des analyses que Fontanier regroupe sous le titre *Sens objectif* (sens relatif à l'objet sur lequel « roule » la proposition) est une réflexion logico-grammaticale, utilisant au besoin des schèmes tropiques — « Un père est toujours père » est un exemple de « sens adjectif » et sera repris en exemple de syllepse de synecdoque (*FD*, p. 107) — mais sous-tendue par l'idée d'un discours *vrai* (et non d'un discours capable de donner du plaisir). Un certain nombre de distinctions ne sont ainsi destinées qu'à exposer les conditions de la véracité du discours : « Les aveugles voient » doit être pris dans le sens « divisé » (ceux qui *étaient* aveugles voient); « Les jeunes gens sont fort étourdis », dans le sens « collectif » (tous les jeunes gens pris individuellement ne sont pas étourdis). Il n'y a pas sur ces questions de divergences notables entre Dumarsais et Fontanier.

DUMARSAIS

1. Substantifs pris adjectivement, adjectifs pris substantivement, substantifs et adjectifs pris adverbialement.

2. Sens déterminé, sens indéterminé.

3. Sens actif, sens passif, sens neutre.

4. Sens absolu, sens relatif.

5. Sens collectif, sens distributif.

6. Sens équivoque, sens louche.

7. Des jeux de mots et de la Paronomase.

8. Sens composé, sens divisé.

9. Sens littéral, sens spirituel. (N.B. les divisions du sens spirituel :
— sens moral
— sens allégorique
— sens anagogique.)

10. Du sens adapté, ou que l'on donne par allusion. Suite du sens adapté. De la Parodie et des Centons.

11. Du sens abstrait, sens concret.

12. Dernière observation. S'il y a des mots synonymes.

FONTANIER

Sens objectif 1 (substantif ou adjectif).

Sens objectif 4 (déterminé, défini ou indéterminé, indéfini).

Sens objectif 2 (actif ou passif).

Sens objectif 5 (absolu ou relatif).

Sens objectif 3 (collectif et général ou distributif et particulier).

—

—

Sens objectif 6 (composé ou divisé).

Sens littéral/Sens spirituel.

—

Sens objectif 7 (abstrait ou concret).

N.B. Un chapitre traite des « qualités ou caractères du sens, tant littéral que spirituel » : « Le sens, tant littéral que spirituel, est susceptible de diverses qualités ou de divers caractères, sous le rapport desquels on le trouve : *moral*, grammatical, ou logique ; fondamental, spécifique, ou accidentel ; principal ou accessoire ; affirmatif ou négatif ; naturel, clair, précis, ou *forcé*, obscur, amphibologique, etc. » — « le sens amphibologique est un double sens, tantôt *louche*, et tantôt *équivoque* » (c'est moi qui souligne).

Il faudrait remonter l'histoire du couple littéral/spirituel jusqu'à l'exégèse médiévale et à la théorie des « quatre sens » de l'Écriture : *sens littéral ou historique* et spirituel ou mystique, lui-même subdivisé en *sens allégorique ou typique, sens moral ou tropologique,* et *sens anagogique.* Sans entrer dans la complexité de cette herméneutique, ni dans ses transformations, il suffira de rappeler qu'il y a là un ensemble de techniques de déchiffrement qui, d'une part, permettent plusieurs lectures simultanées, d'autre part, les hiérarchisent d'une manière précise, de la signification historique d'un texte à sa valeur dans la perspective de la doctrine chrétienne : préfiguration de l'histoire du Christ, leçon morale pour le croyant, annonce de la vie future. Notons enfin que sur un point au moins — le sens allégorique —, le déchiffrement est orienté, le texte d'arrivée étant donné [1]. L'analyse de Dumarsais s'inscrit dans cette problématique. Il distingue ainsi sens littéral et sens spirituel, et, à l'intérieur de la catégorie du sens littéral, sens littéral rigoureux et sens littéral figuré (*DT*, p. 292 s.) :

> *Le sens littéral* est celui que les mots excitent d'abord dans l'esprit de ceux qui entendent une langue, c'est le sens qui se présente naturellement à l'esprit (*DT*, p. 292).
> *Le sens spirituel* est celui que le sens littéral renferme, il est enté, pour

---

1. De Bruyne résume dans le tableau suivant les réflexions des théologiens (*op. cit.*, II, p. 312-313).

I. Sensus litteralis (littéral ou littéraire, suggéré par les *mots*).
  a) proprius
    1) historicus : sens immédiat des mots et des propositions.
    2) secundum aetiologiam : propositions qui se justifient en alléguant leurs raisons.
    3) secundum analogiam : propositions rapportées à d'autres de manière à faire apparaître l'unité de pensée dans un ouvrage.
  b) figuratus : les *mots* ont un autre sens que le sens propre.
    1) typicus : l'individuel représentant l'universel.
    2) parabolicus seu *allegoricus* (au sens profane).
    3) moralis (au sens profane, comme dans les Fables).
II. Sensus spiritualis seu *allegoricus* (lato sensu) se greffant, dans la Bible, sur le sens littéral.
    1) *allegoricus* (stricto sensu) seu typicus (au sens théologique habituel) : l'Ancien Testament préfigure le Nouveau Testament, et la nature visible représente le monde surnaturel.
    2) tropicus seu tropologicus seu moralis : la réalité visible représente une réalité morale supérieure.
    3) anagogicus : la réalité visible représente les réalités célestes de l'autre vie.

ainsi dire, sur le sens littéral; c'est celui que des choses signifiées par le sens littéral font naître dans l'esprit *(ibid.)*. Il y a un *sens littéral rigoureux;* c'est le sens propre d'un mot, c'est la lettre prise à la rigueur, *stricte* (p. 293). La seconde espèce de sens littéral, c'est celui que les expressions figurées dont nous avons parlé présentent naturellement à l'esprit de ceux qui entendent bien une langue, c'est un *sens littéral figuré* *(ibid.)*.

Les tropes (« les expressions figurées dont nous avons parlé ») relèvent donc dans leur totalité du sens littéral figuré et non du sens spirituel. C'est dire qu'ils ne réclament pas une lecture qui soit aussi une exégèse. Inversement, il n'y a pas, chez Dumarsais, de figures (au sens strict) du sens spirituel. Cette situation des tropes à une place précise du champ herméneutique nous renvoie à la description de l'ensemble du champ telle que l'a faite l'exégèse médiévale. La distinction fondamentale est celle du sens littéral (qui concerne les mots) et du sens spirituel (qui concerne les choses désignées par ces mots). Dumarsais reprend très exactement ce partage lorsqu'il déclare que le sens spirituel est « celui que *les choses* signifiées par le sens littéral font naître dans l'esprit ». Le sens spirituel renvoie en effet à une herméneutique du réel; à ce titre, il ne peut en principe concerner que l'Écriture. La fable profane relève ainsi du sens littéral figuré et non du sens spirituel. Une des conséquences de cette problématique est la condamnation de l'obscurité en littérature : « puisque les lettres humaines ne doivent pas signifier en les voilant certains mystères, il est ridicule d'y chercher autre chose que le sens littéral et inepte d'écrire de telle manière que l'on ait besoin de commentaires savants [1] ». Les tropes, se situant dans cette zone intermédiaire entre la rigueur de la lettre et l'ouverture de la recherche herméneutique, exigent que le lecteur puisse les décrypter « naturellement », mais avec quelque difficulté. Appartenant à la catégorie de l'interprétable, ils restent pourtant hors du domaine de l'exégèse. Quant au sens spirituel, il se subdivise chez Dumarsais en sens moral, « interprétation selon laquelle on tire quelque instruction pour les mœurs » (*DT*, p. 301); sens allégorique, « histoire qui est l'image d'une autre histoire » (p. 303), et sens anagogique, qui « n'est guère en usage que lorsqu'il s'agit des différents sens de l'Écriture Sainte » (p. 307) : c'est « un sens mystique, qui élève l'esprit aux objets célestes et divins de la vie éternelle dont les Saints jouissent dans le ciel » *(ibid.)*. Les deux premières catégories du sens spirituel impliquent

---

1. Jean de Salisbury, *Polycraticus* VII, 12 (cité par De Bruyne, *op. cit.*, II, p. 317).

une laïcisation des modes d'exégèse, qui n'est pas ici notre propos puisque cette transposition du modèle dans les lettres profanes se fait dès le Moyen Age, marquée par une confusion entre les deux sens, profane et théologique, du mot *allégorique*. De ce fait, on aura, non des figures, mais des genres relevant du sens spirituel : « On tire un sens moral des histoires, des fables, etc. » (p. 302); « il y a des pièces allégoriques en prose et en vers » (p. 304). Ces types de discours se situent véritablement dans le champ herméneutique. Le passage du dire au vouloir-dire n'y est pas « naturel », spontané, immédiat.

Chez Fontanier, le partage littéral/spirituel est réinterprété et, pourrait-on dire, fondé en langue. Dès le *Commentaire*, il oppose « le sens *littéral*, qui ne tient qu'à un seul mot » au « *sens intellectuel*, qui est le *sens détourné* ou *figuré* d'un assemblage de mots » (*CR*, p. 326-327). Dans le traité, le sens littéral restera « celui qui se présente immédiatement à l'esprit de ceux qui entendent une langue », le sens tropologique figuré, une variété du sens littéral (*FD*, p. 57). Mais pour le sens spirituel, Fontanier précisera :

> Le *sens spirituel, sens détourné* ou *figuré* d'un assemblage de mots, est celui que le *sens littéral* fait naître dans l'esprit par les circonstances du discours, par le ton de la voix, ou par la liaison des idées exprimées avec celles qui ne le sont pas. Il s'appelle *spirituel*, parce qu'il est tout de l'esprit, s'il faut le dire, et que c'est l'esprit qui le forme ou le trouve à l'aide du *sens littéral*. Il n'existe pas pour celui qui prend tout à la lettre, pour celui qui ne sait pas que *la lettre tue*, et que *l'esprit vivifie*.
> Mais nous devons toutefois en prévenir : par *spirituel*, nous entendons ici à peu près la même chose que par *intellectuel*, et non, comme le fait Dumarsais, ou comme on le fait communément, la même chose que par *mystique* (p. 58-59).

A l'opposition de deux modes d'interprétation est ainsi substituée l'opposition linguistique mot/groupe de mots : les figures du sens spirituel sont des figures d'expression, ou tropes en plusieurs mots. De plus, les divisions du sens spirituel sont nouvelles : « On pourrait [...] le distinguer en *sens fictif*, en *sens réflectif*, et en *sens oppositif*. » Cette double correction, délibérément, achève en quelque sorte de laïciser la théorie. Il reste cependant un certain nombre de difficultés. La première tient à une ambiguïté de la définition même : dès le moment où, dans une certaine mesure, la « spiritualité » fait la figure, il est difficile de délimiter une classe de figures du sens spirituel. Leur statut fait problème :

On appelle ces figures des *Tropes;* mais ce ne sont pas des *Tropes* proprement dits : d'abord, parce qu'elles consistent en plusieurs mots; et puis, parce que les mots n'y sont pas nécessairement détournés de leur signification primitive (p. 59).

Sans parler du fait que la notion de trope en un mot est un leurre [1], nous rencontrons ici une deuxième difficulté : mécanismes du « déguisement » et du « détour », les figures d'expression engagent toujours une herméneutique, dans la mesure même où, ne supposant pas de changement de sens de leurs éléments, elles impliquent un code qui permette de les déchiffrer.

Pour donner un exemple de la différence de statut des figures selon qu'elles s'inscrivent dans l'une ou l'autre des régions du domaine herméneutique (domaine du sens littéral et domaine du sens spirituel), je choisirai la question des figures d'analogie — métaphore, comparaison, allégorisme, allégorie — telle qu'elle est traitée par Dumarsais et Fontanier.

La métaphore, figure du sens littéral, implique une traductibilité immédiate. Chez Dumarsais comme chez Fontanier, elle porte sur un mot et a un effet ponctuel. Il n'y a pas un fonctionnement métaphorique du discours, mais une répartition, dans le discours, d'éléments métaphorisés. D'où un certain nombre d'ambiguïtés, voire de contradictions, lorsqu'il s'agit de traiter de la cohérence des métaphores. « Je baignerai mes mains dans les ondes de tes cheveux » est mauvais, car on ne peut baigner ses mains dans une onde métaphorique (*FD*, p. 190); par contre, pourquoi condamner « A ce cœur qu'il vous laisse osez prêter un bras » *(ibid.)*, puisque précisément *ce cœur* est métaphorique, comme d'ailleurs *ce bras* ? Fontanier définit curieusement la notion de cohérence : la métaphore « sera *cohérente*, si elle est parfaitement d'accord avec elle-même; si les termes en sont bien assortis, bien liés entre eux, et ne semblent pas s'exclure mutuellement » (*FD*, p. 104), sans dire nettement s'il s'agit de termes liés *in absentia* ou *in praesentia*. En fait, le contexte, dans le procès métaphorique, doit convenablement jouer son rôle régulateur. La métaphore est une comparaison dans l'esprit, dit Dumarsais (*DT*, p. 157); la métaphore ne serait, « si on exprimait tout ce qu'elle fait entendre », qu'une comparaison, dit

---

1. Cf. *FD*, p. 184, où Fontanier cite Laharpe : « Pourquoi une figure brillante, énergique, hardie, [...] produit-elle de l'effet ? C'est qu'elle tranche, pour ainsi dire, avec le reste. » Il ne s'agit pas seulement d'un précepte esthétique, mais surtout de la marque syntagmatique de la figure. On ne peut dès lors concevoir de figures en un mot.

Fontanier (*CR*, p. 163). Il faut donc y lire un « comme » virtuel, véritable « indicateur de figure », dont la fonction serait de signaler le point où le discours bifurque, et, du même coup, d'indiquer de quoi « il est réellement question » en séparant l'élément nommé figure. La cohérence d'*une* métaphore est rigoureusement inanalysable dans cette perspective.

Avec l'allégorie, figure-genre du sens spirituel, le problème est tout autre. L'allégorie est pour Dumarsais une « métaphore continuée » (*DT*, p. 178). A ce titre, elle se situe dans le domaine des tropes. Mais ce n'est pas sa place légitime, et Fontanier, dans son *Commentaire*, souligne l'ambiguïté (*CR*, p. 178). Dans tous les cas, son statut est radicalement différent de celui de la métaphore ; et même chez Dumarsais :

> L'allégorie est un discours, qui est d'abord présenté sous un sens propre, qui paraît tout autre chose que ce qu'on a besoin de faire entendre, et qui cependant ne sert que de comparaison pour donner l'intelligence d'un autre sens qu'on n'exprime point.
>
> La métaphore joint le mot figuré à quelque terme propre ; par exemple, *le feu de vos yeux ; yeux* est au propre ; au lieu que dans l'allégorie tous les mots ont d'abord un sens figuré ; c'est-à-dire, que tous les mots d'une phrase ou d'un discours allégorique forment d'abord un sens littéral qui n'est pas celui qu'on a dessein de faire entendre (*DT*, p. 178-179).

Il se pose donc pour l'allégorie un problème de déchiffrement, problème encore plus ardu s'il est vrai que « nous avons des pièces entières toutes allégoriques » (p. 184). Dans ce cas, en effet, la figure est sans contexte — elle est genre — ; il faut donc, en toute rigueur, un code. Deux remarques de Dumarsais permettent de réduire la difficulté. D'une part, « les idées accessoires dévoilent ensuite facilement le véritable sens qu'on veut exciter dans l'esprit, elles démasquent, pour ainsi dire, le sens littéral étroit, elles en font l'application » (p. 179). D'autre part et surtout — puisqu'il peut n'y avoir pas de « suite » — « il faut que les histoires dont on tire ensuite des allégories aient été composées dans la vue de l'allégorie » (p. 304). Le rhéteur exige ici un véritable protocole de lecture, qui donne explicitement le mode d'emploi du livre.

Fontanier résout de manière originale le même problème. Tout d'abord, l'allégorie dont il traite ne se trouve dans le discours que « comme partie accessoire », « que pour servir à l'expression de telle ou telle pensée, et n'y occupe que peu d'espace » (*FD*, p. 114). Déjà, nous l'avons vu, dans le *Commentaire*, il se demandait ce que Dumarsais entendait par « discours » dans sa définition (*CR*, p. 178). Donnant une définition restrictive de l'allégorie, il esquive la difficulté principale.

De plus, Fontanier, établissant une hiérarchie dans le champ herméneutique que nous décrivons, « invente » à côté de l'allégorie, l'allégorisme. La métaphore diffère de l'allégorie comme le processus d'identification diffère du processus d'assimilation : l'identification confond les objets ; l'assimilation préserve le caractère propre de chaque objet. La comparaison qui fonde la métaphore est identificative ; celle qui fonde l'allégorie est assimilative (*CR*, p. 179). Dans la métaphore, l'esprit ne considère qu'un objet ; dans l'allégorie, il en considère deux. La « métaphore continuée » n'est donc pas une allégorie.

[L'allégorie] consiste *dans une proposition à double sens, à sens littéral et à sens spirituel tout ensemble, par laquelle on présente une pensée sous l'image d'une autre pensée, propre à la rendre plus sensible et plus frappante que si elle était présentée directement et sans aucune espèce de voile* (*FD*, p. 114).

L'Allégorisme [...] *consiste dans une métaphore prolongée et continue qui, lors même qu'elle s'étend à toute la proposition, ne donne lieu qu'à un seul et unique sens, comme n'y ayant qu'un seul et unique objet d'offert à l'esprit* (*FD*, p. 116).

L'allégorisme comporte, dirons-nous, des indicateurs de figure. Ainsi cette « représentation » de Rome par César :

Ce colosse effrayant dont le monde est foulé,
En pressant l'univers est lui-même ébranlé
[...] (p. 116)

C'est ici le démonstratif qui interdit la double lecture. L'allégorisme se distingue en fait de l'allégorie en ce qu'il comporte des éléments grammaticaux faisant référence au contexte ; il y a comme une irruption du contexte à l'intérieur même du fragment de discours allégorisé. Le démonstratif — ce sera dans d'autres exemples le pronom personnel — a la même fonction, du point de vue herméneutique, que les idées accessoires dont parlait Dumarsais. Quant à l'usage de ces figures, l'accumulation des allégorismes est jugée mauvaise (*FD*, p. 197), alors que l'accumulation des allégories est non seulement permise, mais conseillée :

On voit assez pourquoi les *allégories* peuvent être accumulées sur un même objet, sans qu'il en résulte le même abus que des *métaphores*. Les *allégories*, au lieu de transformer l'objet ou de le modifier plus ou moins, comme les *métaphores*, le laissent dans son état naturel, et ne font que le réfléchir comme des espèces de miroirs transparents. Elles n'offrent donc pas cette bizarrerie et cette confusion de formes dont l'une détruit l'autre (p. 205).

Il y a une autonomie de l'allégorie par rapport au contexte, qui lui permet de se multiplier par juxtaposition.

Au terme de cette analyse, on peut dire que la lecture allégorique est possible dans trois cas, qui correspondent à trois modes d'orientation (lesquels peuvent évidemment se combiner) : orientation par un hors-texte (un protocole de lecture); orientation par le contexte (c'est l'allégorie comme « partie accessoire »); orientation par le fragment même de texte considéré (indicateurs de figure dans le cas de l'allégorisme). Ces différents procédés visent à procurer au lecteur un code herméneutique, qui n'était pas nécessaire dans le cas privilégié où l'on connaissait et le point de départ et le point d'arrivée de l'exégèse.

De cette rencontre d'une théorie des figures avec un système herméneutique est issue une véritable typologie des figures selon le mode de déchiffrement qu'elles demandent. Des trois conditions que nous avons exposées — explicitation du code, prescription de limites syntagmatiques à la figure, présence d'indicateurs —, une au moins doit être remplie pour chaque figure d'analogie : la première pour l'allégorie comme genre, la seconde pour la métaphore et l'allégorisme (l'allégorisme compensant une extension plus grande par la présence d'indicateurs), la troisième pour l'allégorisme. L'allégorie, au sens où l'entend Fontanier — « partie accessoire du discours » —, n'a pas besoin de code explicite dans la mesure où elle remplit la condition des limites. On peut résumer cela en un tableau :

	CODE EXPLICITE	LIMITES ASSIGNÉES	INDICATEURS
métaphore	non	oui (le mot)	facultatif [1]
comparaison [2]	non	oui (variables)	oui
allégorisme	non	oui (variables)	oui
allégorie-figure	non	oui (variables)	non
allégorie-genre	oui	non	non

1. L'indicateur serait, dans le cas de la métaphore, ce que Dumarsais appelle un « correctif » : « pour ainsi dire, si l'on peut parler ainsi » (*DT*, p. 173). On pourrait ajouter que la classe des métaphores d'usage est un véritable *code* métaphorique.
2. Il s'agit ici de ce qu'on appellerait « comparaison non motivée » du type : « mon amour ressemble à une flamme ». La comparaison « motivée » ne pose pas de problème de déchiffrement et Fontanier ne la classe pas parmi les tropes. (J'emprunte la distinction à G. Genette « La rhétorique restreinte », *Figures III*, p. 30.)

Ce schéma nous permet de marquer plus précisément les divergences entre Dumarsais et Fontanier. Fontanier traite des « figures du discours », ou des figures dans le discours, et non pas, nous l'avons vu, du discours figuré ou du discours comme figure, ce qui est le cas du genre allégorique. Il n'a pas à s'occuper de ce dernier. Il reste qu'il fait ainsi l'économie du cas le plus difficile, le seul à poser le problème herméneutique dans toute son ampleur, car un protocole de lecture donne le droit d'allégoriser, non la méthode. Un tel protocole ne fait que justifier une démarche qui, dans son détail, risque de poser au lecteur des problèmes précis de déchiffrement. La question reste entière de savoir comment l'on peut à partir d'un texte bifurquer vers un autre texte virtuel dont on affirme qu'il sous-tend et justifie le premier. Plus fondamentalement, et même si les lectures permises dans ce champ herméneutique sont hiérarchisées, se pose le problème de la pluralité des lectures.

La refonte rhétorique de l'exégèse consiste à proposer un certain nombre de techniques destinées à réduire les difficultés d'interprétation ; une part importante des restrictions normatives accompagnant la description de certaines figures est peut-être alors essentiellement une manière plus ou moins déguisée de se faciliter la tâche : il s'agirait de proposer à l'écrivain un mode d'écriture compatible avec ces techniques interprétatives. D'un autre côté, la problématique héritée de l'exégèse propose des techniques qui, appliquées sans ce garde-fou qu'est la connaissance du texte auquel on doit arriver, permettent de faire jouer les textes, bifurquer les discours. Disons que l'allégorisation est toujours possible, et sur tous les textes, mais alors, écrit Dumarsais :

> [...] les explications allégoriques qu'on leur donne, ne prouvent rien, et ne sont que des applications arbitraires dont il est libre à chacun de s'amuser comme il lui plaît, pourvu qu'on n'en tire pas des conséquences dangereuses (*DT*, p. 304).

Lectures et écritures ludiques.

La pluralité des lectures, si précisément « réglée » par la théorie herméneutique qui commande la description des figures, est envisagée sous un autre angle dans les quatre chapitres de Dumarsais supprimés ou réduits par Fontanier. Le chapitre sur la *Synonymie* (*DT*, p. 350 s.), le dernier, touche au fondement même de la tropologie. Reprenant l'abbé Girard, Dumarsais établit qu'en toute rigueur « il n'y a point de mots synonymes en aucune langue ». On ne peut donc véritablement « réduire » une figure. De fait, et l'analyse de Dumarsais le précise, se perdent dans cette réduction les « idées accessoires ». Dans ces conditions, le critère de substitution sert à séparer le « principal » de l'« accessoire », et la rhétorique des tropes est ici une réponse au problème posé par l'impossibilité de la synonymie parfaite. Une différence au niveau des signifiants ne peut être réduite au niveau des signifiés : le même principe assure la possibilité d'une tropologie et l'intangibilité du discours. Les « manipulations » du rhéteur ne sont, dans cette perspective, qu'un jeu. Dépourvu ni de conséquences ni de règles, ce jeu vise à procurer au discours une mouvance provisoire, qui démontrera par l'absurde son immutabilité. Le « vouloir-dire » ne serait plus qu'un leurre, mirage métaphysique destiné à mettre en mouvement une lecture qui est véritablement une activité.

Le chapitre *Du sens adapté ou que l'on donne par allusion* (p. 308 s.) expose un mode d'écriture (et de lecture) délibérément déréglé :

> Quelquefois on se sert des paroles de l'Écriture Sainte ou de quelque auteur profane, pour en faire une application particulière qui convient au sujet dont on veut parler, mais qui n'est pas le sens naturel et littéral de l'auteur dont on les emprunte, c'est ce qu'on appelle *sensus accomodatitius*, sens adapté.

C'est là une technique qui peut donner lieu à tous les contresens. Si, dans les panégyriques des saints et dans les oraisons funèbres, il y a une véritable codification du procédé — adaptation en vertu de l'analogie des situations, par exemple —, un certain nombre de fragments célèbres de textes sont passés en proverbes au prix de « détournements » de sens et restent dans la pratique linguistique grâce à leur souplesse d'utilisation. Dumarsais en donne des exemples pour conclure :

> Il est vrai en général que les citations et les applications doivent être justes autant qu'il est possible; puisque autrement elles ne prouvent rien, et ne servent qu'à montrer une fausse érudition; mais il y aurait bien du rigorisme à condamner tout sens adapté.
> Il y a bien de la différence entre rapporter un passage comme une autorité qui prouve, ou simplement comme des paroles connues auxquelles on donne un sens nouveau qui convient au sujet dont on veut parler : dans le premier cas, il faut conserver le sens de l'auteur; mais dans le second cas, les passages, auxquels on donne un sens différent de celui qu'ils ont dans leur auteur, sont regardés comme autant de parodies, et comme une sorte de jeu dont il est souvent permis de faire usage (p. 316).

« Ne rien prouver », c'est donc en quelque sorte « jouer ». Et dans ce couple antithétique, la rhétorique « ornementale » n'est pas là où on pourrait le croire. La citation-preuve est recours à l'autorité, extériorité, ornement donc. La citation-jeu, au contraire, implique une refonte des textes par les textes, suppose une transformation continue. Elle est exercice de réécriture. Dumarsais examine plus particulièrement deux formes suivies de « sens adapté » : la parodie — « on détourne, dans un sens railleur, des vers qu'un autre a faits dans une vue différente » — et le centon — « ouvrage composé de plusieurs vers ou de plusieurs passages empruntés d'un ou de plusieurs auteurs ». Ce sont des jeux, voire des « plaisanteries » et il ne faut point en abuser. Les centons appartiennent au domaine des curiosités littéraires, comme ces autres acrobaties verbales que sont les acrostiches et les anagrammes.

> Aujourd'hui le *temps* et la difficulté *ne font rien à l'affaire;* on aime ce qui est vrai, ce qui instruit, ce qui éclaire, ce qui intéresse, ce qui a un objet raisonnable; et l'on ne regarde plus les mots que comme des signes auxquels on ne s'arrête que pour aller droit à ce qu'ils signifient (p. 326-327).

Au moment même où s'ouvre un espace propre du langage — « la pensée est subordonnée aux mots, au lieu que ce sont les mots qu'il faut toujours subordonner aux pensées » (p. 322) —, le rhéteur, pris de vertige, refuse de s'y engager. Région périlleuse où les mots ne sont plus des signes, à peine entrevue, aussitôt interdite. C'est le même refus qui guide le développement sur les jeux de mots et la paronomase : « On doit éviter les jeux de mots qui sont vides de sens; mais quand le sens subsiste indépendamment du jeu de mots, ils ne perdent rien de leur mérite » (p. 288).

Ces trois chapitres n'ont véritablement d'écho chez Fontanier ni dans le chapitre de son traité réservé aux « différents sens de la proposition », ni même dans son *Commentaire*. On peut simplement noter une brève remarque sur le sens adapté, dans le *Commentaire* (p. 328); il en est de nouveau rapidement question dans le *Manuel* sous le nom de « sens forcé » (p. 60). La paronomase devient une figure d'élocution par consonance (*FD*, p. 344 s.). Comme l'ensemble de cette classe de figures — d'ailleurs rattachées par l'*Encyclopédie* à la diction —, elle est considérée comme plus latine que française. On pourrait reprendre à son propos ce que Fontanier dit à propos de l'antanaclase : « Notre langue, nous ne saurions trop le dire, est essentiellement ennemie de toute affectation, de tout jeu de mots puéril » (p. 349). Plus cohérente, plus systématique que l'analyse de Dumarsais, celle de Fontanier exclut ainsi largement ce qui n'entre pas dans sa problématique. L'analyse du jeu de mots n'entre pas dans la tropologie classique, puisqu'il n'y a pas de « changement de sens ». C'est ainsi qu'un mécanisme que nous considérerions plutôt comme « producteur » de sens, est versé au compte des figures non-tropes. Quant au sens adapté, il n'est mentionné que pour mémoire, d'une part, parce qu'il touche à la rhétorique des genres — il faut considérer au moins deux ensembles pour parler d'adaptation —; d'autre part, peut-être, parce qu'il ne peut relever que d'une analyse de type syntagmatique.

Le dernier chapitre de Dumarsais dont il sera question ici, *Sens équivoque, sens louche* (p. 281 s.), est abondamment repris par Fontanier dans son *Commentaire*. Selon Dumarsais « un mot est équivoque lorsqu'il signifie des choses différentes » : ainsi *chœur* et *cœur*, *autel* et *hôtel*, équivoques « du moins dans leur prononciation ». « Une proposition est équivoque, quand le sujet ou l'attribut présente deux sens à l'esprit ou quand il a quelque terme qui peut se rapporter ou à ce qui précède, ou à ce qui suit. » Enfin « il y a des mots qui ont une construction louche, c'est lorsqu'un mot paraît d'abord se rapporter à ce qui précède, et que cependant il se rapporte à ce qui suit ». La succession des homonymes dans le discours et les constructions ambiguës sont à éviter. C'est qu'en effet « on ne doit écrire que pour se faire entendre ». Ainsi, de nouveau, dès le moment où pourrait se pratiquer une lecture telle que le jeu des sens ne soit pas *hiérarchisé* selon un modèle précis, le rhéteur accuse une malfaçon du discours. Fontanier voit peut-être mieux que Dumarsais le parti qu'une rhétorique des figures pourrait tirer de ces mécanismes. Il considère que le sens louche et le sens équivoque sont deux espèces du genre amphibologie (*CR*, p. 323) et ces deux espèces doivent être précisément distinguées :

> Le *sens louche* naît de l'incertitude du rapport grammatical de certains mots, dans une construction qu'on dirait regarder d'un côté, comme une personne louche, tandis qu'au contraire elle regarde d'un autre ; et le sens *équivoque* naît d'un défaut de précision dans l'application de certains mots indéterminés par eux-mêmes, ou susceptibles de différentes interprétations. Ainsi, dans cet exemple cité par Dumarsais :
>
> Tu sais charmer
> Tu sais désarmer
> Le Dieu de la guerre ;
> Le Dieu du tonnerre
> Se laisse enflammer

le Dieu du tonnerre forme un *sens louche* parce qu'en effet il semble d'abord être, comme *le Dieu de la guerre*, le terme de l'action de *charmer* ou de *désarmer*, et qu'il faut continuer à lire, pour savoir qu'il est le sujet de *se laisse enflammer* (p. 320-321).

Le sens louche n'est donc pas vraiment un défaut; il peut dans certains cas produire d'agréables effets de surprise. Fontanier traite d'une façon sensiblement différente les exemples de sens louche et les exemples de sens équivoque, ne se prononçant pas sur les premiers, et condamnant les seconds. Il reprend ainsi au compte de l'analyse rhétorique tout ce que ses instruments lui permettent de contrôler. L'ensemble de ces réflexions sur la pluralité des sens met la rhétorique classique des figures en perspective sur un domaine qu'elle n'a pas véritablement les moyens d'explorer. Il n'y a pas, pour un certain nombre de phénomènes discursifs, de « niveau de lecture » privilégié, pas de hiérarchie.

Il reste qu'outre sa volonté de maîtriser les possibles du langage, cette rhétorique entrevoit un mode de lecture qui serait jeu, modification incessante des rapports au texte, transformation infinie de ce texte selon les approches. Elle esquisse d'ailleurs certaines des règles de ce jeu. Car tout doit être « réglé ». Principe ambigu où la rhétorique se double d'une éthique. On en retiendra une exigence de connaissance, principe de toute recherche, même si c'est un vertige qui l'inaugure.

4. Une théorie du discours

La rhétorique, la logique, la philosophie scolastique sont à mon sens choses très superflues pour lui et que d'ailleurs je serais peu propre à lui enseigner. Seulement, quand il sera temps, je lui ferai lire la *Logique de Port-Royal* et tout au plus l'*Art de parler* du P. Lamy.

ROUSSEAU,
Projet sur l'éducation de M. de Sainte-Marie

LE PROJET

Il n'y a pas, chez Bernard Lamy, de « voile(s) » pour « vaisseau(x) ». Sans doute y est-il question de la synecdoque [1], mais brièvement, et, dans tous les cas, les tropes n'occupent, dans son *Art de parler*, que cinq chapitres sur une centaine. Un livre, sur les cinq que comporte le traité, est consacré aux tropes *et* aux figures. Car cette rhétorique est complète. Il y est même question de grammaire et de logique ; mieux : y est exposée la raison « de toutes les règles qu'ont prescrit les grammairiens » (préface) et, à supposer que les lecteurs ne soient pas logiciens, deux chapitres du dernier livre pourront « suppléer en quelque manière à la Logique » (p. 361). Cette rhétorique n'a donc pas d'autres frontières que celles où elle rencontre les disciplines voisines, grammaire et logique, quitte à y étendre « en passant » son empire.

Lamy n'a pas une vue « microscopique » de son objet d'étude. Ce n'est pas chez lui qu'on trouvera des descriptions précises d'opérations linguistiques, ni des listes exhaustives de procédés. Il donne peu d'exemples, pour trois raisons qu'il expose dans sa préface : la première est qu'il n'a pas voulu « grossir [son] ouvrage » ; la deuxième,

---

1. Bernard Lamy, *La Rhétorique ou l'Art de parler*, 4e éd., 1699, Sussex Reprints (French Series, Number One) Brighton, 1969, p. 93. C'est à ce texte que je renvoie dans la suite de cette étude. Il existe une étude biographique et bibliographique sur *Bernard Lamy*, par François Girbal, PUF, 1964. (La phrase de Rousseau placée ici en épigraphe y est citée p. 48.)

qu' « on profite beaucoup plus en lisant une pièce d'éloquence qu'en apprenant par cœur des préceptes » ; la troisième raison précise la deuxième :

> Il faut donc que les Maîtres fassent lire à leurs Disciples les excellentes pièces d'Éloquence ; et qu'ils ne se servent de la Rhétorique que pour leur faire remarquer les traits éloquents des Auteurs qu'ils leur font voir, ce qui ne se peut bien faire qu'en lisant les pièces tout entières. Les parties détachées qu'on en propose pour exemple, perdent leurs grâces étant hors de leur place ; elles n'ont pour ainsi dire plus de vie après qu'on les a détaché de leur corps.

Ce précepte est fondé sur la distinction de l'Éloquence et de la Rhétorique, de la pratique et de la théorie du discours. La rhétorique *ne* sert *qu'*à reprérer *en contexte* des traits d'éloquence — elle est déjà ici un « art de lire » —. Elle ne traite pas d'énoncés fragmentaires, mais veut être une théorie de l'énonciation. De ce fait, elle ne prétend pas donner de modèles d'écriture. Lamy établit, avec quelque désinvolture la « liste des Espèces de Tropes qui sont les plus considérables » (p. 92) ; de même pour les figures. Il ajoute d'ailleurs un chapitre intitulé : « Le nombre des Figures est infini. Chaque Figure se peut faire en cent manières différentes » (p. 136). Là encore, le lecteur est renvoyé à la pratique, à *sa* propre pratique. Telles sont précisément les limites de la recherche de Lamy : non pas celles de l'objet (la totalité du discours), mais celles du « point de vue » (une *théorie* du discours).

> Quand cette nouvelle Rhétorique ne donnerait que des connaissances spéculatives, qui ne rendent pas éloquent celui qui les possède, la lecture n'en serait pas inutile. Car pour découvrir la nature de cet Art, je fais plusieurs réflexions importantes sur notre esprit, dont le discours est l'image, qui pouvant contribuer à nous faire entrer dans la connaissance de ce que nous sommes, méritent qu'on y fasse attention. Outre cela, je suis persuadé qu'il n'y a point d'esprit curieux qui ne soit bien aise de connaître les raisons que l'on rend de toutes les règles que l'Art de Parler prescrit. Lorsque je parle de ce qui plaît dans le discours, je ne dis pas que c'est *un je ne sais quoi*, qui n'a point de nom ; je le nomme, et conduisant jusques à la source de ce plaisir, je fais apercevoir le principe des règles que suivent ceux qui sont agréables. Ce qui doit donner plus de satisfaction que les Ouvrages mêmes de ceux qui plaisent en pratiquant ces règles. Car enfin les plaisirs de l'esprit sont préférables à ceux qui touchent le corps. Ce serait un dérèglement, dit saint Augustin, que de préférer le plaisir que cause la cadence des vers à la connaissance de l'artifice avec lequel on les compose, puisque ce serait une marque qu'on ferait plus d'état des oreilles que de l'esprit » (préface).

On ne saurait dire plus clairement que la rhétorique parfaite se *substitue* avantageusement aux œuvres qu'elle explique. C'est chez Lamy qu'on trouve un livre entier consacré à « la partie matérielle de la parole » (p. 153). Il donne à cette analyse une importance inattendue dans un traité de rhétorique; précisément, il veut montrer les *causes* de l'harmonie du discours, les *principes* du plaisir du discours. Cette rhétorique ne vise pas à rendre éloquent, elle vise à transformer un plaisir en un autre : Lamy élabore une théorie susceptible de *faire passer du plaisir impur de l'éloquence au plaisir pur de la rhétorique.*

Ce faisant, il relève un défi; quelques années plus tôt, Bouhours écrivait :

> Le je ne sais quoi appartient à l'art aussi bien qu'à la nature. Car, sans parler des manières différentes des peintres, ce qui nous charme dans ces tableaux excellents, dans ces statues presque vivantes à qui il ne manque que la parole, ou plutôt à qui la parole même ne manque pas, si nous en croyons nos yeux [...] ce qui nous charme, dis-je, dans ces peintures et dans ces statues, c'est un je ne sais quoi inexplicable. Aussi les grands maîtres, qui ont découvert que rien ne plaît dans la nature que ce qui plaît sans qu'on sache pourquoi, ont tâché toujours de donner de l'agrément à leurs ouvrages en cachant leur art avec beaucoup de soin et d'artifice [1].

A la fin du dialogue sur le *Je ne sais quoi*, Ariste conclut par une pirouette : « Si vous me croyez [...] nous en demeurerons là et nous ne dirons plus rien d'une chose qui ne subsiste que parce qu'on ne peut dire ce que c'est » (p. 213). Pour Lamy, la rhétorique « nomme » et du même coup supprime le « je ne sais quoi ». Le dialogue de Bouhours repose sur un paradoxe, parlant de ce dont on ne peut pas parler; il s'annule devant les beautés de la nature et de l'art. La rhétorique de Lamy, au contraire, se substitue délibérément à ces beautés. En d'autres termes, cette entreprise fonde l'autonomie du discours critique.

> La Rhétorique, comme le montre l'origine de ce mot qui vient du grec, est *l'Art de parler*. On a cette idée de la Rhétorique, que ceux qui la savent, peuvent persuader, c'est-à-dire parler de manière qu'ils puissent faire entrer celui qui les écoute dans tous leurs sentiments. C'est pourquoi il y en a qui définissent la Rhétorique *l'Art de*

1. *Entretiens d'Ariste et d'Eugène*, (Entretien sur *Le je ne sais quoi*, éd. Radouant, Bossard, 1920, p. 209.) Les *Entretiens* ont paru en 1671.

> *bien Parler pour Persuader;* mais il me semble qu'il suffit de dire qu'elle est *l'Art de Parler :* ce qu'on ajoute de plus est inutile. On sait qu'il ne faut point d'Art pour mal faire, ainsi qui dit *l'Art de Parler,* marque assez un Art qui apprend à bien parler. Il n'est pas non plus nécessaire d'ajouter, *pour Persuader.* On n'emploie l'Art que pour aller à ses fins : nous ne parlons que pour faire entrer dans nos sentiments ceux qui nous écoutent; c'est pourquoi quand on dit *l'Art de Parler,* on fait connaître que la fin de cet Art est de Persuader, puisque c'est l'intention qu'ont tous ceux qui s'appliquent à bien parler (préface).

De cette définition est issu le plan du traité. On peut la considérer de deux manières opposées : comme un refus du rhétorique (la rhétorique réduite à l'art de parler) ou bien comme l'affirmation d'un finalisme inhérent à tout discours, c'est-à-dire, en d'autres termes, comme un impérialisme rhétorique (« nous ne parlons que pour faire entrer dans nos sentiments ceux qui nous écoutent »). Lamy invite à choisir la seconde perspective, lorsqu'il écrit : « On a quelque raison de ne pas séparer l'art de persuader de l'art de bien dire; car l'un ne *sert* pas de grand-chose sans l'autre » (p. 346, je souligne). Si *Art de parler* est une dénomination suffisante, c'est parce que *l'Art de parler* implique *l'Art de persuader*, comme sa finalité.

Et précisément, la *Rhétorique* de Lamy déploie, dans sa composition, les présupposés de la dénomination « art de parler ». Le livre I traite de la grammaire : il s'agit de « parler ». Le livre II traite des tropes et des figures; le livre III, des procédures phoniques et rythmiques — de « la parole en tant qu'elle est son » —; le livre IV, des différents types de discours — des « styles » — : il s'agit dans ces trois livres, au niveau des petites, puis des grandes unités discursives, de « bien parler ». Le livre V traite pour l'essentiel de l'invention : les preuves concernent la conviction et sont du ressort de la logique (on peut en effet, comme le « philosophe », convaincre sans persuader, mais l'orateur fait l'un *et* l'autre); les mœurs (de l'orateur) et les passions (de l'auditeur) concernent la persuasion. Il s'agit ici de « bien parler pour persuader ». Les derniers chapitres du livre sont consacrés à la disposition et à la prononciation; la mémoire, dernière partie du découpage traditionnel du champ rhétorique, est simplement mentionnée comme le « point d'honneur » du rhéteur qui ne veut rien omettre (Lamy se borne à dire qu'elle est un « don de nature »).

Je schématiserai l'organisation du traité de la manière suivante :

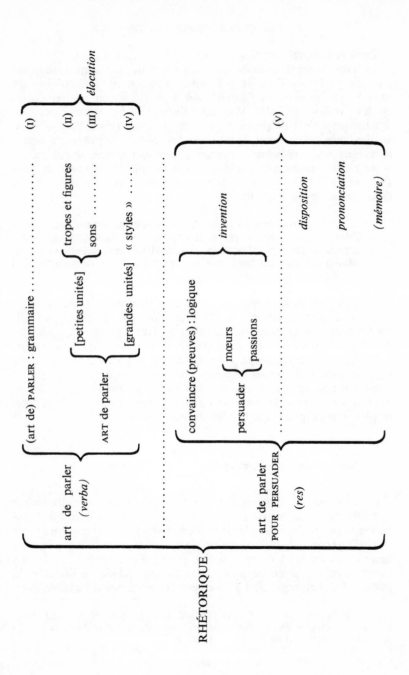

Deux remarques sur ce schéma :

1) Lamy reprend la distinction des *res* et des *verba* en distinguant l'art de parler et l'art de persuader. Ainsi note-t-il au début du livre V que les moyens de persuader « ne consistent pas seulement en des paroles » (p. 303). Mais cette distinction est, si l'on peut dire, dynamique : l'art de parler est mis en perspective sur l'art de persuader; plus précisément, la « raison des effets » du premier est dans le recours aux « passions », dernier et essentiel moyen de persuasion — ce recours marquant, comme nous le verrons, l'ensemble du livre. D'autre part, Lamy dit très clairement que les livre I à IV sont *en droit* une « partie » du livre V :

> Je finis ce cinquième Livre où j'ai eu dessein de donner une idée de l'Art de persuader. Il me reste encore trois Parties de cet Art à expliquer qui sont l'Élocution, [...], la Mémoire et la Prononciation. Mais j'ai donné quatre Livres à la première de ces trois parties [...] (p. 365).

2) Il est dit quelque part (p. 366), à propos de la prononciation (au sens général d'action) : « On n'examine pas les choses que dit un Orateur : on en juge avec les yeux et avec les oreilles. » La première partie rend fort bien compte de la place réduite accordée ici à l'invention. La réduction quantitative de la partie persuasion par rapport aux rhétoriques anciennes est paradoxalement la conséquence d'une analyse serrée des « moyens propres à persuader », Travail « réaliste », le traité de Lamy accorde, *par souci d'efficacité*, la plus grande place à « l'ordre du discours ».

I. LA *RHÉTORIQUE DE PORT-ROYAL

On a justement marqué que le XVIIe siècle voyait se substituer à une rhétorique décorative (« art de bien dire »), une rhétorique fonctionnelle (« art de persuader » et d'émouvoir) [1]. La rhétorique fonctionnelle recommande l'utilisation de ce qu'on appelle les « grandes figures » (les figures de la passion), propose une théorie de l'« art caché », refuse le jeu de mots, la virtuosité technique, l'éclat et la pompe. La rhétorique de Lamy est à l'évidence une rhétorique fonc-

---

1. Cf. P. France. *Racine's Rhetoric*, Oxford, 1965. Le premier chapitre (« Rhetoric in the seventeenth Century ») est une bonne présentation de ce débat. Le terme de « grandes figures » est de d'Aubignac.

tionnelle et une rhétorique de la passion. A ce titre, elle refuse les « faux ornements » — l'enflure, la surcharge — et construit dans cette perspective sa théorie de l'élocution. Mais il faut ici apporter deux précisions : d'une part, Lamy ne cède à aucun moment à ce mirage qui consiste à considérer le beau comme une qualité des choses, et s'il privilégie *par principe* les *res* aux dépens des *verba*, il accorde dans son traité la plus grande place aux *verba;* d'autre part, la rhétorique de la passion « travaille » ses marges grammaticale et logique, en mettant l'accent sur un modèle discursif qui échappe à la rationalisation. Une rhétorique de la passion, en effet, ne peut se constituer qu'en remettant en question le modèle logico-grammatical du langage, ou, plus précisément, en *profitant* des failles ou fissures de ce modèle tel qu'elle le reçoit.

Le livre I, qui traite de la grammaire, explique l'usage de la langue, en fonction de ce qu'on pourrait appeler un principe de facilité. Tout d'abord, en effet, si le « langage verbal » est par excellence le moyen qu'ont les hommes pour communiquer, c'est parce qu'il est le plus facile :

> Nous remuons la langue aisément; et nous pouvons diversifier le son de notre voix en différentes manières faciles et agréables; c'est pourquoi la nature a porté les hommes à se servir des Organes de la Voix pour donner des signes sensibles de ce qu'ils pensent et de ce qu'ils veulent (p. 1).

L'agrément, lié à la facilité, s'inscrit *naturellement* dans la langue. Lamy expose ensuite que les hommes se sont appliqués à « marquer les différences de la Voix » par une lettre ou un caractère. Il y a vingt-quatre lettres ou caractères. Or, à partir de ces vingt-quatre lettres, on peut faire par combinaison un nombre « prodigieux » de différents mots, mais

> Il est vrai que l'on ne pourrait pas se servir de tous ces mots, parce qu'il y en aurait plusieurs qui ne se pourraient pas prononcer distinctement, et facilement [...] (p. 3).

Si donc le lexique est limité, c'est encore en vertu de ce principe de facilité. De même, lorsque Lamy fait l'histoire du lexique, montrant comment, à mesure que « les peuples ont fait plus d'attention aux choses », leur vocabulaire s'est enrichi, il note la différence qu'il y a, quant à la « facilité », entre deux procédés d'enrichissement : la dérivation et le néologisme :

> Si l'on n'avait point d'égard à la facilité et à la douceur de la prononciation, qui demande une grande abondance de termes pour éviter des concours rudes et désagréables, l'abondance ne serait pas *nécessaire*, un petit nombre de termes suffirait. Il n'y aurait qu'à leur ajouter de certaines syllabes, pour faire, par exemple, d'un primitif des dérivés, ainsi que le font les Géorgiens peuples de l'Asie [...]. Les Turcs font à peu près la même chose, ce que je rapporte pour montrer qu'on pourrait fort diminuer ce grand nombre de termes, et rendre les langues plus aisées. Mais il faut contenter les oreilles qui ne s'accommodent pas dans toutes les occasions de certains termes, et qui ne peuvent souffrir quand elles sont délicates la répétition trop fréquente des mêmes sons (p. 20, je souligne).

Ainsi le même principe rend compte de la limitation du lexique et de son extension. La langue n'exploite qu'une partie des combinaisons phoniques *possibles;* inversement, la langue se diversifie plus qu'il n'est *nécessaire*. Cette double correction est l'effet d'une même exigence : la facilité de la pratique linguistique; ce principe joue comme *principe de raison* — la distinction —, et comme *principe de plaisir* — l'agrément, la douceur —. Le lexique réel est ainsi un *compromis* naturel entre des exigences rationnelles et des exigences hédonistes.

Lamy déduit ensuite, en recourant à un mythe des origines, les différentes catégories grammaticales. L'exposé morpho-syntaxique suit logiquement l'exposé lexical : « [...] après que les nouveaux hommes auraient trouvé des mots pour signifier les objets de leurs perceptions : ils chercheraient sans doute des termes pour marquer leurs jugements [...] » (p. 24). Comme dans la *Grammaire de Port-Royal*, Lamy remarque qu'un seul verbe suffirait, le verbe « être », « qui est le signe naturel et ordinaire de l'affirmation ». Mais, comme dans la *Grammaire* [1], l'homme a le désir d'abréger le discours et au lieu de dire : « je suis lisant » dira « je lis » : ainsi, un même mot signifie l'affirmation et ce qui est affirmé. Même principe pour expliquer le pronom :

> Comme la répétition trop fréquente des mêmes mots est désagréable et choquante, et que cependant on est obligé de parler souvent des mêmes choses, en toutes les langues qui nous sont connues, on a établi de petits mots, pour tenir la place de ces noms qui pour cette raison sont appelés *Pronoms* (p. 25-26).

C'est l'explication que donnait déjà la *Grammaire* d'Arnauld et Lancelot. Dernière rencontre que je noterai : la présentation des figures

1. *Grammaire générale et raisonnée*, republication Paulet, Paris, 1969, p. 67.

de grammaire de la Rhétorique et des figures de syntaxe de la *Grammaire* :

chez Lamy

Il est évident que comme le discours n'est qu'une image de nos pensées, afin que le discours soit naturel, il doit avoir des signes pour tous les traits de nos pensées, et représenter toutes nos pensées comme elles sont rangées dans notre esprit. Cela serait ainsi dans toutes les Langues, si ce n'est que le désir qu'on a d'abréger n'avait porté les hommes à retrancher du discours tout ce qu'on y peut suppléer, et choisir pour cela des expressions abrégées (p. 42).

cnez Arnauld et Lancelot

Ce que nous avons dit ci-dessus de la syntaxe, suffit pour en comprendre l'ordre naturel, lorsque toutes les parties du discours sont simplement exprimées, qu'il n'y a aucun mot de trop ni de trop peu, et qu'il est conforme à l'expression naturelle de nos pensées. Mais parce que les hommes suivent souvent plus le sens de leurs pensées, que les mots dont ils se servent pour les exprimer, et que souvent pour abréger, ils retranchent quelque chose du discours, ou bien que, *regardant à la grâce* [je souligne], ils y laissent quelque mot qui semble superflu, ou qu'ils en renversent l'ordre naturel; de là est venu qu'ils introduisent quatre façons de parler, qu'on nomme *figurées* [...] (p. 106-107).

Un point commun dans ces deux textes : le désir d'abréger. Une différence : le souci de la « grâce », qui n'est marqué que dans la *Grammaire*. La *Grammaire*, en effet, énumère quatre « figures de construction » : la syllepse — accord avec nos pensées plus qu'avec les mots du discours, comme « il est six heures » au lieu de « elles sont six heures » —; l'ellipse, le pléonasme, l'hyperbate — renversement de l'ordre naturel du discours. La syllepse et l'ellipse sont l'effet du désir d'abréger; l'ellipse et le pléonasme, du souci de la grâce. Chez Lamy, les choses sont moins claires. Il met en évidence un principe — le désir d'abréger — et énumère un certain nombre de figures de grammaire sans les motiver individuellement : on retrouve la syllepse, l'ellipse et l'hyperbate dont parlait la *Grammaire;* mais aussi un exemple d'enallage *(« dare classibus austros » pour « dare classes austris »)* et plus loin seront jointes au pléonasme la tautologie et la périssologie (p. 46) [1]. On notera simplement que les figures d'adjonc-

---

1. « Les Grammariens appellent *tautologie* cette répétition des mêmes choses, qui ne sert qu'à rendre le discours plus long et plus ennuyeux. Lorsqu'on dit beaucoup plus qu'il n'est nécessaire, et que le discours est chargé de paroles superflues, ce défaut est nomme *périssologie*. »

tion sont dépréciées : la tautologie et la périssologie sont des figures négatives; le pléonasme est « supporté » (mais dans des exemples latins comme *vivere vitam*). D'autre part et surtout, l'hyperbate n'est pas expliqué par une recherche d'élégance, mais bel et bien par le même désir d'abréger que l'ellipse ou la syllepse. Lamy remarque que, quelles que soient les vertus de l'ordre naturel (« on parle comme l'on pense »), il est en français une quasi-nécessité, et peut-être cette langue y perd-elle, car l'ordre artificiel a aussi une vertu :

> [...] le retardement que souffre le Lecteur et l'attente qu'on lui donne d'une suite, le rendent beaucoup plus attentif. L'ardeur qu'il a de découvrir les choses s'augmente, et cette attention fait qu'il les conçoit plus facilement; [...] tout est coupé en Français. Nos paroles sont détachées les unes d'avec les autres; c'est pourquoi elles sont languissantes à moins que les choses dont on parle n'en soutiennent le discours (p. 51).

C'est donc bien encore du *désir d'abréger* qu'il s'agit ici, mais, cette fois, considéré *du point de vue du lecteur*. La rhétorique peut systématiser ce principe parce qu'elle traite d'une situation d'interlocution et ne fait pas abstraction du lecteur (ou de l'auditeur).

La rhétorique ne fait évidemment ici que reprendre son bien. Éviter les répétitions, abréger le discours sont en effet des préceptes rhétoriques et la grammaire les utilise comme tels. Il reste que la suppression d'une exigence (le souci de l'élégance) au profit d'une autre (le désir d'abréger) est caractéristique d'une réorganisation du champ rhétorique. Il s'agit de définir un discours *efficace;* la beauté ou l'élégance viendront après; ou plutôt, le discours sera beau ou élégant parce que l'auditeur sera *forcé* de le recevoir comme tel. L'hyperbate *oblige* le lecteur à « envisager toutes les parties ensemble, ce qui fait que cette proposition le frappe plus vivement » (p. 51). Nous verrons que la rhétorique de Lamy se double d'une esthétique, et qu'envisager toutes les parties ensemble, c'est percevoir la beauté du discours. Mais il est remarquable que ce problème ne soit pas abordé ici. C'est d'abord la « prise » sur le lecteur qui importe.

C'est dans la même perspective que la rhétorique reprend de la logique ce qui lui appartient. Si la théorie des idées accessoires, venue de la *Logique de Port Royal*[1], est intégrée par Lamy dans le livre I, c'est qu'il la réinterprète selon le même principe que les figures de construction :

1. *La Logique*, PUF, 1965, I, xiv, p. 93.

[...] ceux-là parlent clairement qui parlent simplement, qui expriment leurs pensées d'une manière naturelle, dans le même ordre, dans la même étendue qu'elles ont dans leur esprit. Il est vrai qu'un discours est languissant quand on donne des termes particuliers à chaque chose qu'on veut signifier : on ennuie ceux qui écoutent s'ils ont l'esprit prompt. Outre cela l'ardeur que l'on a de faire connaître ce que l'on pense, ne souffre pas ce grand nombre de paroles; car on voudrait, s'il était possible, s'expliquer par un seul mot; c'est pourquoi on choisit des termes qui puissent exciter plusieurs idées, et par conséquent tenir la place de plusieurs paroles : et l'on retranche ceux qui étant oubliés ne peuvent causer d'obscurité (p. 44).

Le rhétoricien tire parti des difficultés du logicien. La *Logique* en effet, proposait d'*analyser* la signification et de *distinguer* l'idée principale des idées accessoires. La rhétorique de Lamy propose de *synthétiser* ces différentes idées. La *Logique* suggérait cette dernière opération lorsqu'à partir de la théorie des idées accessoires elle marquait la différence du style simple et du style figuré; mais, dans son économie propre, elle se devait de privilégier le partage. Or, le rhétoricien n'a pas à apprendre au lecteur de son traité « qu'il ne doit pas concevoir les choses autres qu'elles sont » (p. 85-86). Son but (plus modeste ou plus ambitieux) est de lui montrer ce que peut le discours et comment en tirer le meilleur parti. Ce qui dans la *Logique* était essentiellement un risque, est ici essentiellement une promesse.

D'une manière plus radicale, l'ensemble de la logique est considéré par le rhétoricien comme un discours particulier. Après avoir énuméré quelques figures de rhétorique, Lamy ajoute :

> Comme je n'ai dessein de rapporter dans la Liste que j'ai donnée des Figures que celles que les Rhéteurs y placent ordinairement; je n'y ai pas voulu parler des Syllogismes, des Enthymèmes, des Dilemmes et des autres espèces de raisonnement que l'on traite dans la Logique; cependant il est manifeste que ce sont de véritables Figures, puisque ce sont des manières de raisonner extraordinaires qu'on n'emploie que dans l'ardeur que l'on a de persuader, ou de dissuader ceux à qui on parle (p. 141-142).

C'est la totalité du raisonnement qui entrerait ainsi dans le champ de la rhétorique. Car le raisonnement est un type de discours. On est ici dans la tradition cartésienne :

> [...] il faut remarquer que les dialecticiens ne peuvent former aucun syllogisme en règle qui aboutisse à une conclusion vraie, s'ils n'en ont pas eu d'abord la matière, c'est-à-dire s'ils n'ont pas auparavant

165

connu la vérité même qu'ils déduisent dans leur syllogisme. D'où il ressort qu'eux-mêmes n'apprennent rien de nouveau d'une telle forme ; que, par suite, la dialectique ordinaire est tout à fait inutile pour ceux qui veulent chercher la vérité, et ne peut servir qu'à *pouvoir quelquefois exposer plus facilement à d'autres* des raisons déjà connues ; et que par conséquent il faut *la faire passer de la philosophie dans la rhétorique* [1].

avec le relais de la *Logique de Port-Royal :*

> [...] il semble que les philosophes ordinaires ne se soient guères appliqués qu'à donner des règles des bons et des mauvais raisonnements. Or quoique l'on ne puisse pas dire que ces règles soient inutiles, puisqu'elles servent quelquefois à découvrir le défaut de certains arguments embarrassés, et à *disposer ses pensées d'une manière plus convaincante :* néanmoins on ne doit pas aussi croire que cette utilité s'étende bien loin, la plupart des erreurs des hommes ne consistant pas à se laisser tromper par de mauvaises conséquences, mais à se laisser aller à de faux jugements dont on tire de mauvaises conséquences (Discours, I, p. 21 ; je souligne).

La conséquence (logique !) de ces propos trop largement cités est que la rhétorique hérite des modes d'exposition du vrai.

Elle avait la charge de rendre raison de la grammaire. Elle doit prendre le relais de la logique. La rhétorique de Lamy est la pièce apparemment absente du système de Port-Royal : elle est, à côté de la *Grammaire* et de la *Logique*, la **Rhétorique de Port-Royal.*

> Les Géomètres tiennent presque tous le même langage. Quand ils démontrent ce Théorème, *les trois angles d'un triangle sont égaux à deux angles droits*, ils se servent des mêmes expressions parce que la nature nous détermine à parler comme nous pensons, et que, quand on pense de la même manière, on tient le même langage. Mais il s'en faut bien que toutes les pensées des hommes soient semblables, c'est-à-dire qu'ils regardent toutes choses d'une même façon (p. 85).

Quel sera dès lors le rôle du rhétoricien face à son lecteur ?

---

1. Descartes, *Règles pour la direction de l'esprit*, X, Pléiade, p. 72. Je souligne. Il serait intéressant de reposer, dans cette perspective, le problème de la fameuse coupure ramiste : si Ramus reverse à la logique (à la « dialectique ») l'invention et la disposition (l'invention et le jugement), y a-t-il seulement un rétrécissement du champ rhétorique, sans compensation ? La logique n'est-elle pas du même coup « envahie » par la rhétorique ?

Tout ce qu'il doit faire c'est de l'avertir que si ses pensées ne sont pas réglées, si le jugement qu'il fait des choses est extravagant, le discours qui en sera la peinture fera paraître son extravagance (p. 87).

Le rhétoricien avertit le locuteur que son discours est révélateur. Ce dont il s'occupe ici, c'est de la marque du sujet dans son discours. Telle est sa première tâche. Il en a une autre : il enseigne comment on peut utiliser à son profit la « faiblesse » de l'auditeur. Ainsi :

[...] les hommes ont peu de curiosité, le désir que Dieu nous a donné pour la vérité, est languissant, il ne se réveille que lorsqu'il se présente des objets extraordinaires. Nous avons tous l'esprit fort distrait, peu perçant, ainsi à moins qu'on ne s'accommode à notre faiblesse, comme fait l'Orateur, pour nous faire apercevoir la vérité par tant d'endroits qu'enfin nous l'apercevions, nous ne la concevons jamais (p. 327).

Cette « accommodation » est en fait une procédure complexe par laquelle l'orateur, pour « faire passer » ce qu'il a à dire, doit emprunter, si l'on peut dire, les voies par où *ça* passe; ce qui suppose une connaissance parfaite de ce que Lamy appelle ailleurs les « intérêts » de l'auditeur.

Ces deux tâches ont évidemment un point commun : dans les deux cas, le rhétoricien est un *analyste des discours de l'autre*. La première tâche est purement descriptive : la rhétorique montre que tout discours est « modalisé »; la seconde tâche tire parti de cette démonstration pour élaborer un discours que l'auditeur aurait pu faire. Car on n'aime que soi dans cette rhétorique. Il faut en tirer la leçon.

Ces réflexions s'inscrivent dans une problématique pascalienne. On connaît la définition que propose Pascal : « [...] l'art de persuader consiste autant en celui d'agréer qu'en celui de convaincre, tant les hommes se gouvernent plus par caprice que par raison[1]! » L'art d'agréer serait « un art pour accommoder les preuves à l'inconstance de nos caprices » (p. 595). Pascal ne traitera que de l'art de convaincre :

[...] la manière d'agréer est bien sans comparaison plus difficile, plus subtile, plus utile et plus admirable; aussi, si je n'en traite pas, c'est parce que je n'en suis pas capable; et je m'y sens tellement disproportionné, que je crois la chose absolument impossible.
Ce n'est pas que je ne croie qu'il y ait des règles aussi sûres pour plaire que pour démontrer [...]. Mais j'estime, et c'est peut-être ma faiblesse qui me le fait croire, qu'il est impossible d'y arriver (p. 595).

1. *De l'esprit géométrique et de l'art de persuader*, Pléiade, p. 594.

La raison de cette impossibilité *(de fait et non pas de principe)*, c'est que « les principes du plaisir ne sont pas fermes et stables ». Lamy relève ainsi une manière de défi : *contre* un Bouhours qui se satisfait d'un « je ne sais quoi », *à la suite* d'un Pascal qui esquisse un programme périlleux, il veut « faire apercevoir le principe des règles que suivent ceux qui sont agréables ». La rhétorique de Lamy est un *art d'agréer*, un art d'*accommoder* la vérité au caprice de l'auditeur, en d'autres termes, à ses passions.

Le programme de Lamy, donc :

> Pour émouvoir une âme; il ne suffit pas de lui présenter d'une manière sèche l'objet de la passion dont on veut l'animer : il faut déployer toutes les richesses de l'éloquence pour lui en faire une peinture sensible et étendue qui la frappe vivement et qui ne soit pas semblable à ces vaines images, qui ne font que passer devant les yeux. Il ne suffit pas, dis-je, pour donner de l'amour, de dire simplement que la chose qu'on propose est aimable; il faut approcher des sens ses bonnes qualités, les faire sentir, en faire des descriptions, les représenter par toutes leurs faces; afin que si elles ne gagnent pas, étant vues d'un certain côté, elles le fassent quand elles sont regardées de l'autre. On doit s'animer soi-même, il faut, si je l'ose dire, que notre cœur soit embrasé, qu'il soit comme une fournaise ardente, d'où nos paroles sortent pleines de ce feu que nous voulons allumer dans le cœur des autres (p. 346-347).

L'orateur s'adresse à la sensibilité. Pour « toucher », il procède par essais, par « tâtonnements » (représenter la chose par toutes ses faces); il pallie ainsi la difficulté qui tient à la relativité du plaisir : l'infinité des figures est la formulation théorique de cette stratégie. A cet égard, cette rhétorique est une rhétorique *impressive* du discours. Si elle est une théorie expressive, c'est parce qu'*il se trouve* que le moyen d'agréer le plus efficace est de « s'animer soi-même ».

Dès lors, la question d'une duplicité du sujet est inévitable. Lamy ne la posera cependant jamais pour elle-même. Il ruse avec elle et la déplace constamment. C'est cette stratégie que je voudrais maintenant aborder.

Je partirai de la juxtaposition de trois propositions. Les deux premières sont tirées de l'*Art de parler*, la troisième des *Entretiens sur les sciences*[1] :

(1) [...] tout le secret de la Rhétorique dont la fin est de persuader, consiste à faire paraître les choses telles qu'elles nous paraissent [...] (p. 88).

(2) Quand on parle il faut prendre la vérité pour modèle et il ne faut pas donner plus d'éclat aux choses, les représenter autres qu'elles sont (p. 300).

(3) [...] [par le secours de l'Éloquence un homme sage] peut faire paraître les choses qu'il propose dignes d'estime, ou méprisables, selon qu'elles le méritent, et inspirer pour elles les sentiments qu'on en doit avoir, en choisissant dans l'usage de la langue dans laquelle il parle les mots et les tours qui réveillent les idées et les mouvements qu'il veut donner. Il représente les choses telles qu'elles doivent paraître. Ainsi il fait que le Peuple en juge raisonnablement (Quatrième Entretien, p. 129).

Les choses telles qu'elles paraissent/ les choses telles qu'elles sont/ les choses telles qu'elles doivent paraître ; subtile modulation qui explicite toute la stratégie de cette rhétorique. Tout serait fort simple si les choses nous *paraissaient* telles qu'elles *sont* et *devaient* paraître telles qu'elles nous paraissent. Mais, évidemment, il n'en est rien.

Plus précisément, selon les besoins du moment, Lamy *met l'accent* sur l'une ou l'autre de ces formulations. La troisième des propositions citées ci-dessus est la plus neutre : la formule « les choses telles qu'elles doivent paraître » est éclairée par la notation antécédente : « les choses [...] dignes d'estime, ou méprisables, *selon qu'elles le méritent* ». Ici, l'orateur est supposé être un « homme sage » et c'est de *l'utilité de l'éloquence* qu'il s'agit. La deuxième proposition fait partie d'un ensemble de conseils normatifs sur l'utilisation des ornements dans le discours : « Les ornements sont raisonnables lorsque la vérité n'est point choquée [...] *ceux qui veulent éblouir ne parlent jamais naturellement* » (p. 299, je souligne). Formulation très ambiguë dans la mesure où la « vérité » n'est peut être pas *la Vérité*, mais *le vraisemblable ;* dans ce cas (quand on veut « éblouir »), ajoute en effet Lamy,

---

1. *Entretiens sur les sciences*. J'utilise ici une édition de 1724. La première édition est de 1683.

« il n'y a point de vraisemblance ». La première proposition est la seule qui se présente comme une *définition* de la rhétorique. Le propos est annoncé très clairement : « Ce n'est pas à un Rhéteur à former l'esprit et le cœur de celui qui étudie la Rhétorique » (p. 86). A partir de là, on peut mettre hors système la troisième proposition, qui est une réflexion sur l'utilité possible de *l'éloquence*, et non sur *la rhétorique*. Dès lors, reste la différence entre les deux premières propositions. On considérera que la seconde est un conseil technique : il ne faut pas chercher à « éblouir », la « vérité » en question étant celle que définit l'attente de l'interlocuteur. Cette interprétation s'autorise d'un principe fondamental de la rhétorique de Lamy :

> Les hommes qui ont été faits les uns pour les autres, imitent ce qu'ils voient faire. Il y a une merveilleuse sympathie entre eux. Il sont comme liés les uns aux autres (p. 87).

C'est le *deus ex machina* de ce traité, que cette présupposition. Toute la question est en effet de *rendre possible la communication*. Lamy pose un problème qui n'a de chance de se résoudre que par cette pétition de principe. D'une part, en effet, le sujet parlant a une « vision particulière des choses »; d'autre part, il doit *imposer* cette vision à un auditeur qui, *a priori*, en a une autre. Selon que l'accent sera mis sur une théorie expressive ou sur une théorie impressive du discours, on parlera des choses telles qu'elles nous paraissent ou des choses telles qu'elles doivent paraître. Il faut supposer un moyen terme pour que la communication soit possible : les choses telles qu'elles sont; ce qui, *dans la rhétorique*, est une utopie.

C'est pourquoi tropes et figures n'ont pas et ne peuvent pas avoir de statut défini une fois pour toutes, dans la rhétorique de Lamy.
Les tropes sont d'abord un effet de l'insuffisance du lexique; le titre du chapitre introduisant à l'analyse des tropes l'indique clairement :

> *Il n'y a point de langue assez riche et assez abondante pour fournir des termes capables d'exprimer toutes les différentes faces sous lesquelles l'esprit peut se représenter une même chose. Il faut avoir recours à de certaines façons de parler qu'on appelle Tropes, dont on explique ici la nature et l'invention* (p. 90).

Le trope est ici un procédé du langage « juste » :

> [...] pour exprimer exactement ce que l'on pense, on est obligé de se servir de cette adresse dont on use quand ne sachant pas le nom

propre de celui que l'on veut indiquer, on le fait par des signes et par des circonstances qui sont tellement attachées à sa personne, que ces signes et ces circonstances excitent l'idée qu'on n'a pu signifier par un nom propre (p. 91).

Il reste qu'à aucun moment Lamy n'écrit que la langue usuelle *est* insuffisante : les hommes « *trouvent* stériles les langues les plus fécondes » (p. 90, je souligne; la même formule est reprise quelques lignes plus loin). La pauvreté de la langue est relative à son usager; la langue *est perçue* comme pauvre, même si elle *est* féconde. Le trope est une procédure par laquelle l'usager, à partir du trésor lexical commun, constitue son idiolecte. L'expression tropique ne *se substitue* donc à aucune expression simple pour le sujet parlant; elle est (ou doit être) nécessaire. *Le problème de la substitution ne se pose que dans un modèle de communication :* l'ensemble des préceptes qui règlent l'usage des tropes (ils ne doivent pas être « tirés de trop loin »; il ne doit pas y avoir de « défaut de liaison » entre l'idée du trope et celle du nom propre; on ne doit pas utiliser trop fréquemment les tropes) vise à assurer la possibilité de la communication. Il n'y a de « nom propre » que pour l'auditeur ou le lecteur. Ce qui est une nécessité pour celui qui parle est *a priori* un « détour » pour celui qui l'écoute. L'*art* d'utiliser les tropes consiste précisément à les imposer comme nécessaires; en d'autres termes, à les *naturaliser*.

La première formulation de la distinction entre tropes et figures est relativement nette :

> Je fais remarquer dans le second Livre que les Langues les plus fécondes ne peuvent fournir de termes assez propres pour exprimer toutes nos idées, et qu'ainsi il faut avoir recours à l'artifice, empruntant les termes des choses à peu près semblables, ou qui ont quelque liaison, et quelque rapport avec la chose que nous voulons signifier, et pour laquelle l'usage ordinaire ne donne point de noms qui lui soient propres. Ces expressions empruntées se nomment *Tropes* [...]. Je remarque dans ce même Livre que comme la nature a tellement disposé notre corps, qu'il prend des postures propres à fuir ce qui peut nuire et que naturellement il se dispose de la manière la plus avantageuse pour recevoir ce qui lui fait du bien, aussi la nature nous porte à prendre de certains tours en parlant, capables de produire dans l'esprit de ceux à qui nous parlons les effets que nous souhaitons, soit que nous voulions les porter ou à la colère, ou à la douceur, à la haine ou à l'amour. Ces tours se nomment *Figures* (préface).

Les tropes sont un effet de l'artifice; les figures un effet de la nature. Plus précisément, les tropes sont des procédés par lesquels le sujet pallie *volontairement* la disette de la langue; les figures sont les modes par lesquels le sujet s'inscrit *involontairement* dans le discours. Au livre II, cette distinction est reprise :

> Outre ces expressions propres et étrangères que l'usage et l'art fournissent pour être les signes des mouvements de notre volonté, aussi bien que de nos pensées, les passions ont des caractères particuliers avec lesquels elles se peignent elles-mêmes dans le discours (p. 108).

Trois types de discours, donc : l'usuel, l'artificiel, le passionnel. Le discours usuel relève de la grammaire; le discours artificiel et le discours passionnel relèvent de la rhétorique. Il reste que, de la formulation du projet à sa réalisation, on peut noter une différence (ou du moins une perte de précision) : les tropes sont fournis par l'art; la passion « se peint » avec des figures. Le terme de « nature » n'apparaît plus ici.

Troisième temps, à la fin du chapitre introduisant à l'analyse des figures :

> Ces tours qui sont les caractères que les passions tracent dans le discours, sont ces Figures célèbres dont parlent les Rhéteurs; et qu'ils définissent *des manières de parler éloignées de celles qui sont naturelles et ordinaires;* c'est-à-dire différentes de celles qu'on emploie quand on parle sans émotion (p. 110).

Le « c'est-à-dire » est pour le moins problématique, instaurant une équivalence entre le discours « naturel et ordinaire » et le discours « tranquille ». La définition de Lamy — le discours figuré différent du discours « tranquille » — contredit, ou semble contredire, la définition classique des rhéteurs. Car c'est le trope qui, dans sa perspective, devrait être défini comme manière de parler artificielle et extraordinaire, non la figure. La figure se trouve ici ramenée au trope. Plus loin, nous trouvons une opération exactement inverse, par laquelle le trope est ramené à la figure :

> Je n'ai point rapporté dans cette Liste [des figures] les Hyperboles, les grandes Métaphores et plusieurs autres Tropes, parce que j'en ai parlé ailleurs : ce sont néanmoins de véritables Figures, et quoique la disette des langues oblige d'employer assez souvent ces expressions tropiques, lors même que l'on est tranquille; cependant on ne s'en sert ordinairement que dans la passion (p. 136).

L'opposition artifice/passion fonctionne dans toutes les définitions, mais le terme de nature se combine avec ce couple de deux manières différentes : l'artifice peut s'opposer à la passion comme l'art à la nature ; ou bien l'ensemble [artifice/passion] peut s'opposer à la nature comme l'extraordinaire à l'ordinaire. C'est qu'il y a deux sens du mot « naturel » dans la rhétorique de Lamy, selon qu'il s'applique à la langue ou à tel acte particulier de parole. Tropes et figures n'appartiennent pas à la langue naturelle ; mais tropes et figures peuvent être des actes naturels de parole. Tel discours naturel dans son rapport au sujet parlant, peut être artificiel dans son rapport à la langue. *La figure désigne le rapport au sujet ; le trope, le rapport à la langue.*

Les trois types de discours que nous avons relevés (l'usuel, l'artificiel, le passionnel) sont donc dans des relations différentes selon le point de vue adopté :

(1) Du point de vue de la langue :
   usuel *vs* artificiel et passionnel

(2) Du point de vue du sujet parlant :
   passionnel *vs* artificiel.

Le trope est ou non une figure selon ses conditions particulières d'emploi. Sa définition abstraite pose son rapport à la langue et, comme tel, l'oppose à la figure ; mais dans son fonctionnement réel, il s'explique par l'attitude du sujet parlant : il peut dès lors être une figure [1]. Inversement, lorsque Lamy reprend la définition donnée de la figure par « les rhéteurs », il trouve une définition de la figure dans son rapport à la langue et sa glose — contradictoire — est en fait une redéfinition de la figure dans son rapport au sujet. En résumé, *la figure est le lieu où le concept de nature change de sens.*

Il convient d'apporter ici une précision. Dans le livre III, Lamy traite de l'arrangement figuré des mots (en fait des différents modes de la répétition dans la phrase) et il oppose ces figures à celles dont il a parlé au livre II :

> Nous avons dit fort au long dans le second Livre que les figures du discours étaient les caractères des agitations de l'âme : que les passions suivaient ces agitations ; et que lorsqu'on parlait naturellement, la passion qui nous faisait parler se peignait elle-même dans nos paroles. Les figures dont nous allons parler sont bien différentes : elles se tracent à loisir dans un esprit tranquille [...] (p. 202).

---

1. Cela ne vaut pas que pour certains tropes : « les Hyperboles, les grandes Métaphores et plusieurs autres Tropes », comme écrit Lamy. Il faut noter que chez Lamy la catachrèse est un trope, « le plus libre de tous » : « on prend la liberté d'emprunter le nom d'une chose toute contraire à celle qu'on veut signifier, ne le pouvant faire autrement ; comme lorsqu'on dit *un cheval ferré d'argent* » (p. 99). Ce trope ne peut être figure (Lamy annonce ici, par-delà Dumarsais, Fontanier).

Cette seconde catégorie de figures ne mérite qu'« une médiocre estime » car « l'artifice qu'on emploie pour les produire est trop sensible » (p. 208). Elles plaisent, amusent ou divertissent. Rien de plus. Ces figures particulières sont donc à considérer comme les tropes dans leur opposition aux figures. On aurait ainsi la distribution suivante :

Tropes par opposition aux figures, et figures dans l'arrangegement des mots ⎱⎰ *vs* ⎰⎱ Tropes comme figures, et figures autres que les figures dans l'arrangement des mots

↑
artifice

↑
nature

Cette nouvelle distinction fait intervenir un second critère : le plaisir (par opposition à l'utilité). Tropes et figures peuvent être utiles ou simplement « plaisants ». Lamy appelle « ornements artificiels » ceux « qui ne sont insérés dans les ouvrages que pour divertir et délasser les Lecteurs » (p. 297). On pourrait les retrancher « sans faire tort au sens [des] discours, sans en troubler la clarté, sans en diminuer la force » (p. 290). Paradoxalement, Lamy classe les tropes et les figures *(sans distinction)* parmi les ornements artificiels, alors qu'il a montré par ailleurs qu'ils concouraient à la « justesse » du discours. C'est qu'encore une fois, il faut considérer que ces distinctions jouent dans une situation d'interlocution précise. Si l'orateur parle, comme le dit Lamy, dans la tranquillité, *toutes* les procédures discursives sont artificielles. Mais *certaines* de ces procédures sont naturelles s'il parle dans la passion. Dans une perspective « port-royaliste », Lamy distingue les matières où l'auditeur (ou le lecteur) n'a pas d'« intérêt » — les propositions de la géométrie — de celles où il a de l'« intérêt », c'est-à-dire de celles qui proposent des vérités qui heurtent son amour-propre [1]. Ici, nous pouvons distinguer de même entre deux attitudes de l'orateur : la « tranquillité » et la passion. Dans le premier cas, il *utilise* les ornements artificiels pour plaire, dans le second, son discours est naturellement orné et émeut. Je résumerai ces propos dans le tableau suivant :

1. « Lorsqu'il n'est question que de prouver que les trois angles d'un triangle sont égaux à deux angles droits, il n'est pas besoin de disposer les esprits à recevoir cette vérité : ne pouvant causer aucun dommage, il ne faut pas craindre que quelqu'un la rejette. Mais lorsque l'on propose des choses contraires aux inclinations de ceux à qui l'on parle, l'adresse est nécessaire. L'on ne peut s'insinuer dans leur esprit que par des chemins écartez et secrets ; c'est pourquoi il faut faire en sorte qu'ils n'apperçoivent point la vérité dont on veut les persuader qu'après qu'elle sera maîtresse de leur cœur » (p. 335).

	DESTINATEUR	BUT	MESSAGE		DESTINATAIRE
			Signifié	Signifiant	
Absence d'ornements	tranquillité	instruire	preuves (logique)	grammaire	désintéressement
Ornements artificiels		plaire	Ø	tropes *et* figures	
Ornements naturels	intérêt/passion	émouvoir	mœurs et passions	tropes-figures ou figures (*)	intérêt

Braces: (rows instruire–plaire) GÉOMÉTRIE ; (row émouvoir) RHÉTORIQUE

(*) Sauf figures dans l'arrangement des mots.

C'est la dissymétrie de ce tableau qui nous importe. La rhétorique définit son domaine *en fonction du destinataire* et non du destinateur; dans le cas du discours « émotionnel », l'un et l'autre sont, si l'on peut dire, de plain-pied (c'est pourquoi mœurs — de l'orateur — et passions — de l'auditeur — sont le signifié commun du discours); dans le cas du discours « de plaisir » ils ne le sont pas; or, la figure n'a pas le même statut dans les deux cas : elle est un *procédé d'écriture* dans le discours de plaisir, une *hypothèse de lecture* dans le discours émotionnel. La figure « naturelle » (figure de la passion) n'existe comme figure que pour le rhétoricien.

Cette figure — c'est-à-dire *la* figure dans *cette* situation discursive — est une élaboration de *l'analyse rhétorique*. On peut définir son statut comme dynamique, par la transformation d'un signe artificiel en signe naturel, et l'inverse :

> On distingue deux sortes de signes, les uns sont naturels, c'est-à-dire, qu'ils signifient par eux-mêmes, comme la fumée est un signe naturel qu'il y a du feu, où on la voit. Les autres qui ne signifient que ce que les hommes sont convenus qu'ils signifieraient, sont artificiels : les mots sont des signes de cette sorte; aussi le même mot a différentes significations selon les langues où il se trouve; et c'est de là que bien que les hommes aient les mêmes idées, et que les choses ne soient pas différentes selon la différence des climats, chaque langue a ses termes (p. 4).

Cette distinction est évidemment « classique ». La *Logique de Port-Royal* en reprenait une formulation platonicienne et augustinienne *(signa naturalia/signa data)* en opposant les signes naturels et les signes d'institution [1]. Lorsque Lamy écrit que grâce aux figures « les passions se peignent par elles-mêmes », il définit la figure comme signe naturel. Or, le langage est d'institution. Par conséquent, la figuration est la transformation des signes artificiels en signes naturels; *la rhétorique fait le trajet inverse :* en relevant les figures d'un discours, elle transforme des signes naturels en signes artificiels. La figure rend la chose présente; l'analyse des figures déconstruit cette opération en montrant que cette présence n'est qu'un effet discursif; une absence, donc.

La *bonne* figure est une figure invisible; le *beau* discours est un discours fonctionnel. La première proposition justifie la seconde. Une figure perçue comme *procédé* peut avoir une fonction récréative, peut

1. *Logique*, I, IV.

« divertir »; elle n'est pas (directement) efficace. Seule la figure invisible est « utile ». Or, l'utile est lié au beau et s'accompagne toujours de plaisir — alors que l'inverse n'est pas vrai. Ce serait grossièrement réduire la visée de cette rhétorique que de voir dans ce précepte d'utilité l'avatar d'un quelconque « moralisme » du rhéteur. Le souci d'efficacité a un sens précis : donner le change, faire passer des mots pour des choses. Rendre la chose présente suppose qu'elle puisse être « vue » *simultanément* dans toutes ses parties (d'où la nostalgie des hyperbates latins!); en d'autres termes, que le discours ne soit pas une somme, ou une *suite* de procédés, mais un *espace* que régissent des lois spécifiques.

C'est à ce point que la rhétorique donne lieu à une esthétique, les deux obéissant au même principe finaliste. « [...] les choses ne sont belles que par rapport à leur fin » (p. 208); « [...] il n'y a rien de véritablement beau dans un discours que ce qui est utile » (p. 289) : ainsi « dans un bâtiment les colonnes qui en sont le principal ornement y sont si nécessaires, et leur beauté est si étroitement liée avec la solidité de tout l'édifice, qu'on ne peut les renverser sans le ruiner entièrement » (p. 290). L' « ornement naturel » n'est donc pas un ornement, n'étant pas séparable; et de fait Lamy parle indifféremment d' « ornement naturel » et de « beauté naturelle ». L'excellence du discours tient à la nécessité de sa *configuration*.

L'*utilité* (fondement de l'art de persuader) se confond ainsi avec la *beauté*. La beauté est définie dans un double rapport : on peut la considérer « en elle-même » et dans son rapport à ceux qui la jugent [1]. De fait *ces deux rapports se recouvrent*.

La beauté considérée en elle-même, « c'est la fleur de la santé » (p. 289). Pourquoi ?

> Les fleurs sont un effet et une marque du bon état de la plante qui les a produites. Les ornements du discours naissent pareillement de la santé; c'est-à-dire de la *justesse* avec laquelle il a été composé (p. 288; je souligne).

Ainsi, la beauté n'est rien d'autre que la justesse, c'est-à-dire, (la comparaison l'indique), la capacité de rendre le meilleur service; un discours juste est un discours « bien ajusté ».

> Un esprit juste choisit, il ne s'arrête pas à tout ce que son imagination lui présente; il fait le discernement de ce qui se doit dire et de ce qui se doit taire. Il n'étend pas les choses selon la grandeur de leurs

---

1. La même distinction est proposée dans le traité *De vera pulchritudine* de Nicole (1659).

images; il amplifie ou abrège son discours selon que la chose et le bon sens le demandent (p. 255).

« Justesse » implique donc déjà conformité à la « chose » *et* adéquation au but recherché et au public.

Quant au rapport de la beauté à ceux qui en jugent, on peut aussi distinguer deux temps. D'abord « on peut dire que la véritable beauté est ce qui plaît aux honnêtes gens, qui sont ceux qui jugent raisonnablement des choses » (p. 289). Restriction qui vise évidemment à écarter, *en ce point de l'exposé*, la possibilité d'un relativisme esthétique [1]. Mais cette déclaration est glosée ainsi (toujours l'ombre de Bouhours, et de quelques autres) :

> Il n'est pas difficile de déterminer ce qui plaît et en quoi consiste ce que l'on appelle, *un je ne sais quoi*, que l'on sent dans la lecture des bons auteurs; car si on réfléchit un peu sur ce sentiment, on trouvera que le plaisir que l'on prend dans un discours bien fait n'est causé que par cette ressemblance, qui se trouve entre l'image que les paroles forment dans l'esprit, et les choses dont elles sont la peinture. De sorte que c'est la vérité qui plaît; car la vérité d'un discours n'est autre chose que la conformité des paroles qui le composent avec les choses (p. 289).

« Ressemblance » et « conformité » renvoient à l'un des aspects de justesse (rapport à la chose). Si bien que l'analyse de chaque « point de vue » sur le beau fait retrouver l'autre. En bref :

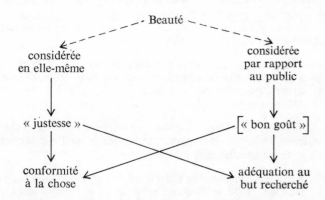

---

1. Ce relativisme est envisagé par ailleurs : « *Chaque personne, chaque climat a son stile qui est particulier* » (p. 256) et « *Chaque siècle a son stile* » (p. 259). Ce qui autorise, me semble-t-il, l'interprétation que je donne plus bas de ce précepte.

UNE THÉORIE DU DISCOURS

Ce qui importe ici, c'est l'*indistinction de fait* entre le beau en soi et la perception du beau, au terme de l'analyse. La référence aux « honnêtes gens » n'est en effet qu'un relais idéologique, la référence au beau en soi, un relais esthétique. Le propos doit être lu dans sa dynamique; comme tel, il instaure une *circularité* entre les deux références.

Lorsque, donc, Lamy parle de la « fin » du discours, de son but, ou de son terme, ces mots sont affectés d'une imprécision essentielle : agrément de l'auditeur ou du lecteur, appréhension d'un beau en soi, achèvement d'une « intention »... Cette imprécision n'est pas le fait d'une quelconque négligence. Elle a, me semble-t-il, une fonction : il s'agit, pour Lamy, d'insister sur l'idée d'une finalité sans investir cette notion d'un sens qui la « fige ». S'il est vrai que l'interlocuteur a le premier rôle, c'est parce qu'il s'agit ici de rhétorique; mais la réflexion rhétorique est elle-même sous-tendue par une réflexion esthétique qui utilise un système de relais en marquant le caractère provisoire de chacun d'eux.

> On doit envisager continuellement le terme où l'on veut arriver et prendre le chemin le plus court, évitant tous les détours (p. 7).

Dans un deuxième temps, transformation du principe d'efficacité en principe esthétique :

> La beauté plaît, et ce qui est bien ordonné plaît; ce qui me persuade que l'ordre et la beauté sont presque une même chose (p. 8).

Curieux maître de rhétorique (et de logique), que celui qui se laisse persuader par un sophisme (ou « presque »). Il ajoute :

> Ce n'est pas ici le lieu de rechercher la cause du plaisir qu'on sent lorsqu'on voit que l'ordre est gardé; [...] L'homme étant fait pour être heureux en possédant Dieu qui est essentiellement l'ordre, il fallait que tout ce qui approche de l'ordre commençât son bonheur, comme je l'ai fait voir ailleurs *(ibid.)*.

Suit une définition de l'ordre :

> [...] les choses ne sont bien ordonnées que lorsqu'elles ont un rapport à leur tout, et qu'elles conspirent pour atteindre leur fin *(ibid.)*.

Un exemple est pris dans la peinture : on peut être charmé par la représentation d'objets laids en soi. D'où vient ce plaisir ?

179

[...] Ce n'est pas de la vue d'un serpent qui est peint; on frémit quand on en voit un; ce qui plaît donc, c'est l'esprit du peintre qui a si bien su atteindre la fin de son art (*ibid.*, p. 9).

Autre exemple, célèbre entre tous :

Dieu dit que la lumière se fasse, et la lumière se fit; que la terre se fasse, et la terre fut faite. Longin, ce célèbre Rhéteur, donne cette expression pour exemple d'une expression sublime. Or pourquoi est-elle belle, si ce n'est parce qu'elle donne une haute idée de la puissance du Créateur, ce que Moïse voulait faire : c'était là sa fin (p. 11).

D'une part, donc, « le terme où l'on veut arriver », le « vouloir faire » ou « dire »; de l'autre, le rapport au tout, la fin de l'art du peintre. Tension fondamentale d'une rhétorique qui se fait esthétique : le rapport au sujet du discours (au vouloir dire de ce sujet) est remplacé par un rapport au discours même.

Au terme de cette démarche, la seule relation envisageable est celle du discours à son auditeur ou à son lecteur. La disparition du sujet (rapport au tout et non au vouloir dire) répond à une exigence esthétique. Par ce biais s'esquisse le projet d'une nouvelle rhétorique qui tiendrait compte *à la fois* d'une finalité externe (visée du destinataire) et d'une finalité interne (autonomie du discours) : en bref, et avant d'y revenir, tout se passerait comme si c'était *le discours de l'autre* qui importait.

III. LA RHÉTORIQUE EN QUESTION

[...] je ferai ici le parallèle d'un soldat qui combat les armes à la main, et d'un Orateur qui parle. Je considère un soldat en trois états : le premier est lorsqu'il combat avec forces égales et que son ennemi n'a aucun avantage sur lui : dans le second, il est environné de dangers; et dans le troisième, étant obligé de céder à la force, il n'a plus recours qu'à la clémence de son vainqueur (p. 137).

Les figures étant « les armes de l'âme », il y a différents moyens d'utiliser différentes figures, selon ces trois cas : ardeur et chaleur dans le premier cas, et assauts répétés; dans le deuxième cas, plaintes et colère, ingéniosité et ruse; dans le troisième cas, le soldat « n'emploie plus les armes qui lui ont été inutiles »; il implore la clémence :

Dans le discours il y a des Figures qui répondent à ces postures d'affliction et d'humilité, auxquelles les Orateurs ont souvent recours. Les hommes étant libres, il dépend d'eux de se laisser persuader. Ils peuvent détourner leur vue pour ne pas apercevoir la vérité qui leur est proposée, ou dissimuler qu'ils la connaissent; ainsi un Orateur est presque toujours dans ce troisième état où nous considérons ce soldat (p. 140).

Faut-il préciser que le parallèle est spécieux ? et peut-être délibérément. Le soldat jette ses armes pour en employer d'autres : celles du geste (il se jette aux pieds de son ennemi, embrasse ses genoux). Si l'orateur jette ses armes (les figures sont sés armes), on ne voit guère comment il peut continuer à parler : or, il y a « des figures pour prier, pour fléchir, pour flatter » (p. 141). Lorsque donc l'orateur a jeté ses armes, il lui en reste! — à la différence du soldat. Dissymétrie amusante, tout au plus. Mais il se trouve que ce cas est le plus fréquent. Je dirai qu'ici l'orateur utilise les armes de l'adversaire : il prie, il fléchit, il *flatte*.

A la fin de son traité, Lamy donne des exemples de cette stratégie. Le dernier livre, en effet, éclaire *a posteriori* les précédents et exploite sans ambiguïté le motif né des exigences conjuguées de la rhétorique et de l'esthétique que nous avons relevé : l'utilisation du discours de l'autre. L'orateur parle *à la place* de celui qui l'écoute.

> Afin d'inspirer de l'aversion pour le fard à une femme qui n'a de l'amour que pour elle-même, et que rien ne touche que sa beauté, il faut selon le conseil de saint Jean Chrysostome se servir de la passion qu'elle a pour sa beauté pour modérer cette passion, en lui montrant que les poudres et le fard gâtent le teint [...]. Il faut toujours dédommager l'amour-propre; c'est-à-dire désintéresser ceux que l'on veut faire renoncer à quelque intérêt (p. 336).

L'orateur combat toujours les mains nues. L'adversaire a suffisamment d'armes pour deux. Après l'exemple cosmétique, un exemple politique :

> Un peuple [...] s'est révolté contre son légitime Souverain, et a enlevé la puissance d'entre ses mains pour la partager à ceux qu'il a choisi pour le gouverner. On pourra donc commencer son discours par l'amour de la liberté. Ensuite faisant voir à ce peuple que la liberté est plus grande sous un Monarque que dans une République, où cent tyrans usurpent l'autorité souveraine; on le gagne, et on se sert de la passion qui l'a porté à la révolte pour le ramener à l'obéissance (p. 337).

Ces exemples posent la question de la duplicité de l'orateur. La *Logique* citait Horace :

> [...] l'âme s'instruit par les images des vérités, mais elle ne s'émeut guère que par l'image des mouvements.
>
> *Si vis me flere, dolendum est*
> *Primum ipsi tibi* [1].

Lamy traduit (ou glose) :

> On ne peut pas toucher les autres, si on ne paraît touché. *Si vis* [...] (p. 111).

Ce « paraît » est pour le moins équivoque. L'équivoque est d'ailleurs redoublée par l'absence de la traduction de *primum*. L'orateur modèle son discours sur l'attente de l'auditeur.

La rhétorique est un art de la flatterie; on est évidemment renvoyé au texte fondateur : le *Gorgias*. Une seule fois, Bernard Lamy parle du sophiste :

> L'Éloquence serait pernicieuse, si elle n'avait pour sa fin que de tromper le peuple. Elle ne réussirait pas même, si elle ne savait que tromper; car ensuite on ne se laisse guère tromper deux fois de suite. Un Sophiste n'est estimé que peu de temps; aussitôt que l'on a découvert l'Art dont il s'est servi, on le méprise; puisqu'il s'agit donc de persuader, et non pas de tromper, qu'il n'y a que la vérité qui persuade pour toujours, il faut voir comment on peut trouver la vérité, et la faire connaître (p. 321).

La Sophistique est ici condamnée pour son inefficacité autant que pour son immoralité; s'il vaut mieux dire la vérité, c'est finalement parce qu'il n'y a qu'elle « qui persuade pour toujours ». Il reste un « effet de flou » dans ce texte : redoublement du « [elle] serait pernicieuse » en « elle ne réussirait pas même », où le technicien intervient après le moraliste.

La problématique platonicienne parcourt un certain nombre de débats où cette rhétorique est mise ouvertement en question. Bouhours en a réuni deux, publiés sous le titre : *Réflexions sur l'éloquence*, en 1700. Le premier débat oppose le bénédictin François Lamy à Brulart de Sillery; le second Antoine Arnauld à Goibaud-Dubois [2].

---

1 *Logique*, I, XIV, *op. cit.*, p. 96. Horace, *Art poétique*, v 102-103.
2. Ces *Réflexions* ont été reprises dans un ensemble plus vaste : *Divers traitez sur l'éloquence et sur la poésie*, t. I, 1730, auquel je me réfère ici.

Le premier débat mérite son nom : chacun des adversaires défend ses positions; le second n'apparaît dans ce recueil que par l'intervention d'Arnauld contre une préface de Goibaud-Dubois à une traduction des sermons de saint Augustin.

Dans le premier débat, Platon est cité par Brulart de Sillery, qui accuse François Lamy de confondre la vraie rhétorique avec la fausse :

> [...] vous dites que la fausse rhétorique est *l'Art de convaincre à force de passionner*. La fausse Rhétorique, mon Père, ne convainc point à force de passionner; car elle ne passionne pas, pour me servir de votre terme (p. 232).

François Lamy confond en effet la (vraie) rhétorique et la logique : « un Art didactique qui enseigne froidement une vérité » (p. 235). C'est ici que Platon intervient :

> Cependant la vraie Rhétorique n'est rien moins que cela. Platon lui-même, qui la comparait à l'Art de la cuisine, qui n'est occupé qu'à falsifier les viandes, n'en a point eu l'idée que vous en avez. Et même cette comparaison dont il use, insinue manifestement qu'il en a eu une idée contraire *(ibid.)*.

Indignation de François Lamy dans sa Réponse :

> Eh! de grâce, Monseigneur, voudriez-vous croire que ce fût de la vraie Rhétorique, et non pas de la fausse que Platon eût parlé ainsi? (p. 249).

Réplique de l'autre (toujours aussi agressivement feutrée) :

> Ce Philosophe a observé, que par sa nature, la Rhétorique n'est effectivement occupée qu'à tirer la vérité hors de la simplicité naturelle, pour la revêtir d'ornements. En effet, la Rhétorique en tant qu'Art, ne se propose pas tant pour fin de dire la vérité, que de la bien dire. Il est donc constant, absolument parlant, que la Rhétorique falsifie la vérité en ce qu'elle la pare; de même que l'art de la cuisine falsifie les viandes en ce qu'il les assaisonne. Il faut même aller plus loin, et avouer que cette manière dont la Rhétorique propose la vérité, est de beaucoup moins parfaite, que celle dont les sciences dogmatiques la proposent. De même, qu'il s'en faut de beaucoup, que la nourriture falsifiée par l'Art de la cuisine ne soit aussi saine que la nourriture toute simple. La comparaison de Platon est donc parfaitement juste; et elle fait connaître admirablement

de combien l'Art de la Rhétorique, qui n'a essentiellement pour objet que la vérité ornée, est inférieur aux sciences qui ont essentiellement pour objet la vérité nue. Ainsi, mon Père, il est évident qu'en cet endroit Platon a parlé de la vraie Rhétorique et nullement de la fausse; et sa pensée en est infiniment plus belle (p. 268).

Ce texte est remarquablement prudent. Il procède par glissements successifs : la rhétorique, c'est « bien dire la vérité » par opposition à la « dire ». Mais le « vêtement » devient « falsification ». Et le « bien-dire » est curieusement jugé inférieur au « dire ». C'est qu'au terme, l'objet de la rhétorique n'est plus *la vérité* (qu'on la dise ou qu'on la dise bien), mais *la vérité ornée*. Autrement dit, une différence purement formelle se transforme en une autre plus profonde, et qui touche à l'objet en question.

C'est poser timidement un problème que Bernard Lamy a résolu d'une façon radicale : mais justement sans le poser. Je veux dire que Lamy propose une pratique de l'éloquence parfaitement cynique, sans jamais poser explicitement la question de la « moralité » de cette pratique. La métaphore platonicienne de la cuisine parcourt, comme par hasard, son texte, mais d'une manière soigneusement réglée : la « nourriture solide » s'opposant aux mets trop délicats [1]. Subtilité culinaire qui fait que l'opposition platonicienne de la cuisine et de la médecine (de la rhétorique et de la justice) est devenue celle de la bonne et de la mauvaise cuisine — ce qui prouve, notons-le au passage, qu'on reste *dans* la rhétorique.

Ce n'est pas un hasard si Arnauld est celui qui rappelle le geste décisif par lequel l'éloquence ne présuppose pas une adhésion de l'orateur. A Goibaud-Dubois qui veut que l'orateur soit « bien plein et bien pénétré de sa matière », il objecte :

[Cette condition peut] avoir deux sens. Car cela peut signifier ou qu'on la sache bien, et qu'on la possède bien, ou qu'on en ait le cœur touché, et qu'on ne veuille persuader aux autres que ce dont on est soi-même bien persuadé. Or dans ce dernier sens, on pourra vous soutenir que la vraie Éloquence ne demande point nécessairement cette condition; puisque selon saint Augustin, c'est un Art dont on peut user en bien et en mal; et ce Saint reconnaît que les méchants peuvent garder toutes les mêmes règles de l'Éloquence pour persuader la fausseté et l'injustice, que les bons pour persuader la justice et la vérité (p. 351).

_____

1. Ainsi, au livre IV, Bernard Lamy fait un parallèle de l'histoire de l'éloquence et de l'histoire de la cuisine chez les Romains (p. 260-261).

Lointain écho à la formule d'Horace, complètement inversée ici.
C'est la formulation la plus nette du problème résolu par Lamy.
(Bernard, bien sûr.)

Pour finir, nous pouvons risquer une hypothèse sur ce qui fait
que Lamy ruse constamment avec cette question. La référence au
vrai ou au bien n'est pas son propos, de sorte qu'il n'importe guère
de savoir si cette rhétorique est ou non une sophistique. S'il est vrai
qu'il élabore une rhétorique de la passion, cette rhétorique, sa rhétorique, n'est pas en perspective sur une morale normative ou une
logique. La marque involontaire du sujet parlant dans son discours,
le modelage de ce discours sur l'auditeur, l'utilisation *et la perversion* du discours silencieux de l'auditeur, sont les objets de sa recherche.
Et tout peut arriver : l'orateur, l'écrivain peuvent ou non tricher, les
effets sont ou non contrôlés ; le discours est envisagé comme procès,
dans sa dynamique propre, et cette rhétorique, qui n'enseigne pas
l'éloquence, tente de saisir le fonctionnement discursif, de *décrire la
machine-discours*. Port-Royal *permet* cette rhétorique, mais cette rhétorique *permet* autre chose : une *théorie du discours en tant qu'effet*.
C'était une hypothèse.

REMARQUES (II)

L' « *art de persuader* » *n'est pas mort dans le dernier éclat des grandes rhétoriques de l'Antiquité. Il a une activité souterraine et resurgit, me semble-t-il, avec une belle force au XVII*ᵉ *siècle (ainsi chez Lamy). La* « *faiblesse de l'auditeur* » *est un motif réactualisé et réinterprété par Port-Royal, mais il appartient en propre à la rhétorique : Aristote parle de la* « *perversion* » *de l'auditeur (*Rhétorique, *1404 a). Chez Lamy, ce motif explique que l'*élocution *ait une place décisive; chez Aristote, il intervient pour justifier l'importance de l'*action *(et de l'*élocution — *de la* lexis — *qui entretient avec elle des rapports privilégiés). L'idée d'une efficacité du discours peut ainsi se* déporter *du domaine de l'*invention, *ou de l'*argumentation *(les preuves), vers celui de l'*élocution, *voire de l'*action *(j'y reviendrai dans l'étude qui suit). Dans tous les cas, la rhétorique classique garde la notion d'un discours efficace, et si, chez Lamy, cette rhétorique se double d'une esthétique (se transforme en esthétique), la* « *persuasion* » *la commande encore, dès lors que le beau discours est finalement celui que l'auditeur est* forcé *de percevoir comme tel.*

Lorsque la rhétorique se restreint effectivement en une rhétorique des figures (chez Fontanier), elle ne se réduit pas pour autant à une théorie de la production d'énoncés, à un répertoire de procédés. Cette production y est envisagée de fait dans ses rapports aux possibilités ou aux capacités de l'auditeur, ou du lecteur (les deux sont ici confondus) : la typologie des discours qu'elle implique renvoie à une typologie des lectures; plus précisément, elle nous permet de poser le problème de la relation entre ces deux typologies. Il me semble en effet que des préceptes normatifs règlent leur confrontation : un discours sera construit de telle manière que son récepteur puisse le décoder avec le système interprétatif contemporain de ce discours, ce qui « *fige* » *le processus. Cela dit, si l'on essaie de faire l'économie de ces préceptes, on peut envisager une relation différente, selon laquelle s'accuse une rupture entre le trajet de la production et celui de la réception.*

Cette rupture et ce « *dérèglement* » *sont analysables, et dans la perspective rhétorique même. Art de la feinte et de la séduction (voir les métaphores du vêtement, de la parure, du fard), art de l'agression (voir la métaphore de l'arme, et parfois celle du poison), art de l'esquive, la rhétorique, dans son principe, ne préjuge pas de l'identité du sujet du discours. Ce « manque » est fondamental et seuls des soucis de moralité (l'orateur doit être un homme de bien, convaincu de ce qu'il dit, honnête...) l'occultent de fait. Il y a donc place, s'agissant de littérature, non pour la fraude, mais pour le masque, mais pour le jeu; il y a lieu pour investir.*

La rhétorique, lorsqu'elle rencontre l'écriture comme telle, se ressource et se partage. Elle se partage, dans la mesure où une rhétorique moralisée (comme on dit l'Ovide moralisé) ne peut qu'écarter les phénomènes qui en relèvent proprement; elle se ressource, dans la mesure où elle se reconnaît ou refuse de se reconnaître — c'est tout un : elle se regarde, se mire — en sophistique. Jacques Derrida a marqué les rapports complexes de l'écriture et du jeu, de l'auteur du discours écrit et du sophiste : « l'homme de la non-présence et de la non-vérité » (« La pharmacie de Platon », La dissémination, Seuil, p. 76).

L'étude qui suit essaie de montrer, à partir d'un exemple précis (que l'on considérera encore comme un texte), ce partage et ce ressourcement. La rhétorique, considérée comme art de parler et, plus généralement, comme théorie de la production du discours, refuse, à l'âge classique, l'écriture, artificielle et inefficace, inefficace parce qu'artificielle. Mais précisément la rhétorique comme art de lire et, plus généralement, comme théorie de la réception du discours, artificialise, dénaturalise le discours, nous l'avons vu; c'est-à-dire, en bref, fait du discours oral un « discours » écrit.

Un dernier point : il serait hâtif, je crois, de confondre le fonctionnel et l'efficace, le ludique et l'inefficace, et de construire à partir de là une opposition stable. Une rhétorique de la lecture peut et doit traiter du ludique en termes d'efficacité, ce qui la conduit à envisager la fonction du jeu. S'il y a une opposition du fonctionnel et du ludique et une assimilation du ludique à l'inefficace, elles sont dues, encore une fois, à l'intervention de préceptes normatifs ou à la prise en compte d'une situation discursive spécifique, et non à l'approche rhétorique en tant que telle.

5. Arlequin à l'écart ?

[Les Anciens] n'ont pas défini la rhétorique l'art
de bien écrire mais l'art de bien dire.
GÉRAULD DE CORDEMOY (selon Claude Fleury)

En 1664 paraissent les *Dialogues sur l'éloquence judiciaire* de Claude
Fleury[1]. Un sous-titre en précise l'objet : « Si on doit citer dans les
plaidoyers. » Quatre personnages sont mis en scène : l'auteur, Michel
Le Peletier, Gérauld de Cordemoy et René de Marillac. Tous sont
membres du barreau. Les trois premiers sont venus féliciter chez lui
M. de Marillac, récemment nommé avocat général au Grand Conseil.
Cet entretien aurait réellement eu lieu, et Claude Fleury ne serait,
en quelque sorte, que le secrétaire de ce « colloque » improvisé.
La thèse soutenue dans les *Dialogues* est grossièrement la suivante :
il ne faut pas citer dans les plaidoyers. Fleury, Le Peletier et Cordemoy sont partisans de cette thèse et veulent convaincre Marillac de
sa justesse. Mais ce dernier joue constamment un rôle ambigu, se
faisant plus ou moins clairement l'avocat du diable :

> [...] je pense avoir raison de *croire avec tout le monde*, comme je l'ai
> cru jusqu'à présent, qu'il est permis d'emprunter dans les livres de
> belles pensées pour en orner un discours, et que l'autorité des Anciens
> est souvent nécessaire pour donner plus de poids à nos raisons (p. 30-
> 31, je souligne).

Porte-parole de l'opinion commune, Marillac ne cesse d'affirmer
qu'il réserve son jugement. Il fait parler — c'est son côté Socrate —,
il joue le rôle du contradicteur, mais il ne s'engage à aucun moment.
A la fin du débat, il dira avoir « pris grand plaisir » à la conversation. Pour le reste...
L'ensemble du texte est composé de deux dialogues non titrés,
mais dont l'articulation est clairement exposée. Le premier développe
l'argumentation à partir d'un principe d'autorité : les Anciens ne
citaient pas. Le second veut fonder en raison la thèse. Cordemoy

---

1. Je renvoie à l'édition de F. Gaguère, J. de Gigord, 1925.

explique ainsi le passage d'un système d'argumentation à l'autre (il vient d'approuver la démonstration de Fleury, selon laquelle les Anciens s'abstenaient volontairement de citer) :

> Mais ce raisonnement ne suffirait pas pour persuader celui qui ne serait pas préoccupé en faveur des Anciens; et quoiqu'il demeurât d'accord qu'ils n'ont point cité, il ne conviendrait pas qu'on dût les imiter en cela. Alors il faudrait abandonner l'autorité et se tenir à la raison; et, examinant un peu de près ce que c'est que la véritable éloquence, il serait facile de montrer à tout homme de bon sens que les citations combattent directement la fin que l'on s'y propose (p. 47-48).

Le premier dialogue est une discussion historique sur des faits; le second, un débat théorique sur le principes de l'éloquence. Il est évident que, pour que le second débat ait lieu, il faut que Marillac ne soit pas convaincu par le premier système d'argumentation; pour que la démonstration puisse être fondée en autorité *et* en raison, qu'elle soit d'abord partiellement inefficace. D'autre part, pour les besoins de la thèse, cette inefficacité doit n'être qu'apparente. D'où peut-être le rôle ambigu de Marillac : ses objections ou ses refus permettent à l'argumentation de se développer sans mettre réellement en question son efficacité, puisqu'ils ne sont que « joués ».

Le projet d'ensemble est exposé sous une forme délibérément caricaturale :

> [...] notre conjuration n'est formée que contre la fausse éloquence, et nous n'avons autre dessein que de la détruire, et surtout d'abolir la mauvaise coutume que l'on a de farcir les plaidoyers de citations sous prétexte de les embellir.
> [...] De là vient que le temps des audiences, ce temps si précieux, se consomme inutilement; que l'on épuise l'attention des juges et que l'on met à bout leur patience. De là vient, pour parler du tort que l'avocat se fait à lui-même, qu'un jeune homme souvent perd son temps en travaillant, parce qu'il ne l'emploie pas à apprendre le fond des choses, et qu'au lieu de s'appliquer à quelque science solide comme du Droit romain, ou de notre histoire, il s'occupe à lire des auteurs dont il espère tirer des passages.
> Encore cette lecture ne serait-elle pas inutile si elle servait à former le jugement, et à nous montrer à parler de nos affaires de la même manière que les Anciens parlaient des leurs : mais on ne pénètre pas si avant, on ne prend que l'écorce; on remarque un mot extraordinaire une pensée qui paraît délicate, un événement singulier de l'histoire

grecque ou romaine, une fable ingénieuse que l'on fait venir à tout
ce que l'on veut par des applications forcées et des allégories céré-
brines (p. 30-31).

Les principaux motifs du débat sont ici exposés par Le Peletier de
façon polémique. Marillac ne s'y trompe pas : « la petite satire que
vous venez de faire contre ces gens-là m'a fort diverti, mais elle ne
m'a point du tout persuadé » (p. 33). Le Peletier a en effet argumenté
« des mœurs à la doctrine » et veut une condamnation générale des
citations parce que quelques-uns en abusent. Le vrai problème est
posé par Marillac : il faut « voir de bonne foi, non pas s'il ne faut
pas citer mal à propos, car tout le monde en convient, mais s'il ne
faut point citer du tout, comme vous le prétendez » (p. 34).

La conclusion de la satire de Le Peletier ne peut prétendre qu'à
« réglementer » l'usage des citations. Il reste que cette caricature
pose un motif essentiel : non seulement les citations sont inutiles à
l'avocat, mais elles sont *en général* néfastes par la pratique de la
lecture qu'elles imposent. Lecture fragmentaire, « superficielle » (c'est
la métaphore traditionnelle de l'écorce), qui donne lieu à un jeu intertextuel forcé, *sophistiqué*, au prix de « contresens » et d'« acrobaties
interprétatives ». Avec le problème de la citation s'engage un débat
plus vaste sur la lecture. La pratique de la citation implique qu'un même
énoncé peut entrer dans différents contextes. Dès lors, une alternative :
ou bien cet énoncé a un sens suffisant par lui-même — on peut donc
le « transporter » n'importe où, il gardera ce sens —, ou bien l'on
accepte une marge d'incertitude, une marge de liberté qui permette
de le réutiliser avec, à chaque fois, une signification différente. Le
problème de la citation, c'est ici celui de la *variabilité des lectures*.

I. UNE DOUBLE ARGUMENTATION

L'argumentation par l'autorité des Anciens se développe en trois
points, *chaque étape marquant une restriction de champ par rapport
à la précédente*. C'est ici Fleury lui-même qui tient le premier rôle.
Premier point : « il n'y a rien de plus certain que cette proposition que les Anciens n'ont point cité » (p. 34). Première objection
de Marillac : il suffit de parcourir Plutarque, Aulu-Gelle, Suétone,
voire Cicéron, Quintilien et Aristote, pour constater que « tous nos
meilleurs livres sont remplis de citations » (p. 48).
Deuxième point : « Nous ne parlons ici que de l'éloquence et de
l'éloquence du barreau » (p. 48). La formulation est ambiguë : l'élo-

quence, c'est la *totalité* des pratiques relevant de la rhétorique, et l'enjeu du débat pourrait bien être beaucoup plus important qu'il ne semble. Toujours est-il que Fleury introduit alors une première distinction entre les compositions « faites pour être prononcées en public, devant toutes sortes de personnes », et celles « faites pour demeurer écrites, et qui ont pour but ou de divertir les gens d'esprit qui s'y voudraient amuser, ou d'instruire en quelque science ceux qui en seront curieux » (p. 49). Plutarque et Aristote ont une science particulière à enseigner; Cicéron ne cite que dans ses livres de philosophie et dans ses lettres. Deuxième objection de Marillac : Démosthène, dans *la Fausse Ambassade*, cite en deux pages Sophocle et Solon; ailleurs, il cite une grande épigramme; Cicéron cite des vers dans ses discours.

Troisième point de l'argumentation : Fleury répond sur chacun des exemples, en montrant *comment les contextes justifient les citations*. Ainsi Démosthène cite le rôle de Cléon dans *l'Antigone* de Sophocle pour ridiculiser son adversaire, Eschine, qui avait joué ce rôle, et lui reprocher « d'avoir bien mal profité des beaux sentiments qu'il débitait sous ce personnage » (p. 55). La justification de ce que Fleury considère comme des exceptions l'amène à insister sur l' « uniformité » du style des Anciens. Leurs citations ne mettent pas en question l' « unité du langage ». D'ailleurs, les Anciens citaient dans leur langue naturelle, Démosthène en grec et Cicéron en latin.

Cette remarque donne lieu à une longue intervention de Marillac, qui clôt le premier dialogue : « Je séparerai [...] ce qui peut être des citations de ce qui regarde les langues qu'on y emploie quelquefois, comme est parmi nous le latin » (p. 59). Suit une défense de la citation et une explication de son refus chez les Anciens. Les Grecs et les Romains ne voulaient connaître qu'une seule langue : la leur. Les Grecs, en effet, « tenaient tous les autres peuples pour des barbares » (p. 59). Quant aux Romains, d'une part la connaissance du grec, langue des sciences spéculatives, a été longtemps considérée chez eux comme inutile; d'autre part et surtout, ils méprisaient les Grecs (p. 59-66). Or, le latin est pour nous comme une seconde langue naturelle : « il s'est établi parmi nous comme la langue des conquérants, et s'y est conservé comme la langue sacrée de tous les Chrétiens d'Occident » (p. 61). De plus, cette langue nous convient, non seulement comme une langue « domestique », mais aussi « comme une marque d'honnête homme et d'une personne qui sait plus que le commun » (p. 61-62).

Reste à régler le problème de la citation en langue naturelle. Les Anciens évitaient de citer, même dans leur langue naturelle :

Je demeure d'accord que nous ne citons guère que pour paraître savants, et que si les Anciens ne citaient point, c'était pour ne le point paraître; mais je soutiens que nous avons tous raison, et que c'est le même motif qui nous fait suivre des routes en apparence si opposées. Car c'est, ce me semble, une des lois fondamentales de l'éloquence de s'accommoder au goût de ses auditeurs et de dire ce qui fait plus d'impression sur leurs esprits, sans regarder quel effet il ferait sur d'autres personnes (p. 63).

Les Anciens ne citaient pas, parce qu'ils « vivaient dans des républiques où il fallait parler au peuple ». Personne ne pouvait prétendre donner des leçons à des citoyens qui s'estimaient tous capables de gouverner l'État. De plus, pour ce qui est des plaidoyers, les juges étaient des hommes du peuple qu'il n'eût pas fallu offenser par un étalage d'érudition qui aurait marqué les limites de leur savoir. Il en va tout autrement aujourd'hui, poursuit Marillac : le public du XVIIᵉ siècle est composé d'ignorants et de gens de lettres. Les juges sont tous « présumés savants »; il ne convient donc pas de les traiter en ignorants en s'abstenant de citer. Quant aux autres, il n'y a pas de raison de s'en préoccuper :

> Car outre que nous ne devons parler que pour les juges et le Barreau, ceux-là même qui savent le moins sont bien souvent ceux qui nous obligent à dire plus de doctrines si nous voulons les contenter. En effet, vous savez combien notre peuple est différent de celui des anciennes républiques. Il est accoutumé à croire qu'il ignore quantité de belles choses et à respecter ceux qu'il estime savants. De sorte qu'il est bien aise d'apprendre, et quoiqu'il n'entende pas tout ce qu'on dit dans les discours élevés, il ne s'en formalise point, mais il en prend ce qu'il peut et admire le reste, faisant beaucoup plus de cas de celui qui parle ainsi que s'il ne disait que des choses ordinaires. Soit que nous voyions encore en cela quelque vestige de l'ancienne domination des Universités ou plutôt que la même cause qui donnait autrefois tant de crédit à ceux qui portaient le titre de savants fasse révérer encore aujourd'hui la science, quelque part qu'elle se rencontre, quoi qu'il en soit, il est certain que nous avons à faire à un peuple docile et traitable qui aime les choses curieuses et qui méprise celles qui lui sont trop familières (p. 64).

Ces propos plutôt cyniques ne seront pas véritablement réfutés. D'une part, les adversaires de Marillac ont d'ores et déjà admis que, lorsqu'on s'adresse à un public choisi, la citation est permise — la situation n'étant pas en effet fondamentalement différente de celle de ce discours *réservé* qu'est le « discours » écrit. Quant à ce qui fait le caractère proprement scandaleux de la thèse de Marillac, on ne peut le dénoncer qu'en recourant à un idéal de l'éloquence, et ce sera l'objet du second dialogue.

Dans le second dialogue, Cordemoy est l'interlocuteur privilégié de Marillac. Trois questions sont posées : qu'est-ce qu'un bon avocat ? qu'est-ce qu'une citation ? qu'est-ce que la véritable éloquence ? Cordemoy distingue deux types d'avocats : « les uns qui plaident pour leurs parties, les autres qui plaident pour eux-mêmes ». Les premiers ne citent pas, les seconds citent volontiers. De fait, on n'a jamais entendu à la sortie de l'audience quelqu'un déclarer : « la cause de ce particulier me semble la meilleure parce que son avocat a dit un passage de Tertullien le plus beau du monde », mais au contraire, on voit fréquemment des gens s'écrier à propos de telle ou telle citation : « Ah! voilà un savant homme, un homme de grande lecture, une belle mémoire, un bel esprit » (p. 76). Marillac, choisissant une position moyenne, refuse cette distinction entre ce qu'il appelle « le bon procureur lettré » et le « fanfaron ». Cordemoy lui répond en *supposant* que l'avocat est un honnête homme et ne met « pas de différence entre le dessein de paraître bon avocat et le dessein de l'être ». Or, est estimé bon avocat (acquiert de la réputation) celui qui gagne sa cause.

La question est dès lors de savoir si les citations sont utiles pour gagner une cause. Marillac note avec une fausse naïveté qu'il est inévitable de citer « les coutumes, les arrêtés, les textes de droit civil et de droit canon, et les docteurs » (p. 80). C'est poser (bien tard) le problème de la définition de la citation.

Cordemoy va définir de manière restrictive :

> [...] il y a les livres de droit, dont on tire les autorités nécessaires; et à l'égard de ceux-là on ne considère point en quelle langue ils sont écrits ni en quel temps; et il y a des livres des Anciens dans lesquels on ne considère point la qualité de l'ouvrage, mais seulement le temps et la langue de l'auteur. J'appellerai, si vous voulez, la première espèce de passages autorités, la seconde, citations. Et, pour poser nettement l'état de la question, je vous dirai que j'estime fort les autorités et blâme fort les citations, et que, si l'on m'en croyait, on ne citerait jamais en latin ce qu'on n'oserait pas citer s'il était écrit en français (p. 82).

Il est dès lors inévitable que la citation soit superflue, puisque le superflu dans le discours a été appelé citation :

[...] je tiens pour superflus les passages qui ne servent pas à justifier quelque fait, ou qui ne prouvent que des faits qui ne sont pas en question. C'est ce que j'appelle ici des citations, et ce que je prétends être banni des plaidoyers (p. 83).

Après avoir énuméré les différents types de citations selon leur origine (poésie, histoire, discours oratoire, philosophie, patristique, Bible), Cordemoy conclut que la citation (au sens restreint) est toujours inutile « supposé que le discours soit fait dans les règles de la véritable éloquence » (p. 89). C'est la troisième question : « Il faudrait [...], dit M. de Marillac, convenir entre nous d'une définition de la véritable éloquence [...] » *(ibid.)*. M. de Cordemoy propose la sienne : « J'estime celui-là véritablement éloquent qui sait les moyens qu'il faut employer pour instruire et émouvoir les autres [...] » *(ibid.)*. Ce qu'il reste donc à démontrer, c'est que les citations nuisent à l'instruction et à l'émotion. A partir de ce point de la discussion, Marillac et Cordemoy se séparent. Marillac en effet propose une autre définition de l'éloquence, à laquelle il reviendra constamment :

[...] je crois qu'on devrait la définir l'art de bien parler en public, et qu'aux deux choses que vous avez dites qui font un homme éloquent qui sont instruire et émouvoir, il faut ajouter une troisième, qui est plaire. En effet, si je me souviens bien des préceptes de rhétorique, ce sont les trois parties que l'on compte du devoir de l'orateur (p. 91).

Il s'agit de savoir si le plaisir est une suite naturelle de l'instruction et de l'émotion (position de Cordemoy) ou s'il est produit par des éléments particuliers du discours (position de Marillac). Cordemoy démontre bien que dans le discours ni les « parties d'instruction » (proposition et narration, preuve et réfutation), ni les « parties de mouvements » (exorde et péroraison) ne peuvent tirer bénéfice des citations, mais il se heurte à *un fait* que souligne Marillac, les citations plaisent :

Mais quoi qu'il en soit [...] les citations plaisent, car j'en reviens toujours là, on les estime, on leur applaudit, et vous ne pouvez pas réformer vos auditeurs ni leur faire changer le goût (p. 111).

Marillac a ainsi abandonné la discussion théorique. Alors qu'il s'agit de fonder ou de réfuter en raison l'usage des citations, il se réfère à un principe d'autorité : c'est le public qui décide. D'une certaine manière, on retrouve ici la problématique du premier dialogue.

La discussion ne peut dès lors se poursuivre que d'une seule manière : par la recherche de la « place » du plaisir dans le discours. Lorsque Le Peletier demande à Marillac :

> Mais si on vous faisait voir [...] que les citations ne sont point des ornements, auriez-vous encore sujet de vous plaindre ?

Ce dernier répond négativement (p. 114). Ce qui est ici en question résulte d'un déplacement décisif : pour Marillac, la citation est un ornement et l'ornement procure du plaisir. Le Peletier se place sur ce même terrain (admettant la notion d'ornement) mais refuse qu'il y ait dans le discours des éléments ornementaux *séparables* ayant pour unique fonction de plaire. La rhétorique s'engage ici sur un problème fondamental; elle conserve le vocabulaire reçu (ornementation) mais en change radicalement le sens :

> [...] avant que de songer à embellir une chose, il faut supposer qu'elle soit ce qu'elle doit être, et qu'elle ait tout ce qui lui est nécessaire. Et il est impossible qu'un discours soit un beau plaidoyer, s'il n'est même pas un plaidoyer. De sorte que tout ce qui nuit à ce qui est essentiel au plaidoyer, c'est-à-dire à l'instruction et aux mouvements, ne peut jamais orner un plaidoyer, puisque l'ornement suppose de nécessité l'essentiel et le solide (p. 114).

L'ornement se trouvera donc défini ainsi :

> [...] l'ornement ne consiste que dans le rapport de toutes les parties de l'ouvrage entier que l'on veut orner, et [...] l'embellissement ne produit que la difformité lorsqu'il ne s'accorde pas au dessein de tout l'ouvrage (p. 114-115).

La citation était dans le premier dialogue renvoyée au superflu; l'ornement se trouve ici lié au nécessaire. Chemins paradoxalement séparés, et définitivement. Le Peletier termine son propos en donnant des exemples d'ornementation au sens où il a défini le terme : il s'agit de « la belle élocution » — « celle qui est fort pure » (p. 116); préalable évidemment indispensable au travail proprement rhétorique : les figures (p. 117), la voix et le geste (p. 118), la disposition (p. 119). Les figures sont figures de la passion; elles paraissent à ce titre dans tout discours. Elles sont en quelque sorte l'élocution en acte. La voix et le geste sont liés à la figure : on « déclame » ce qui est figuré; on « récite » ce qui ne l'est pas. Enfin, l'arrangement des parties renvoie à l'égalité du style.

Il est significatif que le dernier point de l'argumentation touche au problème de la disposition. Que la disposition soit considérée comme ornement, c'est évidemment la négation même de l'ornemental. La fin du dialogue cultive ce paradoxe : l'ornement, c'est l'essentiel. Plus précisément, un discours construit est un discours orné dans l'exacte mesure où sa construction est, d'une part, rigoureuse et forte, d'autre part, invisible pour l'auditeur. Le bon ornement n'est pas perçu comme tel. Le discours est totalement fonctionnel.

C'est ainsi que la citation se trouve évacuée du domaine de l'éloquence judiciaire. Procédé injustifiable en théorie, elle est renvoyée à l'usage, sinon à la mode, et à la fin du plaidoyer est esquissée par Fleury une histoire de la citation, histoire dont on peut repérer l'origine et dont on espère la fin prochaine.

Les *Dialogues*, en élaborant une typologie des discours et une typologie des citations (distinction entre la citation et l'autorité), opèrent, par une série de bipartitions, une restriction continue du domaine dans lequel la thèse qu'ils soutiennent est pertinente. Les détracteurs de la citation abandonnent ainsi, successivement, le domaine du discours privé et celui (historiquement défini) du discours public adressé à une élite; puis, laissant de côté le cas de l'orateur qui cherche un succès personnel, refusant qu'il y ait dans le discours des « parties » de divertissement ou de plaisir, ils en viennent à délimiter précisément le domaine de pertinence de leur thèse : discours purement persuasif, totalement fonctionnel, pleinement efficace — c'est-à-dire, en toute rigueur, le lieu propre du rhétorique. On peut schématiser ce processus de la manière suivante (le signe + indiquant que la citation est permise, le signe Ø qu'elle est interdite) *(voir le tableau page 198)*.

Il y a deux manières de lire ce tableau. On peut y suivre, de gauche à droite, la restriction progressive que provoquent les interventions de Marillac. On peut y voir la juxtaposition de deux domaines : d'une part, celui du discours purement persuasif (où l'orateur ne parle que pour gagner sa cause); de l'autre, celui de tous les autres discours. D'un côté, donc, la rhétorique; de l'autre, tout ce dans quoi elle ne peut pas, ou ne veut pas, se reconnaître.

Il convient, en effet, de souligner que la discussion sur les principes de l'éloquence dépasse largement le problème de l'éloquence judiciaire, et que le domaine du discours persuasif est le lieu propre du rhétorique. On peut ainsi considérer qu'au terme de l'analyse, la rhétorique a abandonné sa juridiction sur les autres types de discours.

Discours privé (écrit)	Discours public (oral)				
	Destinataire l'élite	*Destinataire* le vulgaire			
		Orateur qui parle pour lui-même	Orateur qui ne parle que pour sa partie		
			But persuader *et* plaire	*But* persuader	
+	+	+		+	autorité
			+	Ø	citation

Plutôt que d'imaginer *d'autres rhétoriques*, qui rendraient compte de ces derniers, les *Dialogues* les écartent de leur propos. Une preuve : lorsque Marillac rappelle que, *dans un contexte historique donné*, les citations permettent de gagner la sympathie des juges, ses interlocuteurs n'en tiennent pas compte, *comme si* leur souci n'était pas seulement un souci d'efficacité, *comme si* leur but était d'écarter, quoi qu'il en coûte, un certain nombre de procédures. C'est un fait qu'on peut citer dans un plaidoyer, c'est un fait qu'on peut en tirer du profit; mais ce n'est pas *bien*. La rhétorique refuse cette image d'elle-même.

II. DISCOURS FONCTIONNEL ET DISCOURS DE PLAISIR

Nous avons là un texte où, en quelque sorte, une rhétorique se « ressource ». Geste décisif, par lequel *plutôt que de se démembrer, cette rhétorique restreint son champ d'application*. Nous nous intéresserons plus loin au terrain laissé vide, domaine où règnent les figures emblématiques d'Arlequin et de Panurge, domaine de l'écriture, du plaisir et du jeu. Notons pour l'instant la place décisive accordée ici à l'invention (rôle du raisonnement, importance des « autorités »), à l'action (la voix et le geste), à la disposition (refus des énoncés séparables). D'une part, l'élocution est soumise aux autres instances rhétoriques; d'autre part, elle est traitée, nous l'avons vu, dans une perspective non ornementale. La condamnation de la citation tient à l'affirmation d'un continuum discursif. La citation est en effet définie comme un énoncé séparable. *A contrario*, d'abord, lorsqu'à propos des citations de Cicéron, Fleury déclare :

> A l'égard de Cicéron, vous voyez bien que *ce que vous appelez ses citations* ne sont que de petits bouts de vers, si bien enchâssés dans son discours, qu'on ne pourrait pas les ôter, pour la plupart, sans faire perdre le sens. Ils ne valent pas la peine de s'y arrêter : ils sont si clairsemés que je m'étais jamais aperçu qu'il y en eût (p. 56; je souligne).

La citation est par définition superflue, nous l'avons vu. Elle peut être retranchée sans dommage, par opposition au « bon » ornement, tel que le définit Le Peletier à la fin du second dialogue :

> [...] si l'ornement d'une partie nuit au rapport qu'elle doit avoir avec tout le reste, il n'est pas même ornement pour cette partie (p. 114).

et plus loin :

> [...] c'est en quoi ces ornements sont excellents qu'ils sont attachés à la chose même, et qu'on ne peut les en séparer sans la détruire (p. 121).

La citation est un élément hétérogène. S'il y a un bon usage de la citation (chez Cicéron, par exemple), il implique une réflexion sur des procédés d'intégration :

> [...] Cicéron avait un avantage, en citant des vers latins, que nous ne pouvons jamais avoir en citant des vers français. C'est qu'il ne citait que des iambes, dont la cadence approchait extrêmement de la prose, et qui, pour cette raison, semblaient être nés, comme dit Horace, plutôt pour représenter que pour raconter. Or en notre langue, nous n'avons point de vers de cette nature, et nos poètes n'en ont point trouvé d'autres jusqu'à présent pour les pièces de théâtre, même les plus simples, que des alexandrins pareils en mesure à ceux qu'ils emploient dans les poèmes héroïques. Il est vrai, pour ne rien omettre, que, dans l'oraison *pour Balbus*, Cicéron cite un

vers hexamètre tiré, comme je crois, des *Annales* d'Ennius. Mais observez, s'il vous plaît, qu'il en rompt la cadence par le moyen d'un mot de deux syllabes qu'il y insère et d'une particule qu'il supprime, et il le défigure autant qu'il le pouvait faire sans en corrompre le sens. Tant il était jaloux de l'uniformité de son discours (p. 57).

Fleury précise le dernier exemple par une note : Cicéron a inséré *dans* le vers « *inquit* » (dit-il). Le mot a deux fonctions : marquer la citation et la « défigurer » — en d'autres termes, cette insertion a un double effet de différenciation et d'assimilation. Si Fleury ne parle que du second, ce n'est pas, me semble-t-il, par inadvertance. « Marquer » la citation relève en effet d'une sorte de redoublement du processus de différenciation. La citation est considérée comme un corps étranger brisant l'uniformité du discours ; la traiter comme telle par une marque linguistique supprime, en la redoublant, l'hétérogénéité de l'énoncé cité ; donc, rejoint la deuxième opération (l'assimilation) et se confond avec elle.

Au discours « uniforme » valorisé dans le domaine restreint de l'éloquence judiciaire s'oppose, dans un jeu métaphorique, *l'habit d'Arlequin*, emblème des autres types de discours. Lorsque, dans le premier dialogue, Fleury établit une typologie des discours, il fait un sort particulier au « genre d'écrire » qui a pour but le divertissement. Et dans ce genre, un développement est consacré à une espèce particulière, le burlesque :

> [...] dans ce dernier je trouve une espèce de style dont vous ne m'avez rien objecté, et qui est néanmoins le seul où les Anciens se sont donné grande liberté de mêler des langues étrangères, en quoi ils ont été fort bien imités par les modernes. Le style dont je parle est le burlesque [...]. Cependant il n'est guère avantageux au mélange des langues différentes de faire un si bon effet dans ce genre d'écrire, car c'est, ce semble, une marque bien évidente que ce mélange est ridicule et qu'il fait à peu près sur les oreilles la même impression que font sur les yeux les habits bigarrés des Trivelins et des Harlequins (p. 51-53).

Les deux pôles extrêmes à l'intérieur desquels joue la discussion sont ainsi marqués : d'une part, un discours purement *fonctionnel* (le discours judiciaire) ; d'autre part, un discours purement *divertissant* (le burlesque), dont on notera que le « modèle » est, sinon pictural, du moins visuel.

Mais cette distinction est elle-même fondée sur des critères fonctionnels, puisqu'en dernière analyse elle relève d'un examen de la *finalité* des discours. Et de fait, tous les interlocuteurs des dialogues admettent le principe d'une rhétorique fonctionnelle. La divergence des positions vient d'une variable : l'attente de l'auditeur. La première raison d'éviter les citations relevait du souci de ne pas paraître savant ; ainsi, à propos des Anciens :

> [...] ce qui nous porte à citer les en détournait, et ils évitaient de paraître savants avec autant de soin que nous l'affectons (p. 41).

Cette proposition était, nous l'avons vu, inversée par Marillac : « c'est le même motif qui nous fait suivre des routes en apparence si différentes » (p. 63). Aucune des deux déclarations ne remet en question le principe selon lequel un bon orateur est celui qui obtient du public ce qu'il veut en obtenir. S'agissant de l'éloquence judiciaire, ce principe est irréfutable. Mais cette évidence ne doit pas cacher qu'à l'horizon du débat, se dessine la possibilité d'un discours dont la finalité est de n'en pas avoir. Le discours purement divertissant provoque chez l'auditeur le rire et/ou l'admiration : la bigarrure de l'habit d'Arlequin, c'est la virtuosité de Pathelin malade ou celle de Panurge famélique (p. 54-55). Et ici se rejoignent le trop savant orateur et le comédien :

> [...] la science toute seule ne donne pas grande autorité dans le monde, et, [...] elle fait plus admirer celui qui la possède qu'elle ne le fait estimer. J'appelle admiration la surprise que nous sentons à la vue de quelque chose extraordinaire, quoique souvent elle soit inutile ou mauvaise, car il n'y a rien qu'on admire tant que les montres. Mais j'appelle estime l'opinion que nous avons d'une qualité qui, non seulement nous paraît grande et belle, mais qui, de plus, est bonne, et a quelque rapport à notre profit particulier. Ainsi nous estimons un vaillant homme bien moins parce qu'il est extraordinaire en lui que parce qu'il est utile aux autres ; nous faisons cas d'un avocat que nous croyons éloquent, parce que nous espérons gagner notre cause avec avantage par son moyen. Mais nous n'avons pas une haute estime d'un musicien, quelqu'admirable qu'il soit, s'il n'a autre chose de recommandable que l'art de bien conduire sa voix, et nous méprisons un danseur de corde, quoique nous ne puissions voir ses sauts périlleux sans étonnement (p. 44).

L'avocat qui plaide pour sa réputation, le musicien et le danseur de corde ont ce point commun qu'ils ne sont d'aucun « profit » à leur public. De fait, ce sont eux qui « profitent » de leur public.

Ces comparaisons nous conduisent à reformuler l'opposition entre discours fonctionnel et discours de plaisir. L'un a pour fonction

d'agir sur l'auditeur, l'autre d'exhiber son sujet (l'orateur virtuose).
Il faut ici préciser : ce sujet qui se marque fortement dans le discours
de plaisir n'est pas un « sujet psychologique ». Il *est* pure virtuosité.
La contradiction qui fait du discours de plaisir un discours où l'em-
preinte du sujet est forte n'est qu'apparente : il n'y aurait de vraie
contradiction que si ce sujet était en quelque sorte un sujet « plein »,
ce qui n'est pas le cas. Le sujet du discours citationnel est un sujet vide,
manipulateur habile, jongleur virtuose. C'est au contraire dans le
discours que j'appelais fonctionnel que nous avons un « sujet psychologique ». Et là encore il convient de souligner qu'il ne faut pas en
rester à une fausse contradiction : on ne doit pas citer, disent les
adversaires de Marillac, pour ne pas se mettre en valeur. Le discours
n'est véritablement efficace que s'il est en quelque sorte « anonyme »,
c'est-à-dire que si l'auditeur n'y voit pas la marque de l'orateur. Mais
il faut bien voir ici que cette absence a pour fonction de mettre en
scène un « personnage » qui a des « passions », des émotions susceptibles de « remuer » l'auditoire. Autrement dit, ce n'est pas tant
l'absence de l'orateur comme telle qu'il convient de marquer, que la
substitution à l'orateur (force de langage et forme vide) d'un sujet
psychologique (personnage « plein » et, à la limite, *sans langage*).
   La rhétorique fonctionnelle institue *et* annule une absence. Elle
l'institue dans la mesure où le langage de l'orateur ne doit pas être
perceptible comme tel ; elle l'annule dans la mesure où elle « substitue »
à ce langage un « objet », la « chose ». Rhétorique à double effet due
à la situation de l'orateur. Celui-ci se trouve en effet devant une difficulté qui tient à la nature même de ces passions qu'il a pour fonction
d'émouvoir. Dans le second dialogue, Cordemoy esquisse une théorie
des passions :

> [Les passions de l'âme] s'excitent en deux manières. Premièrement
> à la présence des corps qui sont propres ou contraires à la conversa-
> sation du nôtre [...]. L'autre manière d'exciter la passion est lorsque
> l'âme forme la pensée qui a accoutumé d'être jointe à cet ébranlement
> du cerveau dont nous avons dit que dépend le mouvement qui fait
> la passion de la part du corps [...]. Mais il faut demeurer d'accord
> que la passion qui est excitée par la présence de l'objet est toujours
> plus forte par comparaison que celle qui ne vient que du souvenir,
> lorsque l'âme rappelle l'idée de cet objet qui souvent est fort effa-
> cée. Et cette représentation est encore plus faible lorsque nous n'avons
> pas en nous-mêmes l'objet présent, mais qu'il nous est seulement
> dépeint par un autre qui souvent n'en a aussi formé l'idée que sur
> un récit. Car alors ce n'est plus rappeler une idée que nous avons eue,
> mais en former une nouvelle sur l'original de celles que nous avons.
> De sorte que, si jamais nous n'avons eu un pareil objet présent, la

chose nous touche peu, et toujours le récit devient moins touchant à mesure qu'il s'éloigne de celui qui a été ému par l'objet même (p. 102-103).

L'orateur est dans la situation la plus défavorable : il fait le récit d'un événement qu'il connaît lui-même par un récit. Le plaidoyer est d'ordinaire le récit d'un récit ou la description d'une description. Double manque, donc, que la rhétorique a pour fonction de pallier :

> Comme celui qui parle ne peut exciter les passions qu'en cette seconde façon, il est difficile qu'il émeuve considérablement s'il n'use d'un grand artifice, et s'il ne répare d'ailleurs ce que le récit diminue de la force de l'objet. C'est cet artifice qui est propre à la rhétorique [...] (p. 103).

La rhétorique compense le défaut du langage. Elle est un ensemble d'opérations linguistiques qui ont pour but de faire oublier à l'auditeur qu'il s'agit de langage. A cet égard, la figure reine serait l'hypotypose — un discours qui tient lieu des choses mêmes, pour reprendre une formule consacrée. Le sujet du discours est la passion feinte. Il n'y a de langage que pour l'orateur. Pour l'auditeur, c'est la passion qui parle; il imagine un sujet psychologique incapable de médiatiser ce qu'il a à dire. Dans la perspective rhétorique, le sujet du discours est « construit » par celui qui l'écoute :

> Je croirais [...] qu'un orateur ne pourrait manquer d'émouvoir si, après avoir décrit un fait particulier très nettement, il relevait ce qu'il y a de plus extraordinaire, par des considérations fortes et solides, s'il employait bien à propos les figures dont se servent naturellement les personnes passionnées, et s'il les accompagnait du ton de voix et de geste qui convient le mieux *au mouvement dont il veut paraître plein*. Je crois, dis-je, qu'*un discours de cette nature serait une espèce de machine* qui ne pourrait manquer d'émouvoir les auditeurs aussi nécessairement que l'objet même; *et ceux qui l'entendraient ne songeraient plus ni à celui qui parle, ni au lieu où ils sont, ni si on dit bien ou mal, mais seulement à la chose dont on parle.* Mais surtout, je le répète, et je ne le saurais trop dire, il faut que ce discours qui doit toucher soit extrêmement sérieux. Car sitôt que l'auditeur s'aperçoit qu'on le joue, pour peu même qu'il le soupçonne, qu'on veut user d'artifice, tout est gâté (p. 105; je souligne).

Discours-machine qui fait que l'on ne songe pas à celui qui parle, donc. Je crois qu'il faut entendre : discours-machine qui fait que l'on ne soupçonne pas celui qui parle de parler. Le discours-machine donne l'effet d'un sujet plein. Cas inverse : le discours citationnel, où se marque fortement le sujet, donne l'effet d'un sujet vide, nous l'avons vu. C'est en quoi il n'est pas du domaine de la rhétorique : *la rhétorique suppose,* comme une condition nécessaire, *la mise en place d'un être de fiction,* sujet du discours, *qui n'est en fait qu'un jeu sur l'attente de l'auditeur, peut-être une projection de son désir.*

Finalement, le discours fonctionnel et le discours de plaisir ne sont pas comparables, parce qu'ils ne sont pas du même ordre. Le discours de plaisir n'est pas le dehors de la rhétorique, il en est le degré zéro. Il fait l'économie de la construction du sujet dont je parlais plus haut, en présentant effectivement, sans « biaiser », l'orateur comme pure force de langage, virtuose, ou saltimbanque. De même que l'on parle de dénudation du procédé, on pourrait parler ici de dénudation de la rhétorique : la rhétorique comme telle, à l'état brut, sans justifications. Ainsi, avec la citation, *sans détour,* on s'impose, on en impose. Procédure « grossière », directe, elle est le révélateur qui permet d'entrevoir la véritable dimension rhétorique. Son inefficacité est pour le moins contestable. Tout ce que l'on peut dire, en effet, (mais que ne dit pas Fleury !) c'est que la citation a une efficacité *incontrôlable* — n'est-elle pas fondamentalement le lieu du contresens ? L'orateur prétend « diriger » les passions de l'auditoire ou les provoquer à son gré; il risque, avec la citation, de perdre cette maîtrise. C'est le revers de la médaille et l'envers de la rhétorique. L'orateur qui cite brillamment et abondamment se fait sans doute « admirer » du public, mais cette admiration se paie : on ne sait pas sur qui elle porte. Ou plutôt, si : elle se porte sur un « jongleur de mots », ce que refuse d'être l'orateur, — ce qu'il est. Le discours fonctionnel, au contraire, dissimule ce qui le fonde; ce discours de plaisir qui va droit au but.

Il faut évidemment tenir compte qu'il est ici question d'éloquence (judiciaire); il reste que le véritable enjeu du débat déborde de ce domaine; il ne s'agit pas de choisir entre deux types de discours, mais bel et bien entre deux modes d'efficacité : l'une, contrôlable, l'autre, non. Il s'agit de savoir si l'on va faire la part du feu et la part du jeu, c'est-à-dire si l'on va ou non rendre sa liberté au récepteur du discours.

III. MÉMOIRE ET ACTION

Un des traits essentiels du discours fonctionnel est l'utilisation qu'il fait de la voix et du geste. Le Peletier le marque fortement :

> Je trouve encore une autre espèce d'ornements qui n'est guère moins estimable : c'est la voix et le geste, et tout ce qui fait la différence entre le discours écrit et le discours passionné. Vous savez combien

les auteurs en faisaient de cas : que Démosthène la comptait pour la première, pour la seconde et pour la troisième partie du discours et de l'éloquence, et que, toutes les fois qu'on lui demandait le nom de quelque partie de cet art, il disait que c'était le prononciation, pour montrer qu'il l'estimait la principale (p. 118).

Il convient de rappeler ici les différentes manières de désigner, dans les *Dialogues*, la dichotomie fondamentale : le discours public s'oppose au discours « privé » comme l'oral à l'écrit ou comme le passionné à l'écrit. En d'autres termes, le discours où l'on s'interdit les citations a trois caractéristiques : il est oral, il s'adresse à un vaste public, il est passionné. Si l'on s'intéresse maintenant aux procédures utilisées par l'un et l'autre type de « discours » : l'action (la voix et le geste) est au premier type, ce que la citation est au second. Or, la citation est évidemment liée à cette partie de la rhétorique que l'on appelle traditionnellement la mémoire[1]. De l'avocat qui cite bien, on dit : « Ah! voilà un savant homme, un homme de grande lecture, une belle mémoire, un bel esprit » (p. 76). Autant de qualités qui sont en fait des défauts. La citation suppose en effet que l'on se soit « préparé » (p. 53); or, l'orateur doit parler *comme s'*il n'était pas préparé. Que la lecture, la mémoire et « l'esprit » soient associés dans un ironique éloge n'est pas indifférent. Ce sont les composantes d'une virtuosité que n'admet pas le discours passionné.

En 1668, Cordemoy écrit un *Discours physique de la parole* [2] qui nous permettra de préciser ce propos. Dans un développement sur les « Causes physiques de l'éloquence », l'auteur fait une distinction entre les orateurs « propres à instruire » et les orateurs « propres à émouvoir » — le bon orateur unit évidemment ces deux qualités — mais c'est un cas idéal :

[...] Je pense que des deux talents, qui servent à rendre un homme parfaitement éloquent, il y en a un qui se peut suppléer par l'étude, quand on a l'autre naturellement, mais cela n'est pas réciproque.
Et, afin de mieux examiner cette difficulté, il faut remarquer que ceux qui ont la conception vive, ont ordinairement les passions violentes, parce qu'ils ont toutes les parties du cerveau fort déliées, et fort mobiles : mais ordinairement, ils ont peu de mémoire : et s'ils trouvent aisément les choses, ils s'en souviennent fort difficilement.

1. Citer oralement un texte *montre* que l'on a de la mémoire. Or, dans la tradition rhétorique, la mémoire doit être un talent caché.
2. Je renvoie à l'édition de P. Clair et F. Girbal : Gérauld de Cordemoy, *Œuvres philosophiques*, PUF, 1968, p. 201 s.

> Au contraire ceux qui ont les parties du cerveau plus fixes, conçoivent moins de choses et moins aisément. D'ailleurs ils n'ont pas les passions si promptes : mais en récompense, ils retiennent plus longtemps et les choses, et les passions (p. 243-244).

La mémoire est, si l'on peut dire, « du mauvais côté ». Elle caractérise en effet le mauvais orateur, qui ne peut devenir au mieux qu'un « bon copiste » (p. 244). La mémoire marque enfin le défaut du geste. Cette proposition s'autorise du fait que le langage de la passion est un langage où « l'action » prédomine — curieuse rencontre! Ainsi cette description de l'orateur passionné, que Cordemoy reprend de Cicéron (un premier orateur a instruit les juges sans rien en obtenir) :

> [...] ce véhément Orateur, voyant qu'il ne lui restait plus qu'à émouvoir des juges déjà instruits se mit quelques heures avant que d'aller à l'audience, à parler de l'affaire dans une chambre avec tant de vivacité, qu'il était déjà en sueur, quand il se présenta aux juges, qu'il força par la véhémence de son action, à lui accorder ce que le premier n'avait pu obtenir d'eux par ses raisons (p. 243).

L'action donne un *effet d'improvisation*. Redoublant le langage verbal, le geste et la voix en font un langage « naturel ». La mémoire, telle qu'elle *se montre* dans la pratique de la citation, est, au contraire, un *effet d'artifice*, introduisant l'écrit dans l'oral. Or, l'écrit est toujours d'institution : « Pour l'Écriture, il n'y en a point de naturelle; et ce n'est que par art que les hommes en ont trouvé le secret » (*Discours*, p. 235).

La citation, effet de la mémoire, a été inventée en même temps que l'imprimerie et l'arme à feu :

> [...] c'est à nos derniers siècles qu'est due la gloire de l'avoir inventée, aussi bien que les armes à feu et l'impression (*Dialogues*, p. 38).

La coïncidence n'est pas fortuite. L'arme à feu rend possible un combat déloyal : on peut tuer de loin et l'on ne sait pas qui tue qui. Il en est de même, en quelque sorte, pour le livre. La situation rhétorique est une situation de duel, un combat où l'on voit l'adversaire devant soi. Le livre bouleverse les règles du jeu. La citation est une arme que l'on veut interdire.

D'une part, le jeu de la citation instaure un doute sur celui qui parle; d'autre part, la citation s'offre rarement à la compréhension de celui qui écoute : elle en impose; avec elle, on « triche ». La citation est indissolublement liée à l'écriture. C'est là qu'elle a son lieu propre.

Qu'en est-il dès lors de la mémoire ? Il est d'usage de considérer que la disparition de cette partie traditionnelle de la rhétorique est liée à la place prépondérante prise par l'écrit. Mais la définition de Cordemoy, selon laquelle « [Les Anciens] n'ont pas défini la rhétorique l'art de bien écrire, mais l'art de bien dire » (p. 108) permet au moins de nuancer cette explication. La disparition de la mémoire ne tient pas à un accident historique ; elle est l'effet d'un parti pris fondamental. La *mémoire*, comme partie de la rhétorique, n'a pas disparu des traités parce que l'on n'en avait plus besoin, mais parce que son statut a toujours été problématique. Le livre n'a pas tué l'art de la mémoire ; au plus, il aurait été *l'occasion* de l'achever. Mieux : on peut légitimement se demander si l'écriture n'a pas sauvé ce que les anciens traités appellent *la mémoire artificielle* — l'écriture comme partie de la rhétorique, tout un programme. Tout se passe en effet comme si la mémoire trouvait un refuge inespéré dans la bibliothèque. Lorsque Cordemoy refuse l'écrit, il refuse *aussi* la mémoire, et cela s'explique par le fait que, *dans la tradition rhétorique*, la mémoire est, précisément, artificielle — elle est une *technique* et nécessite un apprentissage. La mémoire comme art et l'écrit ont partie liée, menacés tous les deux par *une* rhétorique qui valorise l'*action* et son effet d'improvisation.

Les *Dialogues* font un partage entre le discours (oral) et le texte (écrit) à partir de la seule considération d'un procédé : la citation. La citation « artificialise » le discours et, par là, remet en question toute la stratégie de cette rhétorique. L'usage de la citation prépare le terrain à *l'analyse rhétorique;* or, un orateur ne s'adresse pas à des rhétoriciens. Il a besoin d'un public prêt à investir dans ce qu'il lui propose, prêt à donner. Il n'a pas d'autres pouvoirs que les forces de celui qui l'écoute. Il ne « lit » que le discours silencieux de l'autre, pour l'utiliser, le monter, le mimer. Et le pervertir.

Reste à interpréter ce partage. L'écriture ne se constitue pas *aux dépens* de la rhétorique. Nous avons vu plus haut qu'elles sont solidaires ou « complices », mais d'une complicité qui ne peut être dite ici, car cet aveu serait la reconnaissance de la liberté du lecteur ou de l'auditeur ou, au moins, celle d'une prise de distance possible par rapport au discours tel qu'il a été *voulu*. Pourtant, il y a dans les *Dialogues* une marque de cette complicité, à condition que l'on accepte d'entrer dans leur « fiction », d'examiner, pour finir, leurs propres ruses d'*écriture*.

Un étonnant passage ouvre le second *Dialogue*. Le Peletier s'adresse à Fleury :

207

Il faudrait [...] écrire notre conversation afin qu'il nous en restât quelque chose, et je voudrais que vous en fissiez un Dialogue, à la manière de Platon ou de Cicéron, comme vous aimerez le mieux. Aussi bien, vous m'avez promis il y a longtemps une dissertation contre les passages.

— Je pourrai bien répondis-je, écrire quelque chose de ce qui fut dit hier pour mon instruction particulière; mais, pour le Dialogue, vous m'en dispenserez, s'il vous plaît. Un Dialogue en français est une terrible affaire.

— Et qui vous empêche de la faire en latin? dit M. de Marillac (p.71).

La question de Marillac n'est pas sans saveur. Elle suit en effet les grandes diatribes de Le Peletier contre la bigarrure — discours citationnel et plurilingue —, et des éloges répétés du discours « naturel » (c'est-à-dire, *aussi*, en langue naturelle). Le problème posé est en fait celui du passage de l'oral (la conversation) à l'écrit (le dialogue, comme genre). Le latin est ici proposé non seulement comme langue « canonique », mais aussi comme particulièrement susceptible de rendre l'allure de la conversation. C'est Fleury qui l'explique :

[...] l'humeur impatiente des Français ne s'accommode guère au style du Dialogue, qui doit imiter parfaitement la conversation, et par conséquent être plein de digressions et faire un long circuit avant que de conduire le lecteur à la question qui s'y traite principalement; [...] il ne faut pas s'étonner si les anciens Grecs et les Italiens modernes y ont mieux réussi, parce qu'ils ont eu plus de loisir et de patience que nous (p. 72).

La digression est nécessaire au dialogue dans la mesure où elle produit un effet de conversation. Or, nous retrouvons la question fondamentale posée par Fleury et ses amis : la digression, en effet, n'est pas une arme de la persuasion, et pour les mêmes raisons que la citation. Si bien qu'il est impossible de démontrer la thèse. Les *Dialogues*, parce qu'ils se trouvent être *écrits*, ne peuvent remplir *efficacement* leur fonction. Un des genres où la citation est permise est justement la lettre, ou le dialogue. Ainsi, à propos de Cicéron (c'est Fleury qui parle) :

[...] les lettres sont la conversation des absents, et en conversation il serait également ridicule de dire du latin et débiter de la doctrine devant ceux qui ne s'y plaisent pas ou que l'on ne connaît pas assez, et de ne le point faire quand on le peut lorsqu'on se trouve avec des amis savants qui mettent leur plus grand divertissement à cette sorte d'entretien. Les *Tusculanes* et les autres traités de Cicéron représentent ces sortes de conversations, au moins ceux qui sont par manière de dialogue. Il y pouvait donc citer hardiment [...] (p. 50).

Les *Dialogues* de Fleury énoncent donc une thèse qu'ils ne peuvent soutenir en pratique. Plus précisément, la discussion peut progresser dans le cercle *restreint* de ceux qui y participent, mais elle ne saurait sortir de ce cercle. Lorsque Peletier demande à Fleury d'écrire leur conversation, c'est afin qu'il « leur en reste quelque chose ». C'est dire que l'écrit ici sera la *mémoire* des participants des dialogues, et non pas un moyen de diffuser leur discussion.

J'ai relevé l'ambiguïté du rôle de Marillac, qui conclut par le *plaisir* qu'il a pris à cette conversation :

> [...] quand je demeurerais d'accord que vous avez raison, quel avantage en tirerez-vous ? Car, comme je ne me suis pas déclaré, je pourrais dire que j'ai toujours été de votre avis. Mais je ne veux point vous donner l'avantage de croire que vous m'avez convaincu. Je ne vous dirai donc point si je crois qu'on doive citer ou non. Mais je vous dirai que j'ai pris grand plaisir à vous entendre parler, et qu'il serait fort utile de faire souvent de semblables conversations (p. 137).

Cette remarque discrète disqualifie l'ensemble de la thèse. Conversation plaisante, conversation écrite, conversation faite de digressions, autant de traits qui font que tout est joué d'avance. Marillac tient sa force de sa position de spectateur, si ce n'est pas de *lecteur;* il a conscience du statut paradoxal de cette discussion, et il ne manque pas de le souligner. Marillac est un « réaliste ». Des signes explicites en sont donnés par les *Dialogues;* relativisme historique, critique de l'utopie, connaissance du public réel...; surtout, son attitude suppose qu'il connaît ce point décisif : la situation discursive du débat est artificielle, voire délibérément faussée.

> Je tiens pour maxime en toutes choses de suivre plutôt les grands chemins que les routes écartées [...] (p. 30).

Mais où se passe cette conversation ? Le premier dialogue a lieu chez M. de Marillac. Le second (discussion en raison), dans les jardins de Rambouillet, et plus précisément :

> [...] nous arrivâmes à Rambouillet avant qu'il y eût personne. Et pour nous mettre encore plus en sûreté, nous prîmes l'allée du côté droit, qui n'est pas ouverte à tout le monde (p. 71).

Effectivement. Et M. de Marillac est le premier à le savoir. Ce qui pourrait passer pour un souci d'orthodoxie esthétique, me paraît être en fait une conscience aiguë du paradoxe fondateur : le dialogue ne peut s'écrire sans disqualifier la thèse qu'il soutient. M. de Marillac est un homme de bibliothèque : « nous le trouvâmes dans son cabinet parmi les livres » (p. 29). Il montre par ses répliques, ses questions, ses silences que l'écriture *permet* la rhétorique. Inversement, la rhétorique s'écrit. Et ce discours de plaisir, dont on voulait nous faire croire qu'il était le dehors de la rhétorique, qui, dans l'argumentation, nous est apparu au contraire comme son degré zéro, peut être considéré, finalement, par le biais du montage fictionnel du texte, comme la rhétorique même de ces dialogues sur la rhétorique. L'écriture, ici, ne se constitue pas sur le cadavre de la rhétorique; l'écriture redouble une rhétorique en quête de son identité. Elle apparaît comme *la rhétorique d'une rhétorique*.

Les *Dialogues* traitent des rapports de l'écrit et de l'oral dans une perspective historique et théorique. Mais ils sont eux-mêmes, dans leur pratique, *entre* l'écrit et l'oral. Fleury en garde la mémoire en les écrivant, mais ce geste n'est pas marqué dans le texte. On ne sait pas si ces dialogues seront écrits; on sait qu'ils ont été écrits. Par Fleury, qui se cite et cite ses amis. Par Fleury, qui est peut-être ici, dans sa fonction de rédacteur, semblable à ce mauvais orateur que Cordemoy définit comme « un bel esprit et un homme de grande mémoire »; cet orateur qui « dit des fleurettes et des passages », mais qui, finalement, ne convainc pas. Peut-on tenir Arlequin à l'écart ?

REMARQUES (III)

*On a ici l'exemple d'une rhétorique qui se déporte vers l'*action. *Il convient de rappeler que l'*action, *ou la* prononciation *(les deux termes sont, dans ce cas, synonymes) couvre un champ extrêmement vaste. Je me permettrai de « citer », schématiquement, la* Rhétorique à Herennius, *qui fait de cet « art » un exposé très complet (III, 11 s.) —* voir les tableaux p. 212 —. *Ce rappel n'a d'autre but que d'indiquer ceci :* dans la tradition rhétorique, *la voix et le geste sont feints — c'est ce qui nous a permis de parler d'*« effet d'improvisation ». *« Ce qu'il faut savoir, c'est qu'une bonne pratique de l'action (*pronuntiatio bona) *a pour effet de faire croire que la chose vient du cœur (*ut res ex animo agi videatur » *(op. cit., III, 16). Comme on parle de mémoire artificielle, on pourrait parler ici, en particulier, de « voix artificielle ». Le naturel est construit,* la présence marque l'absence.

Il ne s'agit pas de faire en sorte que le texte, l'écriture soient « récupérés » par la rhétorique; il s'agit de montrer qu'une relecture de la rhétorique est possible à partir de l'expérience du texte, de l'écriture. La réglementation de la parole feinte et la codification de tout recours au signifiant dont parle Roland Barthes (« L'ancienne rhétorique », Communications 16, *p. 223), j'ai essayé de les marquer, fragmentairement, grossièrement. Il m'est apparu que la rhétorique limitait ses pouvoirs.* Or, *cette limitation est de fait, non de droit. La rhétorique normative veut contrôler totalement les effets, éviter les interprétations déviantes, arriver à des fins précises* hic et nunc. *C'est pourquoi elle n'utilise pas pleinement cette efficacité du discours qu'elle est pourtant capable, par principe (étant, malgré tout, une rhétorique), de prendre en considération. Telle est la limite de la rhétorique classique : elle n'ose pas aller jusqu'au bout de ses hypothèses.*

Une rhétorique qui ne s'imposerait pas cette limite se « retournerait » délibérément en « art de lire », envisageant le discours en fonction des interprétations possibles, et le mettant en perspective sur une inconnue : la lecture à venir.

pronuntiatio
(action)

    vocis figura
    (ton de la voix)

        magnitudo
        (étendue)

        firmitudo
        (fermeté)

        mollitudo
        (flexibilité,
        souplesse)

    corporis motus
    (mouvements
    du corps)

        corporis gestus
        (geste)

        vultus moderatio
        (jeu de la physionomie)

Le rhétoricien ne développe que les éléments qui relèvent d'une technique, d'un artifice. Ainsi l'« étendue » est un don de nature ; il n'en est donc question que pour mémoire (!). La « souplesse », par contre, est un art. Comme telle, on en expose les modes selon les situations discursives :

mollitudo
(souplesse)

    sermo........
    (ton de
    l'entretien)

        dignitas
        (dignité)

        demonstratio
        (démonstration)

        narratio
        (narration)

        jocatio
        (plaisanterie)

    contentio .....
    (ton de la
    discussion)

        continuatio
        (discussion continue)

        distributio
        (discussion « entre-coupée »)

    amplificatio....
    (ton de
    l'amplification)

        cohortatio
        (exhortation)

        conquestio
        (plainte)

3. La lecture dans le texte

1. Adolphe, ou l'inconstance

> Il lisait beaucoup, mais jamais d'une manière suivie.
> *(Adolphe; Anecdote trouvée dans les papiers d'un inconnu, et publiée par M. Benjamin de Constant)*

I. RÉCITS ET COMMENTAIRES

Structure d'Adolphe.

Le livre communément intitulé *Adolphe* est en fait un ensemble de fragments hétérogènes. C'est de cette hétérogénéité que je partirai; c'est de cette fragmentation que je voudrais rendre compte.
Nous avons successivement :
1. un Avis de l'Éditeur, où celui-ci fait le récit de sa rencontre avec le héros et de l'histoire du manuscrit perdu;
2. l'« histoire » d'Adolphe;
3. une Lettre à l'Éditeur écrite par un correspondant inconnu, qui commente cette histoire et invite à sa publication;
4. la Réponse de l'Éditeur à cette lettre.
Tous ces textes ont évidemment ceci de commun qu'ils appartiennent à la fiction. Il reste que cet ensemble textuel a trois auteurs (fictifs) : l'éditeur, Adolphe, l'inconnu, et qu'il se déploie sur plusieurs plans. Cette hétérogénéité tient à l'interaction entre des structures proprement narratives — *Adolphe*, entre autres choses, raconte une histoire — et des « structures interprétatives » — l'« histoire » d'Adolphe a été lue par l'éditeur et par l'inconnu, et ces interprétations font partie de la fiction —. Analyser *la* structure d'*Adolphe*, c'est donc analyser la relation entre un texte et son interprétation, ni l'un ni l'autre de ces deux éléments ne pouvant être isolé; la structure ne désigne pas, comme on le verra, un principe d'ordre préexistant dans le texte, mais la « réponse » d'un texte à la lecture.

215

Il convient d'abord de distinguer, *dans* la fiction, ce que j'appellerai provisoirement un ordre du récit et un ordre du commentaire [1].

Adolphe fait le récit de son histoire; l'inconnu et l'éditeur, dans les lettres de la fin du livre, commentent cette histoire (ou ce récit). Dans un cas, je lis un récit; dans l'autre, par un étrange redoublement, ce qui est *déjà* une lecture.

L'Avis de l'Éditeur a un statut ambigu. C'est un récit, par rapport auquel le récit d'Adolphe est un récit second. Dans un premier récit, Adolphe apparaît comme personnage; dans le second, comme narrateur. Pour reprendre la terminologie de Gérard Genette [2], disons qu'Adolphe est le narrateur intradiégétique d'un récit métadiégétique. Dans cette mesure, l'Avis de l'Éditeur appartient évidemment à l'ordre du récit. Mais ce texte annonce le commentaire (du moins une partie du commentaire : la lettre de l'inconnu) et il est écrit par un lecteur (le premier lecteur?) d'Adolphe. L'Avis est donc un *récit* écrit par un *lecteur* du métarécit (récit de l'histoire d'Adolphe). Il a ainsi une double fonction : par l'identité de son narrateur, il annonce le commentaire; par l'événement qu'il rapporte, il annonce le récit. On peut préciser : l'Avis de l'Éditeur fait le récit de deux rencontres situées à dix ans d'intervalle, celle d'Adolphe et celle du témoin inconnu. Chacune de ces rencontres donne lieu à un ou des textes : la première au récit métadiégétique; la seconde, au double commentaire qu'est la correspondance de la fin du livre.

Un dernier point, qui me semble capital : l'Avis n'annonce explicitement que la lettre de l'inconnu, sans faire aucune mention de la Réponse :

> Au bout de huit jours, ce manuscrit me fut renvoyé *avec une lettre que j'ai placée à la fin de cette histoire*, parce qu'elle serait inintelligible si on la lisait avant de connaître l'histoire elle-même (p. 49) [3].

La Réponse de l'Éditeur à cette lettre est en quelque sorte un *supplément*. On pourrait dire qu'elle est le commentaire d'un commentaire :

> Oui, monsieur, je publierai le manuscrit que vous me renvoyez (non que je pense comme vous sur l'utilité dont il peut être); [...] (p. 181).

---

1. Je propose provisoirement ce terme, choisi pour sa neutralité. Les trois textes en question précisent le récit principal, l'éclairent, le complètent et portent un jugement d'ensemble. Je reviendrai sur la terminologie.
2. Dans « Le discours du récit », *Figures III*.
3. Je renvoie à l'édition Garnier-Flammarion, 1965. Sauf indication contraire, c'est moi qui souligne.

La suite (j'y reviendrai) est une critique du commentaire de l'inconnu.

Ici se pose un problème terminologique : le commentaire du correspondant inconnu porte non sur le récit (l'Avis), mais sur le métarécit. Pour marquer cette correspondance, je l'appellerai *métacommentaire*. Le commentaire de l'éditeur porte sur ce métacommentaire : je l'appellerai simplement *commentaire*. Pourquoi pas *méta-métacommentaire ?* Passons outre l'inélégance de ce mot (je me verrai malheureusement obligé de l'employer plus loin). Le nom simple de commentaire me paraît avoir l'avantage de marquer qu'il relève, dans son ordre, de la même instance que le récit au sens strict (que l'Avis), de même que le métacommentaire se situe « au niveau » du métarécit. Reste une difficulté : le récit « comprend » en quelque sorte le métarécit, alors qu'ici, c'est le métacommentaire qui semble « comprendre » le commentaire ou, en d'autres termes, le métarécit est une greffe sur le récit, alors que le commentaire apparaît comme une greffe sur le métacommentaire [1]. De fait, l'ordre des deux lettres de la fin du livre ne doit pas nous abuser. S'il est vrai que la chronologie permet de considérer que la première lettre rend possible la seconde (qui est sa réponse), elle permet du même coup de donner à l'inconnu un « rôle » dans la lettre de l'éditeur — l'inverse n'étant évidemment pas vrai. Ainsi, *dans l'ordre du commentaire, l'inconnu est à l'éditeur ce que, dans l'ordre du récit, Adolphe est à ce même éditeur.* Le commentaire de l'inconnu s'inscrit *dans* celui de l'éditeur.

L'ensemble des textes composant *Adolphe* se définit donc de la manière suivante :

1. *Récit* (Avis de l'Éditeur).
2. *Métarécit* (récit de l'histoire d'Adolphe).
3. *Métacommentaire* (Lettre à l'Éditeur).
4. *Commentaire* (Réponse).

Nous pouvons dès lors rendre compte au statut de « supplément » de la Réponse. L'Avis annonce le métarécit et ce que j'appelle le métacommentaire. Ces deux éléments (et eux seuls) sont soumis à la mise en scène « réaliste » qu'effectue l'Avis. La Réponse, comme l'Avis, se situe à un niveau discursif qui va de soi. Je schématiserai ainsi les relations de subordination des éléments du livre considérés dans leur ordre linéaire :

(I)

Avis de l'Éditeur [« Histoire » d'Adolphe. Lettre à l'Éditeur] Réponse

1. On notera cependant que la lettre de l'inconnu n'appelle pas de réponse.

Si l'on fait intervenir la distinction proposée p. 216 entre l'ordre du récit et l'ordre du commentaire, on obtient le schéma suivant :

(II)

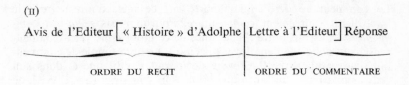

Si l'on tient compte des niveaux discursifs *(ibid.)* :

(III)

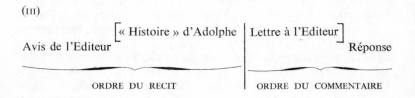

Si enfin l'on introduit les fonctions d'annonce et de rappel :

(IV)

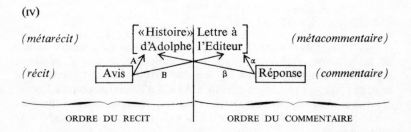

Quelques précisions sur ce dernier schéma : la flèche A indique la rencontre d'Adolphe et la découverte de la cassette, l'annonce, donc, de l'histoire du « héros »; la flèche B indique la rencontre de l'inconnu, l'annonce de la lettre; la flèche α indique la critique de cette lettre; la flèche β, le commentaire de l'histoire d'Adolphe corrigée par l'éditeur. Le récit a des fonctions d'annonce du métarécit et du métacommentaire; le commentaire, des fonctions de rappel du métarécit et du métacommentaire.

Ce montage du livre en permet deux lectures. L'une partirait de l'Avis de l'Éditeur et ferait l'économie de la dernière lettre. L'autre partirait de la Réponse de l'Éditeur, et ferait l'économie de l'Avis. Pures vues de l'esprit, ou rêveries sur une figure. Il reste qu'il n'y a aucune relation directe entre l'Avis et la Réponse. L'Avis n'annonce pas la Réponse, nous l'avons vu. Inversement, la Réponse fait comme s'il n'y avait pas eu ce récit inaugural. Ainsi :

> J'aurais deviné qu'Adolphe a été puni de son caractère par son caractère même, qu'il n'a suivi aucune route fixe [...]; j'aurais, dis-je, deviné tout cela, quand vous ne m'auriez pas communiqué sur sa destinée de nouveaux détails, dont j'ignore encore si je ferai quelque usage (p. 182).

Le « J'aurais deviné » est quelque peu étrange. « Il m'est égal, [...] d'être ici ou ailleurs » avait répondu Adolphe à l'éditeur, lors de leur rencontre. Quant à ces « nouveaux détails », quels sont-ils? Dans la cassette, il y avait, outre le manuscrit et un portrait de femme, des lettres, « beaucoup de lettres ». L'éditeur les a-t-il lues ? « Lisez ces lettres », lui dit son correspondant (p. 179), à qui il n'a transmis que le manuscrit. Il y a donc d'autres lettres. Dans tous les cas, l'éditeur de la fin du livre ne connaît et ne veut connaître que le récit d'Adolphe. Il semble n'avoir aucun document supplémentaire, il semble avoir oublié jusqu'à l'épisode de Cerenza. Le récit inaugural et le commentaire final semblent ne communiquer qu'indirectement, par l'ensemble que constituent l'histoire d'Adolphe et la lettre de l'inconnu.

Or, ces deux derniers textes, métarécit et métacommentaire, sont, eux, étroitement unis. L'auteur de la lettre a connu les acteurs du drame :

> J'ai connu la plupart de ceux qui figurent dans cette histoire, car elle n'est que trop vraie (p. 177).

Mieux, il a joué un rôle important :

> [...] j'ai tenté d'arracher par mes conseils cette charmante Ellénore, digne d'un sort plus doux et d'un cœur plus fidèle, à l'être malfaisant

qui, non moins misérable qu'elle, la dominait par une espèce de charme, et la déchirait par sa faiblesse *(ibid.)*.

On peut s'étonner qu'il n'ait pas été fait mention de lui dans le récit d'Adolphe. De fait, l'inconnu *complète* l'histoire. Il y inscrit son rôle, nous venons de le voir. Surtout, il indique la suite :

> L'exemple d'Adolphe ne sera pas moins instructif si vous ajoutez qu'après avoir repoussé l'être qui l'aimait, il n'a pas été moins inquiet, moins agité, moins mécontent; qu'il n'a fait aucun usage d'une liberté reconquise au prix de tant de douleurs et de tant de larmes [...] (p. 178-179).

Cette suite de l'histoire est décisive pour l'interprétation qu'on en peut donner. Le *témoin* qui l'écrit vérifie la justesse de la prédiction d'Ellénore :

> [...] vous marcherez seul au milieu de cette foule à laquelle vous êtes impatient de vous mêler! (p. 176).

La lettre de l'inconnu est directement en prise sur le récit. Elle prend très précisément le relais des dernières pages, et particulièrement de la lettre d'Ellénore.

C'est justement cette dernière lettre d'Ellénore qui me semble être la clef de voûte du livre. Il faut ici revenir sur son histoire. On en parle pour la première fois lorsque Ellénore, à l'agonie, demande une certaine cassette :

> Le danger d'Ellénore devint tout à coup plus imminent; des symptômes qu'on ne pouvait méconnaître annoncèrent sa fin prochaine : un prêtre de sa religion l'en avertit. Elle me pria de lui apporter une cassette qui contenait beaucoup de papiers; elle en fit brûler plusieurs devant elle, mais elle paraissait en chercher un qu'elle ne trouvait point, et son inquiétude était extrême. Je la suppliai de cesser cette recherche qui l'agitait, et pendant laquelle, deux fois, elle s'était évanouie. « J'y consens, me répondit-elle; mais, cher Adolphe, ne me refusez pas une prière. Vous trouverez parmi mes papiers, je ne sais où, une lettre qui vous est adressée; brûlez-la sans la lire, je vous en conjure au nom de notre amour, au nom de ces derniers moments que vous avez adoucis. » Je le lui promis. Elle fut tranquille (p. 170-171).

Mais, on le sait, Adolphe est inconstant et après la mort d'Ellénore, par inadvertance, sans doute, il manquera à sa promesse :

L'on m'apporta tous les papiers d'Ellénore comme elle l'avait ordonné; à chaque ligne, j'y rencontrais de nouvelles preuves de son amour, de nouveaux sacrifices qu'elle m'avait faits et qu'elle m'avait cachés. Je trouvai enfin cette lettre que j'avais promis de brûler; je ne la reconnus pas d'abord; elle était sans adresse, elle était ouverte; quelques mots frappèrent mes regards malgré moi; je tentai vainement de les en détourner, je ne pus résister au besoin de la lire tout entière. Je n'ai pas la force de la transcrire (p. 174).

Adolphe n'aura la force que d'en donner deux fragments. Le second fragment termine son histoire sans autre « commentaire ».

Adolphe se fait ainsi l'« éditeur » indiscret d'une lettre d'Ellénore [1].

On peut considérer cet événement comme un récit troisième emboîté dans le récit second (méta-métarécit), par le même moyen (la découverte d'un papier perdu) qui était utilisé pour emboîter le récit second dans le récit premier. Parallèlement, la lettre d'Ellénore sera en quelque sorte « commentée » par la Lettre à l'Editeur (qui la vérifie). Pour les mêmes raisons qui m'ont fait appeler métacommentaire la lettre de l'inconnu, j'appellerai (nous y arrivons!) *méta-métacommentaire* la lettre d'Ellénore : Ellénore est à l'inconnu ce que l'inconnu est à l'éditeur.

Reste une question : l'Avis et le récit que j'appellerai, par commodité, de la lettre perdue sont directement mis en relation (même procédure de découverte); qu'en est-il des relations de la lettre d'Ellénore et de la Réponse ? Je disais que la Lettre de l'inconnu vérifiait la lettre d'Ellénore; la Réponse, elle, reprend cette lettre d'Ellénore *selon sa propre modalité*. Au récit prophétique d'Ellénore répond en effet le « j'aurais deviné » de l'éditeur; en d'autres termes, l'éditeur se place, dans le présent, dans la perspective où Ellénore se plaçait, dans le passé. La Réponse est en quelque sorte une « prophétie après coup ». La même procédure est ainsi utilisée dans la lettre d'Ellénore et dans la Réponse de l'éditeur : la prophétie, avec une variable : la situation temporelle.

Ainsi se trouve résolu le problème posé à partir du tableau (IV) : l'Avis est indispensable dans la mesure où il préfigure l'histoire de la cassette d'Ellénore; la Réponse est indispensable dans la mesure où elle rappelle la lettre d'Ellénore. La coprésence de l'Avis et de la Réponse, qui nous paraissait problématique, répond à une nécessité structurale. Pour dire les choses grossièrement, sans l'Avis, pas de cassette; sans la Réponse, pas de lettre. Or, la lettre trouvée dans la

---

1. Ce fait suffirait à montrer qu'*Adolphe destine son manuscrit à la lecture.* Ce n'est pas pour lui-même qu'il écrit son histoire.

cassette d'Ellénore est l'élément qui achève la construction du livre, dans la mesure où *elle opère le passage de l'ordre du récit à l'ordre du commentaire.*

On peut décrire ce passage d'un ordre à l'autre. Il se situe logiquement *entre* la première mention de la cassette et la lecture de la lettre. C'est la mort d'Ellénore. Cela est vrai de tous les niveaux discursifs que nous avons étagés. C'est la mort d'Ellénore qui donne à Adolphe la possibilité de lire (et de retranscrire) sa lettre. On pourrait supposer que c'est la mort d'Adolphe, et non celle d'Ellénore, qui donne à l'éditeur la possibilité (de lire et) de retranscrire son récit. L'inconnu lui donne en effet son autorisation en ces termes :

> Vous devriez, monsieur, publier cette anecdote. Elle ne peut désormais blesser personne (p. 178).

Les personnages principaux sont donc morts. Mais il convient de relire la phrase qui précède immédiatement celle-là. Il s'agit d'Ellénore :

> Après une trop longue absence, je suis revenu dans les lieux où je l'avais laissée, et je n'ai trouvé qu'un tombeau (p. 177-178).

Tout se passe comme si, littéralement, c'était la mort d'Ellénore qui permettait la publication du livre. Les paroles d'Adolphe étaient des armes redoutables, capables de blesser, de tuer Ellénore; elle le disait précisément dans sa lettre : « Ces paroles acérées retentissent autour de moi [...] » (p. 175). Le récit d'Adolphe a ce même pouvoir. Il s'agit de savoir si la mention « elle ne peut désormais blesser personne » est une information nouvelle (les personnages du drame sont morts) ou un rappel (puisque la mort d'Ellénore est inscrite dans le texte). La place de cette proposition et l'utilisation de la métaphore de la blessure me font choisir la seconde solution. De plus et surtout, la mort d'Adolphe n'a pas et ne peut pas avoir de fonction dans ce livre. Adolphe est quelqu'un « qui n'en finit pas ». Il « [plane] indestructible au milieu des ruines » (p. 182). L'Avis le montrait déjà guéri d'une maladie contre toute vraisemblance (p. 48). Adolphe est symboliquement éternel. Il « survit ».

Si bien que nous pouvons compléter notre « figure » du livre de la manière suivante :

(v)

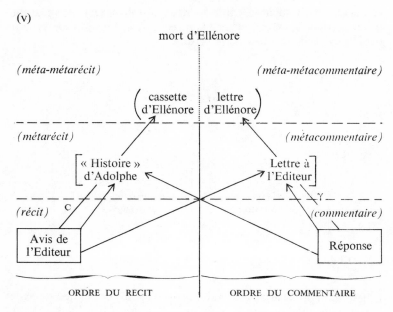

Les flèches C et γ n'indiquent pas ici des fonctions de rappel ni d'annonce : elle marquent une pure répétition. Il est donc nécessaire de modifier la disposition du schéma de façon à souligner cette relation d'identité. Si l'on aligne l'histoire du manuscrit perdu sur celle de la lettre perdue, on obtient la construction suivante :

(VI)

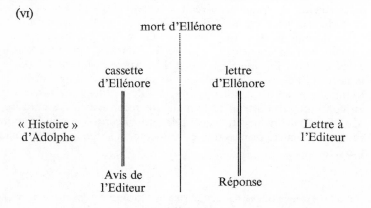

Cette relation d'identité entre les deux histoires peut être marquée d'une seconde manière, en alignant, cette fois, l'histoire de la lettre perdue sur celle du manuscrit perdu :

(vi')

L'hésitation possible entre les tableaux (vi) et (vi') ne fait que souligner l'ambiguïté du statut de l'ensemble « Histoire » d'Adolphe / Lettre à l'Éditeur. Les relations de subordination sont en effet compensées par la relation d'identité, selon laquelle les premier et troisième niveaux discursifs se trouvent en position d'équivalence. Ces tableaux montrent que les éléments du deuxième niveau discursif (nommons-le A - Adolphe -) entretiennent les mêmes relations structurales avec les éléments du premier niveau discursif (Éd - éditeur -) qu'avec ceux du troisième niveau (El - Ellénore -); en d'autres termes avec ce qu'il englobe et ce qui l'englobe. On ne parlera donc pas ici de construction en abyme [1]. El est enchâssé dans A, qui est à son tour enchâssé dans Éd, *mais* Éd répète El (vi) *ou* El répète Éd (vi'). Le tableau (vi') décrit le livre tel qu'il se donne à lire : dans l'ordre de la lecture, le geste d'Ellénore répète celui de l'éditeur. Le tableau (vi), au contraire, reconstruit le livre. Cette reconstruction s'autorise de deux faits : l'éditeur écrit *après* Ellénore; il écrit *parce qu'*Ellénore a écrit. La première proposition est évidente, la seconde mérite quelque justification.

---

1. Plus précisément, la mise en abyme est occultée par les relations paradigmatiques entre El et Éd. C'est de tension qu'il faudrait parler ici.

Fonctions de l'éditeur.

L'éditeur, nous l'avons vu, trouve le récit d'Adolphe comme Adolphe trouve la lettre d'Ellénore. Adolphe a perdu sa cassette, comme Ellénore a perdu sa lettre. L'«invention» de l'une et de l'autre pose à l'éditeur et à Adolphe les mêmes problèmes. Il se trouve que l'éditeur, au bout de dix ans, est autorisé par un inconnu à publier le manuscrit; il se trouve qu'Adolphe lit par inadvertance la lettre d'Ellénore. Il y a des « ratés » fructueux. On ne connaîtrait pas le manuscrit si l'éditeur avait pu rendre ses papiers à Adolphe; mais les lettres de la cassette étaient « sans adresses » et « l'inconnu ne [lui] avait laissé, en le quittant, aucun moyen de lui écrire » (p. 48-49); on ne connaîtrait pas la lettre d'Ellénore si elle avait porté quelque marque particulière : « une lettre qui vous est adressée », disait Ellénore (p. 170), mais « elle était sans adresse », remarque Adolphe (p. 174). Voici donc que l'éditeur publie le manuscrit et qu'Adolphe transcrit la lettre. Ils le font dans les mêmes conditions.

L'éditeur nommé Constant n'est, somme toute, guère scrupuleux. Le cahier où est écrite l'histoire est accompagné de lettres, qu'il ne publie pas. Or, tout se passe comme si une zone d'ombre entourait le récit d'Adolphe et permettait de le « justifier ». L'inconnu aussi parle de lettres :

> [...] en se rendant bien digne de blâme, il s'est rendu aussi digne de pitié.
> S'il vous en faut des *preuves*, monsieur, lisez ces lettres qui vous instruiront du sort d'Adolphe [...] (p. 179).

Réponse de l'éditeur, à propos de ces « nouveaux détails » : « [...] j'ignore encore si j'[en] ferai quelque usage » (p. 182). Cela est pourtant capital, s'il s'agit véritablement de « preuves » — et non de « détails ».

Lorsque Adolphe lit et, *de fait*, publie une lettre qui devait être détruite, lorsque, surtout, il n'en donne que des fragments, il n'est pas plus scrupuleux que son double. Car supposons *(supposons)* qu'en ne pouvant transcrire tout entière la lettre d'Ellénore, il prive le lecteur de détails qui soient des preuves, c'est-à-dire d'un certain nombre d'éléments décisifs pour l'interprétation de l'« histoire ». Ellénore a écrit cette lettre « après une de ces scènes violentes qui ont précédé sa maladie » (p. 174), une de ces scènes, peut-être, où elle criait à Adolphe qu'il apprendrait après sa mort le mal qu'il lui avait fait, et qu'il l'apprendrait par elle (p. 151). Dans tous les cas, les papiers d'Ellénore sont une pièce essentielle du « dossier » :

> L'on m'apporta tous les papiers d'Ellénore, comme elle l'avait ordonné; à chaque ligne, j'y rencontrai *de nouvelles preuves de son amour, de nouveaux sacrifices qu'elle m'avait faits et qu'elle m'avait cachés* (p. 174).

Ces papiers qui sont des « preuves », le lecteur ne pourra en prendre connaissance. Délibérément ou non — et là n'est pas la question —, Adolphe exerce une censure de fait. Je dirai donc que l'éditeur rend à Adolphe la monnaie de sa pièce. Il *venge* Ellénore. Elle écrivait :

> Vous êtes bon; vos actions sont nobles et dévouées : *mais quelles actions effaceraient vos paroles?* Ces paroles acérées retentissent autour de moi : je les entends la nuit; elles me suivent, elles me dévorent, elles flétrissent tout ce que vous faites (p. 175).

Le correspondant de l'éditeur reprend le même motif dans un autre registre, lorsqu'il conclut un portrait nuancé d'Adolphe par cette remarque :

> [...] tour à tour le plus dévoué et le plus dur des hommes, mais ayant toujours fini par la dureté, après avoir commencé par le dévouement, *et n'ayant ainsi laissé de traces que de ses torts* (p. 179).

Effectivement. Mais l'éditeur ne fait rien pour compenser ce « défaut ». Il ne publie que les traces et que les torts, il ne permet pas de découvrir cette zone d'ombre dont je parlais. Il va plus loin encore lorsqu'il tire argument du fait qu'Adolphe a *écrit* son histoire :

> Je hais [...] cette fatuité d'un esprit qui croit excuser ce qu'il explique; je hais cette vanité qui s'occupe d'elle-même en racontant le mal qu'elle a fait, qui a la prétention de se faire plaindre en se décrivant, et qui, planant indestructible au milieu des ruines, s'analyse au lieu de se repentir (p. 182).

L'éditeur est en même temps celui qui fait du récit d'Adolphe un livre et celui qui l'accuse d'avoir écrit ce livre. Il montre les traces pour démontrer les torts. Il remplace l'individu Adolphe, être complexe, être double, par une parole figée. Pour Ellénore, les actions ne pouvaient effacer les paroles. L'éditeur, en publiant le récit d'Adolphe comme il le publie, « accuse » aux deux sens du mot ce partage. « Je publierai [ce livre] comme une histoire assez vraie de la misère du cœur humain » (p. 181). Dans cette formule, tous les mots *portent* : le « comme » marque la transformation que subit le manuscrit en devenant un livre ; transformation qui consiste en une restriction de sa valeur de vérité (« *assez* vraie ») et une extension de sa signification (« *la* misère *du* cœur *humain* »). Il ne s'agit plus de l'histoire vraie de l'individu Adolphe. Un manuscrit est devenu un livre. C'est la pire trahison qui pouvait être faite à Adolphe. L'éditeur fait donc bien à Adolphe ce qu'Adolphe avait fait à Ellénore. Si nous revenons maintenant à la question du choix entre les tableaux (VI) et (VI'), nous voyons que (VI') est en fait un avatar de (VI) : l'éditeur a « aligné » son discours sur l'histoire de la lettre perdue (VI), mais présente les choses dans l'ordre inverse (VI') pour dissimuler cette opération. Ce qui fait qu'une opération stratégique passe pour une coïncidence.

L'éditeur intervient de deux manières dans la fiction. D'une part, il avoue avoir joué un rôle *externe et accidentel* et produit à ce titre ces deux textes séparables, marges du récit principal, que sont l'Avis et la Réponse. D'autre part, il transforme radicalement l'histoire d'Adolphe en publiant un fragment coupé de ses racines biographiques, en mettant en scène ce fragment de manière à établir une parfaite symétrie entre le récit et le commentaire, en « déplaçant » du même coup la lettre d'Ellénore ; cette triple opération (de suppression, d'adjonction, et de déplacement) a pour but de faire de la mort d'Ellénore la clef de voûte de l'édifice. Or, cette seconde intervention n'est possible que parce que l'éditeur joue un rôle dans le récit même d'Adolphe. Elle répond à une *nécessité interne* de ce récit. Le tableau (VI) marque l'inscription du discours de l'éditeur *dans* l'« histoire » d'Adolphe.

Il faut ici revenir aux réflexions d'Adolphe qui suivent la mort d'Ellénore. Je les transcris « tout entières » :

Je sentais le dernier lien se rompre, et l'affreuse réalité se placer à jamais entre elle et moi. Combien elle me pesait, cette liberté que j'avais tant regrettée! Combien elle manquait à mon cœur, cette dépendance qui m'avait révolté souvent! Naguère toutes mes actions avaient un but; j'étais sûr, par chacune d'elles, d'épargner une peine ou de causer un plaisir : je m'en plaignais alors ; j'étais impatienté qu'un œil ami observât mes démarches, que le bonheur d'un autre y fût attaché. Personne maintenant ne les observait; elles n'intéressaient personne; nul ne me disputait mon temps ni mes heures; aucune voix ne me rappelait quand je sortais. J'étais libre, en effet, je n'étais plus aimé : j'étais étranger pour tout le monde (p. 173-174).

La mort d'Ellénore provoque chez Adolphe un « état de manque ». Qui pourrait dès lors s'intéresser à lui ? Le récit de son histoire sera un palliatif qui lui permettra de trouver un substitut à Ellénore : le lecteur. Symboliquement, ce qui est inscrit dans le récit d'Adolphe, ce n'est pas la décision d'écrire, mais *le besoin d'être lu*. Le fragment cité précède immédiatement la découverte de la lettre. Cette lettre prolonge la présence d'Ellénore. Structuralement, nous l'avons vu, elle est le premier commentaire du récit d'Adolphe. Récit encore à venir au moment où Adolphe la lit, si bien que l'on se trouve ici devant une étrange et décisive expérience : Adolphe lit la lecture d'un récit qu'il n'a pas encore écrit. Lorsque sera écrit ce récit (à un moment indéterminé), il faudra en quelque sorte « ressusciter » Ellénore, c'est-à-dire retrouver la possibilité d'être lu — « elle me lisait pendant le jour », est-il écrit quelque part [1] avec une merveilleuse ambiguïté. L'éditeur, premier lecteur du récit d'Adolphe, prend une place qu'Ellénore vient de quitter. Et c'est parce qu'il a cette place, précisément, qu'il peut transformer l'« histoire ». Sinon il ne pourrait qu'annoter dans les marges. Ce que l'on a trop souvent cru.

L'ensemble du livre apparaît ainsi comme la confrontation de deux « lectures ». L'une opère dans l'ordre de l'événement [2]; l'autre, dans l'ordre du discours : l'*histoire* d'Adolphe est « lue » par Ellénore; le *récit* d'Adolphe est lu par l'Éditeur ; la lettre d'Ellénore est le commentaire de l'histoire, la Réponse est le commentaire du récit. La lettre de l'inconnu permet de passer d'un ordre à l'autre : elle autorise la publication du manuscrit et consacre ainsi la « substitution » du récit à l'histoire; elle souligne l'insuffisance du récit tel qu'il est transcrit par rapport à la complexité de l'histoire telle qu'elle a été vécue (« n'ayant laissé de traces que de ses torts »). Ellénore ne peut évidemment modifier l'histoire au sens strict, tandis que l'éditeur peut modifier le récit par les différentes opérations que j'ai décrites. Sa lecture est en fait une réécriture. Il faut dès lors redistribuer les éléments du tableau vi en substituant au terme grossier d'« histoire » le couple histoire/récit :

1. P. 105.
2. Ce que j'appelle ici l'ordre de l'événement, c'est à la fois l'histoire (au sens de *signifié* narratif) et le *référent* du récit : la mise en scène du livre suppose que quelque chose a réellement eu lieu. Et ce qui a eu lieu n'a pas toujours laissé de « traces » dans le récit. Il faut donc *supposer* ici une sorte de référent fictif (si l'on peut dire) qui a une fonction précise dans l'économie du livre.

(VII)

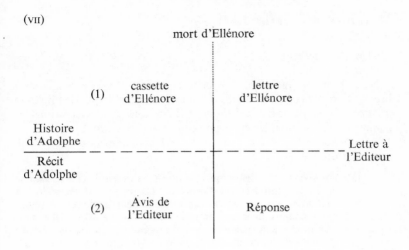

La mort d'Ellénore faisait passer du récit au commentaire. C'est elle encore qui permet de substituer à une « lecture » (1) de l'histoire une lecture (réécriture) (2) du récit : non seulement parce qu'elle marque en creux la place du lecteur (et de ce lecteur privilégié qu'est l'éditeur) mais aussi parce qu'elle inaugure le récit et l'achève. Adolphe écrit son histoire parce que Ellénore est morte; il donne comme fin à son récit le moment où elle meurt. La décision d'écrire dont j'ai marqué l'absence dans le récit est un effet de la découverte de « l'affreuse réalité ». Seule *réalité* du récit, la mort d'Ellénore est comme une intrusion de l'histoire dans le récit[1]. Nous ne nous étonnons donc pas de retrouver le signe tangible de cette mort dans ce texte charnière entre l'ordre du récit et l'ordre de l'histoire qu'est la lettre à l'éditeur :

> Hélas! la dernière fois que je l'ai vue, je croyais lui avoir donné quelque force, avoir armé sa raison contre son cœur. Après une trop longue absence, je suis revenu dans les lieux où je l'avais laissée et je n'ai trouvé qu'un tombeau (p. 177-178).

---

1. Monstruosité terminologique qui vise tout simplement à souligner que El ne souffre pas de la suspicion qui est jetée sur tout *discours*.

229

II. LECTURE ET INTERPRÉTATION

L'ordre de la lecture.

Nous pouvons maintenant décrire comment *Adolphe* se donne à lire. Ce livre est la transformation d'un texte virtuel (*reflet* de l'histoire d'Adolphe) en un texte réel (le récit d'Adolphe). La succession des commentaires marque les étapes de cette transformation. L'inconnu insiste sur « l'utilité » de l'anecdote. Selon lui, cette utilité est double :

> (1) Le malheur d'Ellénore prouve que le sentiment le plus passionné ne saurait lutter contre l'ordre des choses [...]. Malheur donc à la femme qui se repose sur un sentiment que tout se réunit pour empoisonner, et contre lequel la société, lorsqu'elle n'est pas forcée à le respecter comme légitime, s'arme de tout ce qu'il y a de mauvais dans le cœur de l'homme pour décourager tout ce qu'il y a de bon! (p. 178).

> (2) L'exemple d'Adolphe ne sera pas moins instructif, si vous ajoutez qu'après avoir repoussé l'être qui l'aimait, il n'a pas été moins inquiet, moins agité, moins mécontent; [...] (p. 178-179).

Ce commentaire met en scène trois personnages : Adolphe, Ellénore, la société. Il y a un coupable : la société, et une victime : Ellénore. Adolphe est à la fois victime et coupable : victime de lui-même (« ce mélange d'égoïsme et de sensibilité »), coupable à l'égard d'Ellénore ; mais, dans sa culpabilité, il n'a été que l'instrument de la société (qui « s'arme de tout ce qu'il y a de mauvais dans le cœur de l'homme »). La double leçon du livre exploite une explication sociale (pour la femme) et une explication psychologique (pour l'homme). On a ainsi une double articulation du social et du psychologique : *subordination* du psychologique au social, dans un premier temps — citation (1) —, puis, dans un deuxième temps — citation (2) —, affirmation de la validité de la seule analyse psychologique, ce qui revient alors à *juxtaposer* les deux types d'analyse.

Dans sa Réponse, l'éditeur récuse l'explication sociale, et du même coup, considère que le livre ne comporte qu'une leçon, celle qui s'adresse aux hommes :

> S'il renferme une leçon instructive, c'est aux hommes que cette leçon s'adresse [...] La grande question dans la vie, c'est la douleur que l'on cause, et la métaphysique la plus ingénieuse ne justifie pas l'homme qui a déchiré le cœur qui l'aimait (p. 181-182).

Le commentaire de l'Éditeur est donc uniquement psychologique : « Les circonstances sont bien peu de chose, le caractère est tout » (p. 182). Plus précisément, l'explication sociale est un *alibi* : « cette faiblesse qui s'en prend toujours aux autres de sa propre impuissance ». La Réponse opère ainsi une analyse réductrice par rapport à celle de la lettre de l'inconnu puisqu'elle supprime un rôle, celui de la société. Cette suppression est « compensée » par l'addition d'un élément d'analyse dont nous avons déjà parlé : Adolphe a écrit son histoire. Si bien qu'on peut considérer que l'explication de l'inconnu porte, comme il le dit, sur une anecdote, une histoire vécue, et tient compte des « circonstances » (elle *compense* la simplification inhérente à tout discours), tandis que l'explication de l'éditeur porte sur un texte et ne tient compte que de ce texte. Il est vrai que dans le récit d'Adolphe, la société joue un rôle, et un rôle important. Mais, précisément, c'est un *rôle*, et l'éditeur le considère comme tel. L'éditeur, contrairement à son correspondant inconnu, subordonne l'analyse sociale à l'analyse psychologique. Pour lui, ce n'est pas la société qui se sert d'Adolphe, mais Adolphe qui se sert de l'exigence sociale.

Le commentaire d'Ellénore part d'une analyse psychologique, mais fait intervenir de façon décisive la société, par le biais de la psychologie : « vous marcherez seul au milieu de *cette foule à laquelle vous êtes impatient de vous mêler* » (p. 176). Ce désir ne sera pas satisfait, Ellénore le sait et le prédit. Ellénore ne considère pas la société comme un obstacle réel (ce que fait, dans un premier temps, l'inconnu); l'impératif social n'existe que dans l'imaginaire, sur le mode d'une illusion active. Il reste qu'il est pour elle la raison qu'Adolphe a de vouloir rompre. La référence ultime de la lettre d'Ellénore est sociale, celle de la Réponse est psychologique.

Ainsi les trois commentaires mettent en jeu le même matériel interprétatif : la psychologie et la « sociologie ». Le passage de l'ordre de l'événement à l'ordre du discours est marquée par une disparition progressive de l'impératif social. Dans le commentaire d'Ellénore, le désir de rompre traduit le désir de rejoindre l'ordre social (l'impatience de se mêler à la foule); dans celui de l'inconnu, l'impératif social coexiste avec l'impératif psychologique; dans celui de l'éditeur, l'impératif social n'est qu'une traduction de l'impératif psychologique. Cette disparition de la dimension sociale est compensée par une considération nouvelle : celle de l'écriture du récit. Or, cette nouvelle instance permet de raffiner l'analyse psychologique en introduisant l'idée d'une duplicité du sujet; elle permet d'intégrer le social comme *alibi* du narrateur.

Le lecteur d'*Adolphe* n'a évidemment pas à choisir entre ces divers commentaires. Ils font en effet partie de la fiction et à ce titre doivent tous *être lus*. Évidence dont il convient cependant de tirer les conséquences : aucun d'eux ne peut être considéré comme une lecture d'*Adolphe*. La Réponse de l'éditeur, par exemple, est sans doute une lecture du récit d'Adolphe, mais ma lecture ne saurait se formuler *comme* cette Réponse, puisque, dans ce cas, elle ferait l'économie de cette Réponse même. Si donc il est vrai que les commentaires proposent, dans leur dynamique, une interprétation psychologique de l'anecdote, on doit admettre que la *lecture* d'*Adolphe* (considéré dans son ensemble) ne saurait se résoudre en une interprétation psychologique. Ce n'est qu'un exemple, la même chose pouvant être dite de l'interprétation sociologique. En bref, l'intégration dans la fiction d'un certain nombre de commentaires, interdit à la lecture de retrouver ces commentaires.

Il s'agirait, pour qui voudrait formuler une lecture d'*Adolphe*, de se situer à un niveau descriptif qui permît de rendre compte *uniformément* des différents textes composant le livre. J'ai jusqu'ici essayé d'établir une typologie de ces textes et de définir leurs fonctions. Il reste à préciser comment s'articulent les différents langages critiques [1] proposés par les commentaires avec le langage du récit. Les commentaires sont en effet des textes caractérisés par une visée synthétique (reprenant la totalité de l'histoire) et une forte unité lexicale. Il serait évidemment aisé de les mettre en relation avec les commentaires proposés *dans* le récit principal par le narrateur, mais cela ne ferait en rien avancer notre problème. Simplement, nous aurions une interprétation de plus, celle d'Adolphe. *A lire*, donc.

Il convient de reconsidérer un instant le vocabulaire employé jusqu'ici pour parler de ces « lectures » du livre. Je propose de nommer *discours interprétatif* les trois commentaires d'Ellénore, de l'inconnu, de l'éditeur. Ils sont en effet, à des titres divers, des reprises synthétiques de l'histoire ou du récit d'Adolphe dans un lexique spécifique : ils *substituent* au discours narratif ou à une relation virtuelle des événements (dans le cas d'Ellénore), un discours « totalisant » et « marqué » (psychologique ou social). La *lecture* du livre ne peut être, nous l'avons dit sous une autre forme, l'élaboration d'un texte réel ou virtuel, susceptible de se substituer au discours narratif : elle ne peut être une

---

1. J'utilise « langages critiques » dans le sens de « métalangages » que je m'interdis ici pour des raisons de clarté (ayant parlé de métacommentaire...)

interprétation. Elle est *la description des lieux communs au discours narratif et au discours interprétatif.*

L'interprétation de l'éditeur a précisément ceci de particulier qu'elle informe la totalité du livre. Si bien que, dans son cas, il faut distinguer du discours interprétatif qu'est la Réponse, le geste qui consiste à *transformer* le livre selon cette interprétation : ce geste, je le nommerai (faute de mieux) *correction,* en précisant que cette correction ne touche pas à la lettre du récit principal, mais opère par découpage et montage. Par cette correction, communiquent le discours narratif et le discours interprétatif. La figure du livre, que j'ai progressivement tenté de tracer, est l'effet de cette correction. Elle montre l'articulation *syntagmatique* des deux types de discours. On peut ainsi lire, dans le récit même et dans la « disposition » du livre, la trace du discours interprétatif.

Il convient maintenant de compléter la lecture par un examen des conditions de possibilité de cette opération. Pour cela, il s'agira de montrer l'interférence de fait des deux discours, d'examiner comment le discours narratif et le discours interprétatif répètent les mêmes lieux communs lexicaux. Il conviendra de décrire la circularité de ces discours en élaborant leur *paradigme.*

Une précision : pour mener cette analyse, on pourra prendre en considération des textes proprement critiques, les préfaces de Constant (préfaces de la seconde et de la troisième édition). On y trouve en effet la même homogénéité lexicale que dans les interprétations appartenant à la fiction : vocabulaire sociologique ou psychologique (ce dernier prenant éventuellement en compte l'écriture du récit). Dès le moment où il ne s'agit plus ici de définir le protocole de lecture proposé par le livre même, mais les relations entre les ressources lexicales de deux types de discours, la formulation du projet par l'écrivain permet, me semble-t-il, de nuancer l'analyse sans la fausser. On considérera simplement ces préfaces comme des *interprétations* (ou une interprétation diversement formulée) de l'ensemble du livre. L'interprétation de Constant-écrivain n'a pas dans la fiction le pouvoir de transformation qu'a l'interprétation de Constant-éditeur, étant un « hors-texte ». Mais « il se trouve » qu'elle utilise les mêmes lexiques.

Les lieux communs lexicaux et leur modulation.

Un point de départ commode nous est offert par la coexistence aux extrémités du livre d'un récit (l'Avis) et d'une interprétation (la Réponse). Nous avons vu que l'Avis a un statut ambigu, puisqu'une des fonctions du récit y est d'annoncer la ou les interprétation(s). Inver-

sement la Réponse donne une suite au récit sur un mode spécifique.
Précisément, ces deux textes sont unis par un système d'échos ou de
rappels qui occulte leur différence de statut.

. La Réponse met en jeu deux séries métaphoriques : l'une appartient
au registre de la destruction, l'autre à celui du mouvement :

— la destruction :

> [Adolphe a rouvert] les *blessures* qu'un moment de regret avait
> fermées.
>
> [il a] *déchiré* le cœur qui l'aimait.
>
> [il plane] *indestructible* au milieu des *ruines*
> c'est en vain qu'on *brise* avec les objets et les êtres extérieurs; on
> ne saurait *briser* avec soi-même.

— le mouvement

> *il n'a suivi aucune route fixe*
> on change de situation, mais on *transporte* dans chacune le tourment
> dont on espérait se délivrer; et comme on ne se corrige pas *en se
> déplaçant*, l'on se trouve seulement avoir ajouté des remords aux
> regrets et des fautes aux souffrances.

Une métaphore issue de la première série donne le cadre du récit
inaugural : l'Italie. Pourquoi va-t-on généralement en Italie ? « [...] il
ne visitait ni les *ruines*, ni les sites, ni les monuments, ni les hommes ».
L'autre série métaphorique informe la totalité du même récit. Il s'agit
en effet de deux voyageurs; ils se rencontrent parce que les routes sont
coupées; ils se retrouveront par manuscrit interposé : c'est l'histoire
de la cassette trouvée sur une *route*.

Si l'on s'attarde au détail de ce récit, on peut le considérer comme
une succession d'obstacles au voyage : c'est d'abord le débordement
du Neto, c'est ensuite la maladie de l'étranger. Le premier obstacle
permet à l'éditeur de rencontrer l'étranger : « Je fus arrêté dans une
auberge de Cerenza »; « un étranger [...] se trouvait forcé d'y séjourner
pour la même cause. » Le second obstacle permet de prolonger cette
coexistence :

> Au moment où les communications, étant rétablies, nous auraient
> permis de partir, cet étranger tomba très malade. *L'humanité me
> fit un devoir de prolonger mon séjour* auprès de lui pour le soigner.

Il se trouve que l'étranger guérit. Il part, donc, et se sépare de l'éditeur.

On peut envisager ces deux événements de deux manières. Ils sont l'illustration narrative de la maxime de la Réponse, selon laquelle « les circonstances sont bien peu de choses, le caractère est tout » : l'étranger, en effet, intervient à deux reprises au discours direct, une première fois pour dire son indifférence au premier obstacle (« Il m'est égal [...] d'être ici ou ailleurs »), une seconde fois pour dire son indifférence à la maladie et, obliquement, son désir de mourir (« je ne vous croyais pas si habile », dit-il « avec une sorte d'humeur », au médecin qui l'a guéri). Tout se passe comme si l'étranger avait tiré la leçon de la maxime donnée dans la Réponse : si le caractère est tout, rien ne sert de se déplacer ; la mort, comme immobilité absolue, serait le meilleur remède. Mais on peut mettre en place différemment ces deux événements : ils permettent la rencontre, ils permettent de prolonger la coexistence. Dans cette perspective, le troisième événement du récit inaugural apparaît comme une tentative (réussie) pour faire durer cette manière d'entretien. La perte de la cassette inaugure en effet un tête-à-tête qui durera dix ans et qui se terminera, comme on sait, sur la place publique. Car il faut bien dire que cette cassette était destinée à être perdue : des lettres « sans adresses ou dont les adresses et les signatures étaient effacées » ; un manuscrit où les noms « n'étaient désignés [...] que par lettres initiales ». En bref, l'étranger *se résigne* aux obstacles du voyage et il *en profite*. Dans le premier cas, il accepte d'être « puni de son caractère par son caractère même » ; dans le second, il récidive en ayant « la prétention de se faire plaindre en se décrivant ». *Le récit double parfaitement l'interprétation de l'éditeur.* La Réponse montre comment Adolphe se sert de son malheur pour focaliser sur lui l'attention (en écrivant son histoire) ; l'Avis montre comment l'étranger se sert des difficultés de la « route » pour rencontrer celui qui le fera « survivre » et qui lui permettra ainsi de « faire son chemin ».

Le récit et l'interprétation communiquent donc par des motifs à double fonction, herméneutique et narrative. Ainsi cette route, commune aux deux discours. Ainsi ces ruines aussi. Cette dernière métaphore apparaît dans la Réponse comme l'un des termes d'une opposition : Adolphe indestructible au milieu des ruines. C'est évidemment l'exploitation directe d'un fait : Adolphe a survécu à Ellénore. Indirectement, la métaphore marque la volonté d'Adolphe de faire survivre son souvenir par son récit et, dans ce cas, elle renvoie à l'Avis et à l'autre système métaphorique (celui du déplacement). Dans sa spécificité, la métaphore de la route informe, elle, la dynamique du *récit*. La métaphorique de la destruction est, dans le discours interprétatif, un contrepoint moral à l'analyse psychologique ; dans le discours narratif, un contrepoint *descriptif*. Elle se trouve ainsi soumise à l'autre. La route est par excellence le *lieu* commun aux deux types de discours. Lieu d'un malentendu fondateur :

> Plusieurs mois après, je reçus, à Naples, une lettre de l'hôte de Cerenza avec une cassette trouvée sur la route qui conduit à Strongoli, *route que l'étranger et moi avions suivie, mais séparément.* L'aubergiste qui me l'envoyait *se croyait sûr qu'elle appartenait à l'un de nous deux.*

L'aubergiste se trompait, sans doute. Il reste que cet instant d'hésitation symbolise ce que j'appelais plus haut la réécriture du texte par l'éditeur — même s'il n'a « pas changé un mot à l'original ». La même route suivie, mais séparément, c'est là que s'articulent les deux versions, ou les deux versants de l'histoire d'Adolphe. Faut-il rappeler ici que l'éditeur se nomme Constant ?

Dans l'interprétation de l'éditeur, la route a une double valeur métaphorique ; la formule « il n'a suivi aucune route fixe » est glosée en ces termes : « [il n'a] rempli aucune carrière utile, [...] il a consumé ses facultés sans autre direction que le caprice, sans autre force que l'irritation ». La route est à la fois l'itinéraire social et sentimental. Dans le récit d'Adolphe, il faut distinguer la « route fixe », itinéraire valorisé, des chemins qui ne mènent nulle part et condamnent à l'errance. Une solution moyenne consiste à se promener sur les uns avant de prendre définitivement l'autre. Cette règle est formulée par le père du narrateur :

> L'intention de mon père, ministre de l'électeur de ***, était que je parcourusse les pays les plus remarquables de l'Europe. Il voulait ensuite m'appeler auprès de lui [...] (p. 51).

Voilà pour la géographie et pour la carrière. Quant à l'itinéraire sentimental :

> Mon père, bien qu'il observât strictement les convenances extérieures, se permettait assez fréquemment des propos légers sur les liaisons d'amour : il les regardait comme des amusements, sinon permis, du moins excusables, et considérait le mariage seul sous un rapport sérieux (p. 62).

Il y a, en effet, des femmes que l'on *prend*, puis que l'on *quitte* (p. 63) — comme des routes ? —; il y a celle auprès de laquelle on se fixe. On sait que, pour la carrière comme pour le sentiment, Adolphe n'a pas *suivi* son père. Cette référence est rappelée aux moments décisifs du récit. Ainsi, lorsque Ellénore refuse de renouer avec M. de P***, Adolphe se remémore l'exigence paternelle : « Il était temps enfin d'entrer dans une carrière » (p. 118). Le baron de T***, image du père, reprendra, à la fin du récit, la métaphore dans sa double valeur :

> Toutes les routes vous sont ouvertes : les lettres, les armes, l'administration; vous pouvez aspirer aux plus illustres alliances [...] (p. 131).

En écho, Adolphe :

> Je me répétais les noms de plusieurs de mes compagnons d'étude, que j'avais traités avec un dédain superbe, et qui, par le seul effet d'un travail opiniâtre et d'une vie régulière, m'avaient laissé loin derrière eux dans la route de la fortune, de la considération, et de la gloire (p. 132).

Le rappel de cette référence donne une autre dimension au récit des errances d'Adolphe, ou du couple : Gottingue, D***, *** (la ville du père), Caden, les environs de Varsovie; on ajoutera d'autres « horizons » : l'Italie (dans l'Avis), la Russie et la France (dans le récit d'Adolphe, par le biais d'Ellénore). La fragmentation géographique est la réplique narrative des discours interprétatifs; l'itinéraire social et sentimental, la réplique des voyages du récit.

Cette relation se diversifie selon les niveaux interprétatifs que j'ai schématisés dans le tableau (VII). Dans la lettre d'Ellénore, on retrouve les deux séries mises en évidence par la Réponse :

— la destruction

> [*déchirer*] l'être malheureux près de qui votre pitié vous retient
> ce cœur [...] que tant d'amour ne saurait *désarmer*
> *ces paroles acérées* [...] elles me *dévorent*, elles *flétrissent* tout ce que vous faites
> *froissé* par ces cœurs *arides*

— le déplacement

> *Est-il un pays où je ne vous suive?* Est-il une retraite où je ne me cache pour vivre auprès de vous [...]?

237

Elle mourra, cette importune Ellénore que vous ne pouvez supporter autour de vous, que vous regardez comme un *obstacle*, pour qui *vous ne trouvez pas sur la terre une place qui ne vous fatigue;* elle mourra : *vous marcherez* seul au milieu de cette foule à laquelle vous êtes impatient de vous mêler! (p. 175-176).

La première série (métaphorique) trouve sa résolution (littérale) dans : « elle mourra, cette importune Ellénore ». Sa fonction est d'abord *descriptive* : élément essentiel du *portrait* d'Adolphe, elle peut aussi servir à caractériser la société (« ces cœurs arides »). La seconde série a une valeur ambiguë : littéralement, elle commente et prolonge l'histoire (« Est-il un pays où je ne vous suive ? »); mais elle prend évidemment une valeur métaphorique dans la seconde occurrence (« vous marcherez seul »).

On peut dès lors marquer plus précisément les différences et les ressemblances de la lettre d'Ellénore et de la Réponse. Comme dans la Réponse, le registre de la destruction a d'abord une fonction morale et descriptive, et le registre du déplacement une fonction psychologique et narrative. Mais ces deux séries jouent maintenant *dans le même texte* de leur double valeur métaphorique *et* littérale. Ce statut marque formellement la double appartenance de la lettre (à l'ordre de l'histoire — c'est sa littéralité — et à l'ordre du commentaire — c'est sa valeur métaphorique). D'autre part, comme il ne peut y avoir, dans la lettre, de prise en considération de l'écriture du récit, la métaphorique du déplacement est purement négative : la suppression de « l'obstacle » ne sert à rien ici.

On notera enfin que, dans le registre de la destruction, apparaît deux fois une métaphore spécifique, que je dirai « végétale » : ces paroles qui *flétrissent* et ces cœurs *arides*. Or, cette métaphore à valeur descriptive fait écho à des descriptions littérales ou allégoriques du récit. Ainsi :

J'aurais voulu donner à Ellénore des témoignages de tendresse qui la contentassent; je reprenais quelquefois avec elle le langage de l'amour; mais ces émotions et ce langage ressemblaient à ces feuilles pâles et décolorées qui, par un reste de végétation funèbre, croissent languissamment sur les branches d'un arbre déraciné (p. 125).

ou bien (c'est le paysage hivernal de la dernière promenade) :

Le ciel était serein; mais les arbres étaient sans feuilles [...]. Comme tout est calme, me dit Ellénore; comme la nature se résigne! Le cœur aussi ne doit-il pas apprendre à se résigner ? (p. 167-168).

Ce motif a, comme celui des ruines, ou celui de la route, une dimension narrative (ou descriptive) et une dimension herméneutique. Il apparaît clairement exposé dans l'interprétation de l'écrivain :

> [...] dans leur cœur même qu'ils ne croyaient pas avoir mis de la partie, se sont enfoncées *les racines* du sentiment qu'ils ont inspiré [...] (préface de la seconde édition, p. 40).

Il prend là une valeur précise : il illustre une maxime selon laquelle souffre celui même qui fait souffrir autrui. Disons qu'il a dans la Préface une valeur d'excuse. Il n'est dès lors pas étonnant qu'il n'apparaisse pas dans la Réponse. Dans la lettre d'Ellénore, sa première occurrence indique la souffrance infligée à autrui ; sa seconde occurrence, la souffrance réservée à Adolphe dans l'avenir. Ces deux exploitations du motif sont ainsi séparées, mais coexistent dans le même texte. Et c'est leur coexistence qui nous importe ainsi. En bref, dans la lettre d'Ellénore, le registre de la destruction comporte l'indication d'une auto-destruction (d'une perte de soi) ; dans la Réponse, le registre du mouvement comporte l'indication d'un profit. Entre l'une et l'autre, comme on sait, l'écriture du récit, qui opère cette transformation.

La Lettre à l'Éditeur donne des éléments originaux d'analyse qui tiennent à sa fonction de transition. On y retrouve évidemment les métaphores de la destruction (l'arme et la déchirure, la blessure et le poison). Une seule occurrence (et discrète) de la métaphorique du déplacement : « prévoyant le mal avant de le faire et *reculant* avec désespoir après l'avoir fait » (p. 179). Ce « retrait » du coupable est une mise en retrait de sa culpabilité. Que reste-t-il en effet ? Nous l'avons vu : les *traces* du crime et rien d'autre. L'inconnu marque la disparition dans le récit de la « véritable » figure d'Adolphe, qui a pris un autre chemin et *laissé* une trace qui l'accuse. Il y a, de fait, *deux* traces de cette histoire : le récit d'Adolphe et le tombeau d'Ellénore. Le tombeau « objective » la métaphorique de la destruction ; le récit « objective » le crime d'Adolphe (c'est-à-dire encore la mort d'Ellénore).

Constant-écrivain reprend, dans ses Préfaces, la même métaphorique que nous avons relevée dans les autres interprétations. Je ne marquerai donc que deux écarts, qui sont deux ajouts. Le premier écart de l'interprétation de l'écrivain est l'introduction d'une nouvelle métaphore dans son discours :

> *Dans le lointain,* l'image de la douleur paraît vague et confuse, *telle qu'un nuage qu'ils traverseront* sans peine (p. 39).

Or, ce nuage annonce en fait un « orage ». Le mot n'est pas dans la préface mais la double métaphore (nuage/orage) est largement exploitée dans le roman. Elle ponctue les scènes d' « explication » : l'illusion se dissipe comme un nuage (p. 55-56); la conversation prend « une direction orageuse » et, effectivement, des « mots irréparables » seront dits (p. 96-97); dans des « scènes orageuses », Ellénore demande à Adolphe le mot qui la ramènerait à elle mais qu'il ne peut dire (p. 149); et c'est quand la vie est « un perpétuel orage » que « la vérité se fait jour de toutes parts » (p. 151). La rencontre avec Ellénore ou la fin des illusions : « On l'examinait avec intérêt et curiosité *comme un bel orage* » (p. 67).

Le couple nuage/orage est la concrétisation d'une opposition plus abstraite : de loin/de près. De loin, on pense être capable de dire la vérité : de près, on ne peut pas la dire ou on la dit violemment (d'où le recours à la lettre qui est une sorte de proximité dans la distance).

> Nous formons de loin, avec calme, la résolution de rompre [ces liaisons]; nous croyons attendre avec impatience l'époque de l'exécuter : mais quand ce moment arrive, il nous remplit de terreur [...] (p. 107).

Cette métaphore, reprise dans le récit d'Adolphe, définit une illusion : le nuage paraît facile à traverser. Ce motif n'apparaît ni dans la Lettre à l'Éditeur, ni dans la Réponse. Il apparaît par contre dans la lettre d'Ellénore, à travers un lexique psychologique :

> L'idée de ma douleur vous poursuit, et le spectacle de cette douleur ne peut vous arrêter! Qu'exigez-vous ? Que je vous quitte ? Ne voyez-vous pas que je n'en ai pas la force ? Ah! c'est à vous, qui n'aimez pas, c'est à vous à la trouver, cette force, dans ce cœur lassé de moi [...] (p. 175).

Ce motif définit en effet *l'intrigue :* il crée une *attente du lecteur.* Il n'a de place que dans le récit même de l'histoire, ou dans la lettre d'Ellénore en tant qu'elle prolonge l'histoire. Les jugements de la fin, ne portant pas sur les détails de l'action, ne l'utilisent pas. On peut ainsi considérer ce motif comme relevant des considérations techniques. Il permet de mesurer la différence entre le savoir du narrateur et celui du héros (c'est l'illusion); il permet de « dynamiser » la question posée (Adolphe est-il coupable ?). Dire ou ne pas dire la vérité, la dire plus ou moins : c'est tout le *détail* de l'intrigue.

La seconde modification apportée par Constant-écrivain consiste en une valeur nouvelle attachée à la métaphore de la route (espace orienté) : dans la Préface de la seconde édition, elle a aussi pour fonction de définir la lecture; condamnant la « lecture réaliste » des œuvres romanesques, Constant écrit en effet :

> Cette fureur de reconnaître dans les ouvrages d'imagination les individus qu'on rencontre dans le monde, est pour ces ouvrages un véritable fléau. Elle les dégrade, leur *imprime une direction fausse*, détruit leur intérêt et anéantit leur utilité (p. 37).

Cela implique évidemment qu'il y a une bonne et une mauvaise *interprétation*. La mauvaise interprétation ne reconnaît pas le véritable statut des textes sur lesquels elle porte. C'est donc un deuxième motif technique que nous rencontrons ici. Mais, comme le précédent, il est repris à l'intérieur de la fiction, et ce fait est capital dans notre problématique. Car, par ce biais, *le problème de l'interprétation apparaît comme le nœud du récit.*

Le malentendu.

On ne peut tenir ou maintenir jusqu'au bout une séparation effective des fonctions narratives et des fonctions interprétatives. Il nous reste à définir maintenant leur interaction. Pour cela, il faut repartir de la question globale posée par le récit d'Adolphe lui-même, et déterminer où et comment s'y pose le problème de l'interprétation.

Le récit d'Adolphe oriente la lecture dans une perspective juridique. La question est simple : Adolphe est-il ou non coupable ? De « je ne veux point ici me justifier » au chapitre I (p. 58) à « je ne veux point m'excuser » au chapitre IX (p. 150), c'est bien évidemment la question de sa justification et de son excuse que le narrateur pose par prétérition. Le lecteur part donc en quête d'éléments d'information qui lui permettent de *juger*. Cependant la mention des impératifs sociaux et leur intégration dans le lexique de la psychologie portent le lecteur à formuler non un jugement, mais une *explication*. Il s'agit de connaître le « comment », et l'on est renvoyé à une logique des caractères.

Ce récit s'inscrit donc dans une perspective interprétative nettement définie, proposant au lecteur un petit nombre de problèmes précis et un arsenal de solutions limité. Adolphe a fait souffrir, il a fait mourir; là est son crime; mais que faut-il en penser ? Faire le malheur des autres, c'est aussi, dans cette histoire, faire son propre malheur; faire le mal, subir le mal :

Comment se fait-il qu'avec ces sentiments je n'aie fait si longtemps que mon malheur et celui des autres ? (p. 150).

L'explication est donnée dans le discours critique de Constant-écrivain :

[...] dans leur cœur même qu'ils ne croyaient pas avoir mis de la partie, se sont enfoncées les racines du sentiment qu'ils ont inspiré (préface de la seconde édition, p. 40).

C'est pourquoi ce qui se passe après l'histoire racontée par Adolphe est décisif. Si la blessure de la séparation a laissé des traces ou des marques chez l'homme, la culpabilité s'en trouve diminuée : l'Avis de l'éditeur et la lettre de l'inconnu sont à ce titre des pièces importantes du dossier du *procès*. Le « séducteur » apparaît comme un apprenti sorcier. Coupable, donc, mais avec des circonstances atténuantes.

Dans son récit même, Adolphe raconte une fois son histoire à un tiers. Il s'agit de l'aveu qu'il fait à l'amie d'Ellénore :

Les reproches d'Ellénore m'avaient persuadé que j'étais coupable; j'appris de celle qui croyait la défendre que je n'étais que malheureux (p. 142).

Cette excuse (ou ce pardon) suit un aveu incomplet : une histoire racontée « avec ménagement », en insistant sur « les difficultés de leur situation ». C'est le premier temps de l'analyse — le coupable, c'est la société —; encouragé par l'effet de son discours, Adolphe avoue alors ce qu'il appelle la vérité : il n'aime pas Ellénore. Or, il semble que cela ne change en rien le jugement de son interlocutrice, dont il dira plus loin qu'elle a embrassé son parti (p. 144). Il reste que le narrateur ne rapporte pas précisément la réaction de cette auditrice impartiale au second aveu. C'est le premier récit qui focalise l'attention :

La femme qui m'écoutait fut émue de mon récit : elle vit de la *générosité* dans ce que j'appelais de la *faiblesse*, du malheur dans ce que je nommais de la dureté (p. 142).

Or, c'est à cette formule que fait écho l'écrivain dans la Préface de la seconde édition :

[...] s'ils veulent dompter ce que par habitude ils nomment *faiblesse*, il faut qu'ils descendent dans ce cœur misérable, qu'ils y froissent ce qu'il y a de *généreux* [...] (p. 40).

Curieuse reprise, en vérité, puisque nous nous trouvons renvoyés à l'interprétation d'une semi-vérité. A moins que le second aveu n'ajoute rien : lorsque Adolphe avoue l'absence d'amour, il oublie simplement que « les racines du sentiment » qu'il a inspiré se sont « enfoncées dans son cœur »; une fois de plus, il se laisse convaincre par son propre discours. Et nous sommes « piégés ». La question de la culpabilité d'Adolphe est insoluble. Celui qui parle dit toujours la « vérité » pour la simple raison que ce qu'il dit *devient* la vérité [1]. Abusé par son propre langage, le narrateur ne saurait convaincre le lecteur de quoi que ce soit, sinon de ce fait : qu'il est abusé. Naïveté du narrateur; et de là, innocence.

C'est en quoi l'intervention finale de l'éditeur prend toute sa force. Il introduit, en effet, l'idée d'une duplicité. Discrètement, sans doute, et en jouant le jeu de la lecture juridique : « la grande question dans la vie, c'est la douleur que l'on cause » (p. 181-182). La contiguïté des motifs souffrir/faire souffrir n'est pas niée, mais le premier perd tout son poids au profit du second. C'est que l'*histoire* d'Adolphe (hors sa conséquence : la mort d'Ellénore) est gommée ou réduite à un effet de discours : souffrir, c'est, en dernier recours, « se faire plaindre » (p. 182). Constant-éditeur reste dans la perspective juridique, mais il « fige » le problème de la culpabilité : il refuse la « métaphysique ingénieuse » qui ferait du coupable un malheureux. Culpabilité d'Adolphe ? De fait, la question n'est pas là, n'est plus là. Il faut *relire*, car à une question trop ingénieuse qui déjouait toute réponse, l'éditeur a substitué l'idée d'une *stratégie de l'écriture*.

Cette stratégie est inconsciente : le narrateur « *croit* excuser ce qu'il explique ». Le premier faisceau d'interprétations (la culpabilité) relevait d'une question massive et insoluble. Se dessine ici un second faisceau, qui touche nécessairement au détail du texte. On sait que tout part d'un mot d'esprit du père :

> [...] toutes les femmes, aussi longtemps qu'il ne s'agissait pas de les épouser, paraissaient pouvoir, sans inconvénient, être prises, puis être quittées; et je l'avais vu sourire avec une sorte d'approbation à cette parodie d'un mot connu : *Cela leur fait si peu de mal, et à nous tant de plaisir!* (p. 63, souligné dans le texte).

---

1. Sur ce point et quelques autres, cf Tzvetan Todorov, « La parole selon Constant », *Poétique de la prose*, Seuil, 1971. Ainsi : « Les sentiments d'Adolphe n'existent que par la parole, ce qui veut dire aussi qu'ils n'existent que par autrui » (p. 105), ou : « [...] les paroles ne viennent pas à la suite d'une réalité psychique qu'elles verbalisent, mais [...] elles en sont l'origine même : au début était le verbe... Les mots créent les choses au lieu d'en être un pâle reflet » (p. 107).

Le commentaire de ce malentendu — Adolphe a pris pour une règle ce qui était une plaisanterie — suit immédiatement; il se retrouve presque littéralement dans la préface de la seconde édition :

Adolphe (p. 63).

L'on ne sait pas assez combien, dans la première jeunesse, les mots de cette espèce font une impression profonde, et combien, à un âge où toutes les opinions sont encore douteuses et vacillantes, les enfants s'étonnent de voir contredire, par des plaisanteries que tout le monde applaudit, les règles directes qu'on leur a données. Ces règles ne sont plus à leurs yeux que des formules banales que leurs parents sont convenus de leur répéter pour l'acquit de leur conscience, et les plaisanteries leur semblent renfermer le véritable secret de la vie.

Préface (p. 39).

Une doctrine de fatuité, tradition funeste, que lègue à la vanité de la génération qui s'élève la corruption de la génération qui a vieilli, une ironie devenue triviale, mais qui séduit l'esprit par des rédactions piquantes, comme si les rédactions changeaient le fond des choses, tout ce qu'ils entendent, en un mot, et tout ce qu'ils disent, semble les armer contre les larmes qui ne coulent pas encore.

C'est de ce malentendu capital qu'est issue l'illusion de pouvoir rompre, donc le motif qui structure l'intrigue. Or, ce malentendu est une erreur d'interprétation. On peut ainsi considérer l'ensemble de l'histoire comme la correction de cette erreur. Correction jamais véritablement efficace, puisque, après toute cette histoire, reste ce trait du portrait d'Adolphe rapporté dans l'Avis : « il lisait beaucoup, mais jamais d'une manière suivie ».

La fragmentation de la lecture est non pas l'effet, mais la cause de la fragmentation du livre. En termes de psychologie, on parlerait, comme l'inconnu, d'*inconstance*. Constant avait quelques raisons de ne pas vouloir être Adolphe. Il n'est que l'éditeur, le lecteur, donc, mais, en dernier recours, *comme Adolphe*, il n'a pas lu « d'une manière suivie ». Il a fragmenté et réécrit. La disposition, ou plutôt le dispositif du texte, fait que toute première lecture du récit d'Adolphe ne peut conduire qu'à une interprétation paraphrastique des lettres de la fin; c'est-à-dire que Constant-éditeur nous oblige à une lecture *partielle*. Il n'y a pas de lecture d'*Adolphe* qui soit possible. On ne peut que *relire* ce texte. Ce que j'ai tenté de faire.

Dans sa préface à la seconde édition, Constant expose son projet en deux points :

Je n'ai pas seulement voulu prouver le danger de ces liens irréguliers, où l'on est d'ordinaire d'autant plus enchaîné qu'on se croit plus libre [...]

[...] il y a dans la simple habitude d'emprunter le langage de l'amour, et de se donner ou de faire naître en d'autres des émotions de cœur passagères, un danger qui n'a pas été suffisamment apprécié jusqu'ici. L'on s'engage dans une route dont on ne saurait prévoir le terme [...] (p. 37).

Le premier point de ce projet invite à une interprétation sociologique, aussitôt dépassée que proposée; le second point invitant à considérer les relations respectives de la psychologie et du langage. La suite de la préface propose une interprétation du livre à partir de données psychologiques capables d'intégrer une théorie de la parole. Si l'on met à part le jugement porté sur l'histoire d'Adolphe (le héros apprenti sorcier), l'interprétation proposée par Constant-écrivain ne fait donc que synthétiser les différentes interprétations intégrées à la fiction et utilise finalement le même matériel que celle de Constant-éditeur.

Dans la préface de la troisième édition, Constant introduit une problématique nouvelle. Cette anecdote a été

écrite dans l'unique pensée de convaincre deux ou trois amis réunis à la campagne de la possibilité de donner une sorte d'intérêt à un roman dont les personnages se réduiraient à deux, et dont la situation serait toujours la même.

Une fois occupé de ce travail, j'ai voulu développer quelques autres idées qui me sont survenues et ne m'ont pas semblé sans une certaine utilité (p. 43-44).

La suite reprend une analyse très proche de la préface de la seconde édition. Ce qui importe ici, c'est la juxtaposition de deux projets différents. Le second (qui *s'ajoute* au premier) le modifie radicalement. Le premier projet, en effet, se présente comme une sorte de prouesse technique, un pur exercice d'écriture. On peut se demander quel aurait été le roman sans les « quelques autres idées ». Elles apparaissent en fait comme le moyen de « nourrir » ce roman virtuel. Dans tous les cas, le premier projet est le seul dont la formulation échappe au champ interprétatif délimité dans et par la fiction. Il y a là un « écart de langage ». Dans l'analyse psychologique, le roman est un trajet, une « route dont on ne saurait prévoir le terme » : dans cet « hapax » technique, le roman est fondé sur une répétition : « la situation serait toujours la même » — serait-ce encore un roman ? Tout se passe ici comme si l'analyse psychologique permettait de dynamiser le roman, comme si elle permettait de faire *du* roman à partir de cet utopique degré zéro narratif.

Cette description technique est exclue du champ des interprétations intégrées à la fiction. Il est remarquable que Constant-écrivain et Constant-éditeur prennent en considération l'écriture dans des perspectives diamétralement opposées. Le second lui fait servir la psychologie ; le premier soumet la psychologie à la résolution d'un problème d'écriture. Loin donc de privilégier la position de l'écrivain, je veux ici marquer ce qu'elle a d'*intenable* et souligner ce qu'elle censure, ce qu'elle *doit* censurer, pour qu'il y ait une fiction romanesque.

« Quand on est entré dans cette route, on n'a plus que le choix des maux » (p. 41). On a envie de lire : « le choix des mots ». Car le livre, finalement, relève d'une tricherie qui nous fait prendre des mots pour des maux, ou l'inverse. C'est son « intérêt », sinon son « utilité ».

REMARQUES (IV)

La lecture d'un texte est marquée dans ce texte, l'écriture se double d'une réflexion critique. Mais que cette lecture et que cette réflexion critique viennent à se formuler, à s'expliciter, à s'inscrire « noir sur blanc », elles seront elles-mêmes à lire car elles feront dès lors partie de la fiction. Le piège, la tentation, c'est alors la paraphrase. La lecture *est dans le texte, mais elle n'y est pas écrite; elle en est l'avenir. Située à la place laissée vide (la place « à prendre »), la lecture est dans les failles et les brisures, non dans les apartés critiques.*

C'est pourquoi l'analyse rhétorique est nécessaire; elle détermine le statut des textes qui composent l'« œuvre », *elle fait intervenir, dans le compact et le continu du produit soi-disant fini, la distinction des différents types de discours, elle montre comment l'« œuvre » est en fait le montage savant, subtil, complexe, mais analysable, de différents langages.*

Le lecteur est impliqué dans Adolphe; *qu'il le veuille ou non, une place lui est réservée. Qu'il la prenne, c'est son droit et son devoir ; mais qu'il le sache. Qu'il sache qu'on lui offre une panoplie d'interprétations. Et s'il en joue — comment pourrait-il ne pas le faire ? —, qu'il sache qu'il* joue *précisément, qu'il joue un rôle prévu par le texte. Pour fonder une théorie de la lecture, il ne faut ni chercher naïvement la « bonne » lecture, ni valoriser systématiquement l'indécidable; il faut examiner, analyser, décrire les lieux où le texte permet la dérive, les lieux où il contraint, les lectures qu'il propose, celles qu'il refuse, celles qu'il laisse indéterminées ou incertaines, « mesurer » alors cette indétermination ou cette incertitude.*

2. Jeux figuraux

— Hypocrite lecteur, — mon semblable, — mon frère!

BAUDELAIRE

I

*Le chien et le flacon**

« — Mon beau chien, mon bon chien, mon cher toutou, approchez et venez respirer un excellent parfum acheté chez le meilleur parfumeur de la ville ».
Et le chien, en frétillant de la queue, ce qui est, je crois, chez ces pauvres êtres, le signe correspondant du rire et du sourire, s'approche et pose curieusement son nez humide sur le flacon débouché; puis, reculant soudainement avec effroi, il aboie contre moi en manière de reproche.
« — Ah! misérable chien, si je vous avais offert un paquet d'excréments, vous l'auriez flairé avec délices et peut-être dévoré. Ainsi, vous-même, indigne compagnon de ma triste vie, vous ressemblez au public, à qui il ne faut jamais présenter des parfums délicats qui l'exaspèrent, mais des ordures soigneusement choisies. »

On peut à bon droit se demander si ce court texte n'est pas purement et simplement un texte critique. Sans doute, il y a là une manière d'allégorie : on dira que « c'est bien présenté » — voir le flacon, précisément. Mais le lecteur moderne *cherche* quelque rouerie, et la « traductibilité » quasi immédiate de ladite allégorie est décevante. Texte transparent, parfaitement *lisible*, et qui donc peut tout au plus véhiculer une « déclaration d'auteur »; petite machine de guerre à ajouter à l'arsenal de la poétique baudelairienne.
A priori, ce texte implique une double lecture : comme récit anecdo-

---

* Baudelaire, *Petits Poèmes en prose, VIII.* La ponctuation du début du texte varie selon les éditions. On trouve fréquemment un simple tiret. Je me réfère ici à l'édition J. Crépet, L. Conard, 1926.

tique et comme fable symbolique, pour dire les choses grossièrement. Or, ce qui m'importe ici, ce n'est pas tant de décrire le tissu serré de relations qu'on peut repérer, que le *statut* de chaque élément du « poème », selon l'une et l'autre de ces lectures. Une *analyse rhétorique* ne consiste pas à relever des procédés d'écriture (ici : métaphore, comparaison, allégorie) mais à déterminer *comment le texte se donne à lire*.

Au risque de passer pour *cynique* — ce qui d'ailleurs serait dans le « goût » du poème —, je dirai que toute justification (c'est-à-dire toute recherche en vue d'une justification) du caractère littéraire de ce texte vient de deux faits : le premier est qu'il s'agit d'un poème en prose de Baudelaire, le second que ce poème exerce sur le lecteur un véritable terrorisme. C'est ce second fait que je voudrais analyser ici ; il est évidemment du domaine propre de la rhétorique.

Chacune des trois séquences de ce *Petit Poème en prose* définit une situation discursive spécifique.

Qui prend dès l'abord la parole ? Un *il* ou un *je* ? Quand parle le destinateur de la première séquence ? On ne peut évidemment ni nommer, ni situer dans le temps le sujet du discours. Seul le destinataire est connu : *x* s'adresse (s'est adressé, s'adressera ?) à un chien. Le chien est le *destinataire direct* de cette première phrase. Car *a priori*, elle a un second destinataire, le *destinataire indirect* qu'est le lecteur, dont l'existence est *postulée* à partir de la réalité même du texte (destiné à être lu). Cette exigence est d'autre part *marquée* par un *excès d'information :* « venez respirer un excellent parfum acheté chez le meilleur parfumeur de la ville ». Étant donné la situation discursive proposée, la précision est en effet superflue : l'éloge du parfum échappe à cette situation dans la mesure où il est *inséré* dans le discours non par le démonstratif attendu (« *cet* excellent parfum ») mais par un indéfini (« *un* excellent parfum »). L'absence de déictique suppose une situation d'interlocution double : si ce discours s'adresse au chien, il s'adresse *aussi* au lecteur (à moi qui le lis), du fait du mode d'insertion dans la phrase de la description circonstanciée du parfum. La superfluité sémantique est en quelque sorte marquée par la relative autonomie discursive de la description.

La seconde séquence est un court récit. Ce récit inscrit le discours qui précède dans un présent (« le chien [...] s'approche »). Dans un premier temps, il n'apporte, par contre, aucune précision sur le sujet de la première séquence (le *je* de « je crois » est un témoin) ; c'est *in extremis* qu'un *je* revendique cette séquence : « il aboie contre moi ».

A ce point du texte, se trouve ainsi définie une situation d'interlocution précise :

$$
\begin{bmatrix}
\text{\textit{(présent)}} \\
\text{je} \ldots\ldots\ldots \text{vous (le chien)} \\
\vdots \\
\text{le flacon}
\end{bmatrix}
\quad \text{le lecteur}
$$

Le lecteur est le témoin d'une scène entre le chien et un *je* narrateur. Il faut ici relever une particularité de son rôle : il est appelé à *vérifier* l'analogie (la correspondance) entre le comportement animal et le comportement humain : « le chien, en frétillant de la queue, ce qui est, je crois, chez ces pauvres êtres, le signe correspondant du rire et du sourire [...] ». La restriction de l'affirmation d'un *je* témoin en appelle à la validation de cette affirmation par le lecteur, qui se trouve donc ici doubler le rôle du narrateur. Son approbation silencieuse permet dès lors l'interprétation directement psychologique du comportement du chien : « reculant... avec effroi »; « il aboie... en manière de reproche ».

La dernière phrase introduit une comparaison entre le chien et le lecteur : « vous ressemblez au public ». C'est la seconde inscription du lecteur dans le texte. La première instaurait une complicité entre le destinateur et le lecteur, la seconde propose une ressemblance entre le destinataire et le lecteur. Or, la première permet la seconde, dès lors que c'est l'assentiment supposé du lecteur qui autorise dans la deuxième séquence un parallèle animalité/humanité. D'une certaine manière, c'est donc le lecteur qui s'est lui-même *déplacé* en acceptant la deuxième séquence. Il reste que ce déplacement du lecteur ne modifie pas ici la situation discursive définie plus haut, puisqu'il n'intervient pas directement comme deuxième personne. Ce lecteur n'a donc aucune autre possibilité que d'*assister* à sa mise en scène par le biais de la comparaison. Ce texte est « sans réplique ».

C'est en quoi ce « poème en prose » peut être considéré comme « terroriste ». Il est lu le plus souvent comme l'expression violente d'un ressentiment contre le public. Mais il convient de souligner que ce n'est pas tant cette violence *en soi* qui importe, que son caractère *indirect :* ce texte ne laisse aucune chance au lecteur pour la simple raison qu'à aucun moment il ne l'agresse *directement* (il ne l' « interpelle »).

Le déplacement du lecteur effectué par la comparaison de la troisième séquence *implique* une allégorisation de l'ensemble du texte, où le chien sera le public, et le flacon, l'œuvre. Une *relecture* du texte est donc nécessaire, dans laquelle le statut rhétorique d'un certain nombre d'éléments sera modifié. La première séquence est « traductible » selon le code proposé dans la dernière phrase : *Mon beau public... approchez et venez lire (voir) un excellent ouvrage...* De même pour la deuxième séquence, *où la correspondance était soigneusement ménagée :* *Et le public en riant et souriant s'approche... puis... il me fait des reproches...* La troisième séquence pose un problème : en effet, le *comparant* de la dernière phrase reprend des éléments du *comparé :* « (vous ressemblez au) public, à qui il ne faut jamais présenter *des parfums délicats*, mais des *ordures* soigneusement choisies ». Le parfum, qui est (comme le chien) de l'ordre du *comparé*, apparaît ici dans l'ordre du *comparant*. Nous avons vu ailleurs (chez Lautréamont) une procédure identique : ici comme là, une comparaison, au lieu d'articuler deux niveaux de lecture séparés, les « brouille ». La transformation sémantique est donc incomplète : le couple parfum/ordures (ou parfum/excréments) est stable. Appartenant au comparé *et* au comparant, ces termes ne sont pas traductibles.

Parallèlement, si la relecture du texte selon le code proposé par la comparaison finale implique une uniformisation des deux modes de discours utilisés (les première et troisième séquences ne sont plus du « discours rapporté » : on peut supprimer les guillemets), cette transformation modale est incomplète. Il subsiste en effet la troisième personne de la deuxième séquence (« le public ») : le lecteur est dédoublé (la distinction destinataire direct/destinataire indirect est maintenue). De même qu'il y a un résidu de la transformation sémantique (la désignation métaphorique de l'œuvre), il y a un résidu de la transformation modale.

Le lecteur ici se voit (se lit) lisant. Ce caractère incomplet de la transformation modale vise à produire une *réflexivité de la lecture*. Si en effet l'allégorisation du texte identifiait totalement le chien et le lecteur, il n'y aurait plus — c'est l'évidence — de *lecteur du texte*, mais seulement l'interlocuteur d'un *je* sujet de l'instance discursive. Or, désigner ce texte comme allégorique, c'est procéder à cette identification (chien = lecteur), donc supprimer la distinction nécessaire entre destinataire direct et destinataire indirect ; c'est-à-dire, enfin, faire en sorte que la première séquence ne soit pas *lue*, puisqu'elle ne peut être lue que par un destinataire indirect. Cette intervention critique est *prévue* par le poème, qui maintient jusqu'à son terme la distinction. Le chien *est* le public, le chien *n'est pas* le public.

De même, si la comparaison de la fin résolvait (c'est-à-dire traduisait) les métaphores du parfum et de l'ordure (ou de l'excrément), la lecture allégorique du poème le supprimerait comme tel : il n'y aurait plus, dans la perspective de cette lecture, d'auto-référence. La *réflexivité de l'écriture* est produite par le maintien de la désignation métaphorique, *rappel du texte réel*, « le chien et le flacon ». Ce texte propose un code de déchiffrement auquel il n'obéit que partiellement. En d'autres termes, il invite à une *interprétation* qu'il déjoue au dernier moment, puisque l'allégorisation épargne certains éléments du poème.

Il est évident qu'on nous parle ici du chien *pour* nous parler du public ; mais il reste qu'on nous parle du public *à propos* du chien. D'un côté, donc, le public est *comme* le chien (c'est le projet allégorique du texte) ; de l'autre, le chien est *comme* le public (c'est la mise en œuvre paradoxale de ce projet). Dans tous les cas, quel que soit le *sens* de la relation, certains fragments textuels ont un double *statut*. Ainsi, on ne peut dire que, dans la troisième séquence, « parfums » ou « ordures » soient de simples métaphores. Ces termes sont à lire simultanément dans des perspectives opposées, selon la dimension du contexte que l'on prend en considération : dans leur micro-contexte (« il ne faut jamais présenter au public des parfums délicats [...] »), ils sont des métaphores de l'objet littéraire, livres ou poèmes ; dans leur macro-contexte (l'ensemble du poème), ils désignent *littéralement* ce qui est présenté au chien.

La simultanéité de ces deux lectures est en fait *construite* par l'analyse. Car l'efficacité de ces procédures (ici chez Baudelaire, ailleurs chez Lautréamont) tient à ce qu'elles jouent du *temps de la lecture*, des intermittences de la mémoire. L'oubli du statut originaire d'un fragment discursif permet de le réutiliser sur un autre plan (avec un autre statut) ; la mémoire *discrète* de sa première occurrence produit par contre un « flottement sémantique », voire un véritable « malaise » : on ne sait littéralement plus où l'on en est. C'est *le coup du dictionnaire :* un mot est défini par un autre, lequel est à son tour défini par un autre... jusqu'à ce que l'on revienne au premier, mais, par bonheur, on a mis du temps à faire le circuit. Un bel exemple, en passant, chez Montaigne (*Essais*, III, 9). On parle politique : « Rien ne presse un estat que l'innovation : le changement donne seul forme à l'injustice et à la tyrannie. » Puis, comparaison, on parle médical : « [...] d'entreprendre à refondre une si grande masse [...] c'est à faire à ceux [...] qui veulent [...] guarir les maladies par la mort ». On poursuit avec le médical, plus précisément avec le chirurgical (« La fin du chirurgien n'est pas de faire mourir la mauvaise chair [...] »), on généralise et l'on compare au politique : « Quiconque propose seulement d'emporter ce qui le masche, il demeure court [...], un autre mal luy peut succéder, et pire, comme il advint aux tueurs de César [...]. » *En bref* (et il le faut pour supprimer l'oubli du contexte lointain), l'État c'est comme le corps; quant au corps, eh bien! c'est comme l'État. De quoi parle Montaigne ? de quoi parlait ailleurs Lautréamont ? De quoi parle ici Baudelaire ? De poésie ? Peut-être.

Il y a ainsi, dans ce texte, des éléments dont le statut rhétorique est *variable*. Cette variabilité produit une *dynamique de la lecture*. Ce « poème en prose » est un poème. Il ne peut en aucun cas être considéré comme un aparté critique. Il ne s'abolit pas dans une interprétation univoque, mais maintient, au terme des interprétations (littérale, allégorique), les différences, les cassures qui les permettent. Texte réflexif, il se reconstitue sur les débris de la lecture.

Je voudrais, pour finir, noter ici le renversement d'un motif rencontré ailleurs. Il y a d'autres chiens-lecteurs dans la littérature, comme il y a d'autres flacons ou bouteilles qui sont peut-être des livres. Si nous esquissons très rapidement une comparaison entre le poème de Baudelaire et le texte de Rabelais (puisque c'est évidemment de lui qu'il s'agit), nous voyons que chez Baudelaire l'idée d'une opposition entre l'apparence et la réalité de l'œuvre n'est pas marquée : ce sont deux types d'œuvres qui sont opposés par les métaphores de l'ordure et du parfum. Le public (le chien) choisit l'une plutôt que l'autre : il est « indigne » parce qu'ils a « mauvais goût » et non parce qu'il ne saurait pas (par exemple) reconnaître le parfum *dans* l'ordure. Il est évident que cette dualité de l'œuvre est marquée ailleurs chez Baudelaire; mais ce qui importe, dans notre perspective, c'est *ici* la *simplification* formelle du processus de lecture; j'ai souligné dans le même sens l'aspect « sans réplique » du texte. D'un texte à l'autre, les problèmes de la lecture ont été simplifiés parce que *déplacés;* l'écrivain s'affirme comme seul capable de *se* lire : la difficulté est pour lui.

II

— La jouissance ajoute au désir de la force.
Désir, vieil arbre à qui le plaisir sert d'engrais,
Cependant que grossit et durcit ton écorce,
Tes branches veulent voir le soleil de plus près !

Grandiras-tu toujours, grand arbre plus vivace
Que le cyprès ? —

Ces vers sont au centre *exact* du dernier poème des *Fleurs du mal*, « Le voyage » (v. 69-74). Ils articulent deux analogies. Selon la première, le plaisir est au désir ce que l'engrais est à l'arbre. On décrira ainsi cette relation diagrammatique [1] :

plaisir : désir : : engrais : arbre

Cette analogie est complète — il n'y manque aucun terme — et permet de construire des énoncés tels que : « le plaisir est l'engrais du désir » et * « l'engrais est le plaisir de l'arbre ». De ces deux énoncés, seul le premier est pertinent ici puisqu'il s'agit de définir la relation du plaisir au désir et non celle de l'engrais à l'arbre. On dira que le lexique descriptif sert de *référence* au lexique psychologique — on pourrait donc désigner ce dernier comme « dominant ».

La seconde analogie est incomplète. Si l'on nomme x le terme manquant, on a la relation : x est au désir ce que le soleil est à l'arbre. Soit le diagramme :

x : désir : : soleil : arbre

A partir de là, on peut construire les énoncés : « x est le soleil du désir » et *« le soleil est [x] de l'arbre ». Où l'on retrouve le fait noté plus

---

1. Parler ici de relation diagrammatique implique un choix critique. Le terme de diagramme, venu de Peirce, utilisé par Jakobson et, plus récemment et plus systématiquement, par Todorov, désigne une relation du type : A est à B ce que C est à D, sans qu'il y ait de relation directe entre A et C ou B et D (cf. Todorov, « Introduction à la symbolique », *Poétique* 11, p. 288). Le choix critique consiste ici à *mettre entre parenthèses* la possibilité d'une relation directe entre l'arbre et le désir (en clair, d'un symbolisme phallique). La raison de ce choix tient au niveau d'analyse où je voudrais me situer : *comment le texte produit du sens et non quel sens* il produit. Il va de soi que ce n'est pas un parti pris de neutralité ou d'objectivité : il s'agit de tenter de repérer les lieux où se « fabrique » l'interprétation, laquelle *fait partie* du texte.

haut : ce qui est *en question*, dans ces vers, c'est le désir — à qui précisément l'*on* s'adresse —, le désir dans ses rapports à son origine et à sa fin. Or, cette fin n'est pas explicitée. Aux métaphorisants « engrais » et « arbre » correspondent les métaphorisés « plaisir » et « désir »; au métaphorisant « soleil » ne correspond aucun métaphorisé. Cela n'aurait rien de particulièrement remarquable s'il n'avait été posé antérieurement une relation à quatre termes. La première analogie, outre son rôle d' « information », a pour fonction de marquer l'incomplétude de la seconde. S'il est évident que le soleil est quelque chose comme la force qui *oriente* le désir (par opposition à la force qui le nourrit), son objet, son but ou sa fin, la possibilité de sa satisfaction ou de son assouvissement, il reste que l'*anonymat* de cette instance est essentiel dans l'économie du poème.

Le première description de ces structures figurales se trouve dans la *Poétique* d'Aristote. On sait qu'il y est fait un sort particulier à « la métaphore selon l'analogie » (1457 b). Aristote donne trois exemples. Les deux premiers sont des exemples d'analogie complète. La coupe est à Dionysos ce que le bouclier est à Arès, si bien que l'on dira : la coupe est le bouclier de Dionysos, ou : le bouclier est la coupe d'Arès. La vieillesse est à la vie ce que le soir est au jour; donc deux énoncés possibles : le soir est la vieillesse du jour, ou : la vieillesse est le soir de la vie. Le troisième exemple est un exemple d'analogie incomplète : il n'y a pas de nom pour dire [la lumière venant du soleil], mais cette opération est au soleil ce que semer est à la graine [1]; on dira donc : semer la lumière.

Avec le soleil baudelairien, nous sommes dans ce dernier cas. Le détour par Aristote permet de préciser la fonction de ce type d'analogie : elle comble un vide sémantique; en d'autres termes — *s'il n'y a pas de nom* —, elle met en place une catachrèse. « Semer la lumière »

---

1. Ce dernier exemple pose deux problèmes. D'une part le texte grec dit quelque chose comme « [pour dire] la lumière à partir du soleil, il n'y a pas de nom » *(tèn phloga apo tou heliou anônumon)*. La traduction Hardy (« pour désigner l'action du soleil qui lance sa lumière, il n'y a pas de mot ») introduit un verbe (lancer) là où le grec n'en met pas, et pour cause (il n'y a pas de nom). D'autre part l'analogie est ainsi posée : « cela est au soleil ce que semer est à la graine ». *(homoiôs echei touto pros ton helion kai to speirein pros ton karpon).* La traduction supplée : « le rapport de cette action *à la lumière du soleil* est le même que celui de « semer » à la graine. » C'est (en principe) le soleil qui sème et non sa lumière. Le texte grec *confond* le sujet et l'objet de ladite action. Cela pourrait, en toute rigueur, donner un énoncé du type : [x] sème le soleil. Ce n'est peut être pas fortuit. L'exemple donné est en effet : « semant la lumière divine » *(speirôn theoktistan phloga)* — pas de sujet et un qualificatif qui signifie à peu près « produite par la divinité ». A voir.

pourrait être en effet une catachrèse. Toute la question est dans l'effet de cette procédure et, quant à l'exemple aristotélicien, nous n'en savons strictement rien. Par contre, la mise en place de cette relation dans le texte de Baudelaire invite à *interpréter* la *métaphore* du soleil. Le montage de la double analogie exhibe en effet le statut métaphorique du soleil et insiste sur la nécessité de *substituer* à « soleil » un nom du lexique psychologique — comme cela est fait pour « engrais » ou pour « arbre ». S'il y a un « anonymat » dans ce fragment c'est bel et bien parce que *l'on ignore un nom* et non parce qu'*il n'y a pas de nom*.

Il faut ici tenir compte de la situation discursive de ce fragment dans l'économie générale du poème. *Le Voyage* est un texte dialogué. Le centre du poème est en effet une intervention, au discours direct, des voyageurs. Du v. 57 :

> Dites, qu'avez-vous vu ?
>
> IV
>
> « Nous avons vu des astres
> Et des flots, nous avons vu des sables aussi ;
> [...] »

au v. 108.

> « — Tel est du globe entier l'éternel bulletin. »
>
> VII
>
> Amer savoir, celui qu'on tire du voyage !
> [...]

Les quatrième et sixième sections du poème sont consacrées à ce discours — la cinquième, relançant le dialogue : « Et puis, et puis encore ? ». Or, dans les propos des voyageurs, il y a une parenthèse ou un aparté : le texte qui nous occupe ici. Ce fragment, relativement autonome, peut être lu aussi bien comme un commentaire des voyageurs que comme un commentaire de ceux qui les interrogent. *Stricto sensu*, il glose les vers précédents :

> Les plus riches cités, les plus grands paysages,
> Jamais ne contenaient l'attrait mystérieux
> De ceux que le hasard fait avec les nuages,
> Et toujours le désir nous rendait soucieux ! (v. 65-68).

Mais ces vers sont eux-mêmes la reprise ou l'écho du portrait des « vrais voyageurs » au début du poème :

> Mais les vrais voyageurs sont ceux-là seuls qui partent
> Pour partir; cœurs légers, semblables aux ballons,
> De leur fatalité jamais ils ne s'écartent,
> Et, sans savoir pourquoi, disent toujours : Allons!
>
> Ceux-là dont les désirs ont la forme des nues,
> Et qui rêvent, ainsi qu'un conscrit le canon,
> De vastes voluptés, changeantes, inconnues,
> Et dont l'esprit humain n'a jamais su le nom! (v. 17-24).

Ainsi, ce que j'appellerai *le commentaire du poème* (le fragment que j'envisage ici), d'une part, se désolidarise de son contexte immédiat par un certain nombre de caractéristiques formelles (les tirets, l'usage du présent, l'adresse à un nouvel interlocuteur — « le désir » —), d'autre part et surtout, répond précisément à la définition paradoxale de l'objet du désir donnée aux v. 23-24 : « voluptés [...] *dont l'esprit humain n'a jamais su le nom* ».

Cela confirme la lecture proposée plus haut : il ne s'agit pas, avec le soleil du vers central, d'un *indicible*, mais d'un *jamais dit*. En toute rigueur, rien ne permet d'affirmer que l'on ne *saura* jamais de quoi le soleil est métaphore. Il reste que si je tente de *substituer* à « soleil » un autre nom — si j'*interprète* la métaphore — je détruis la dynamique du poème. Il faut imaginer l'interprétation comme *possible*, mais la *réserver*. Tout se joue ici sur deux registres : le registre descriptif ou narratif et le registre psychologique ou intellectuel. Le voyage est, d'une part, un défilé de spectacles ou d'événements, d'autre part, à l'évidence, un rêve (v. 46), un mouvement de l'Imagination (v. 39), de l'espérance (v. 31) ou de la Curiosité (v. 29). L'engrais, l'arbre, le soleil sont les paradigmes du registre descriptif ou narratif [1]; le

---

1. Cette analyse est celle d'une micro-structure figurale dans ses relations avec l'ensemble du poème. Il ne s'agit donc pas ici de prétendre à quelque exhaustivité. On notera simplement les jeux de la lumière : les lampes (v. 3), la chandelle (v. 48), les joyaux lumineux (v. 78) et les métamorphoses de l'arbre : le trois-mâts (v. 33), l'échelle fatale (v. 87); qui posent le décor, enchaînent les événements. Quant à la jouissance (ou au plaisir) — engrais du désir — elle produit une série de tableaux : l'orgie (v. 39), l'ivresse (v. 43 et 81) la paillardise (v. 91) ... La structure analogique a des récurrences. Ainsi, le vers 33 :

> Notre âme est un trois-mâts cherchant son Icarie;

Il y a peut être une référence à l'utopie de Cabet — plus loin, il sera question de l'Eldorado, autre « utopie ». Mais il ne faut pas oublier Icare, volant *trop près* du soleil. (Et si le trois-mâts est métaphore de l'âme, de quoi, encore une fois, est métaphore l'Icarie, donc, par contiguïté, le soleil ?)

plaisir et le désir, les paradigmes du registre psychologique ou intellectuel. La transformation de l'un en l'autre, explicitement codifiée au centre du poème, ne peut être que fragmentaire et *doit* rester fragmentaire. Nous avons vu que le dispositif de ce commentaire subordonnait un registre à l'autre (le descriptif au psychologique), le premier servant de référence au second. Dès lors qu'il manque un élément dans la chaîne des « transpositions » et que cet élément est la clef du registre dominant, l'ensemble de l'appareil linguistique du poème est remis en question.

C'est pourquoi le poème ne s'achève pas :

> [...]
> Nous voulons, tant ce feu nous brûle le cerveau,
> Plonger au fond du gouffre, Enfer ou Ciel, qu'importe ?
> Au fond de l'inconnu pour trouver du *nouveau!* (v. 141-144).

Le « *nouveau* » s'oppose aussi bien au « déjà vu » du registre descriptif (partout le spectacle est le même) qu'au « connu » du registre intellectuel. L'appel à la Mort de la fin du poème (v. 137), le désir du dernier voyage, est une façon de laisser la question ouverte. Au discours des voyageurs a fait écho, en effet, l'appel des « voix, charmantes et funèbres

> Qui chantent : « Par ici! vous qui voulez manger
>
> Le Lotus parfumé! c'est ici qu'on vendange
> Les fruits miraculeux dont votre cœur a faim;
> Venez vous enivrer de la douceur étrange
> De cette après-midi qui n'a jamais de fin! » (v. 129-132).

« Ici », deux fois proféré, donne l'illusion de la fin imminente du voyage. Mais précisément les dernières strophes du poème rétablissent le doute et la suspicion : il s'agit d'un départ (« levons l'ancre! », v. 137; « Appareillons! », v. 138) et non d'une arrivée au pays du lotus. Jeu de la faim et de la fin, mais où la faim n'en finit plus.

Indissociable de l'inachèvement de la quête, du voyage, de la recherche, est l'insatisfaction du désir; « au terme », l'impossibilité de trouver *le mot de la fin*. On sait depuis Aristote (encore) qu'un énoncé totalement métaphorique est une énigme [1]. *Le Voyage* est le développement d'une énigme. En bref : trouvez le nom du soleil et le

---

1. Une énigme est un discours composé uniquement de métaphores (*Poétique*, 1458 a). Son essence est de dire ce qui est en liant ensemble les termes « inconciliables » (*adunata* : « impossibles »). Dans le poème de Baudelaire, il me semble que les deux registres sont inconciliables.

voyage sera achevé, ou plutôt : trouvons le nom du soleil et notre
voyage sera achevé. Car nous sommes du voyage. Le *nous*, omniprésent dans le poème, associe le poète et son lecteur dans la même
recherche : il nous « embarque ».
Mais l'aventure imaginaire se double d'une autre, plus étrange ou
plus forte, et il faut citer ici les strophes qui introduisent au discours des
voyageurs :

> Étonnants voyageurs! quelles nobles histoires
> Nous lisons dans vos yeux profonds comme les mers!
> Montrez-nous les écrins de vos riches mémoires,
> Ces bijoux merveilleux, faits d'astres et d'éthers.
>
> Nous voulons voyager sans vapeur et sans voile!
> Faites, pour égayer l'ennui de nos prisons,
> Passer sur nos esprits, tendus comme une toile,
> Vos souvenirs avec leurs cadres d'horizons.
>
> Dites, qu'avez-vous vu ? [...] (v. 49-57).

Il s'agit ici de *lire* et de voir. Le discours des voyageurs est un texte
et un spectacle, ou un texte donné en spectacle. Ces *voyageurs* que
nous sommes sont peut-être ici des *voyeurs;* à coup sûr et littérale-
lement, des *lecteurs.* Si bien que l'aventure imaginaire, le défilé des
spectacles, des promesses et des déceptions, est sous-tendu, à chaque
instant, *que nous le sachions ou non*, par une interrogation sur leur
sens. Nous ne pouvons en rester ni au plaisir de voir, ni au plaisir
d'entendre les rythmes du voyage. Encore une fois :

> Mais les vrais voyageurs sont ceux-là seuls qui partent
> Pour partir; cœurs légers, semblables aux ballons,
> [...] (v. 17-18).

Élan de l'enjambement, continuité de la chaîne consonantique,
sursaut du contre-accent au deuxième vers. Mais la question du *pourquoi* ne peut être esquivée; on n'y répondra pas, pour ne pas briser
le mouvement, mais c'est son *urgence* qui produit la tension propre à
ce texte.
Pour en « finir » avec cette *énigmatique* métaphore, on relèvera
ses différentes manifestations dans l'ensemble du poème :

> (1) La glace qui les mord, les soleils qui les cuivrent,
> Effacent lentement la marque des baisers (v. 15-16),

(II)   Nous imitons, horreur! la toupie et la boule
       Dans leur valse et leurs bonds; même dans nos sommeils
       La Curiosité nous tourmente et nous roule,
       Comme un Ange cruel qui fouette des soleils (v. 25-28).

(III) La gloire du soleil sur la mer violette,
       La gloire des cités dans le soleil couchant,
       Allumaient dans nos cœurs une ardeur inquiète
       De plonger dans un ciel au reflet alléchant (v. 61-64).

Dans (I) et (III) « soleil » (ou « soleils ») est un élément descriptif du paysage extérieur. Dans (II), par contre, la comparaison instaure une relation d'analogie entre la Curiosité et l'Ange, d'une part, *nous* et les soleils d'autre part. Si la Curiosité peut être considérée ici comme une variante du désir, cette strophe esquisse une problématique tout à fait différente de celle que nous avons analysée jusqu'ici. Le soleil n'est pas l'objet désiré mais le sujet désirant, agi *(tourmenté, roulé)* par son désir. La dernière occurrence — synecdochique — de la métaphore [1] résout cette contradiction :

(IV)   O Mort, vieux capitaine, il est temps! levons l'ancre!
       Ce pays nous ennuie, ô Mort! Appareillons!
       Si le ciel et la mer sont noirs comme de l'encre,
       Nos cœurs que tu connais sont remplis de rayons! (v. 137-140).

Le soleil est intérieur au sujet du désir. Cela ne signifie pas que le désir a été *assouvi*, puisque les derniers vers poursuivront la quête du « nouveau », mais que l'objet du désir fait partie du désir ou que cet objet est lui-même désir.
    Traduisons grossièrement, maladroitement, en reprenant les termes de la série analogique : l'engrais donne force à l'arbre, l'arbre veut voir le soleil *de plus près* mais, précisément, ce soleil *singulier* devient lui-même un arbre, une nouvelle force de désir. Soleil-arbre, qu'est-ce à dire ? « [...] grand arbre plus vivace que le cyprès ». Que le *si près* aussi, peut-être ? La même « confusion » doit être relevée dans le premier vers de notre fragment : « — La jouissance ajoute au désir de la force. » J'ai lu jusqu'ici : « ajoute de la force au désir ». Mais l'ambiguïté de la formulation est significative. De même que l'objet du désir est désir, par ce biais, la jouissance — qui donne force — fait aussi partie du désir (du désir de la force). Ce qui produit évidem-

1. Cette désignation contrefaite veut simplement marquer qu'il est question, dans les vers qui suivent, non du soleil, mais, précisément, de ses rayons. On pourrait, à propos de la lampe ou de la chandelle, parler d'occurrence métonymique de la métaphore.

ment un texte à peu près *illisible* où le désir est à lui-même son origine et sa fin.

Dans tous les cas, le *déplacement* de la métaphore solaire est dans la logique de ces analogies que j'ai (trop longuement) commentées. L'indétermination de la métaphore du soleil fait que l'instance anonyme métaphorisée est susceptible de se déplacer dans la mesure où elle n'a pas de répondant descriptif. L'anonymat renvoie à l'*utopie :*

Singulière fortune où le but se déplace,
Et, n'étant nulle part, peut être n'importe où! (v. 29-30).

Le *n'importe quoi* implique un *n'importe où.* C'est à partir de cette indécidabilité précisément réglée de la chose et du lieu, que peut se déployer le jeu des interprétations. *Le poème force le lecteur à parler :* à nommer et à situer ce que cache le soleil, à arrêter le voyage au moment même où il l'emporte. C'est la mise en place de cette opération que j'ai essayé de décrire ici. Texte tentateur, jouant d'une sourde séduction; montage savant, précis, qui provoque notre propre désir, invite à un discours critique indispensable et dérisoire.

3. Le prévu et l'imprévu

> [...] ouysmes hin, hin, hin, hin, his, ticque,
> torche, lorgne, brededin, brededac, frr, frrr, frrr,
> bou, bou, bou, bou, bou, bou, bou, bou, traccc, trac,
> trr, trr, trr, trrr, trrrrrr, on, on, on, on, ououou-
> ouon, goth, magoth, et ne sçay quelz aultres motz
> barbares. RABELAIS

L'allégorie est généralement un phénomène réglé. Dans le cas de l'allégorie des théologiens, l'exégète se trouve *a priori* préservé du délire interprétatif, puisqu'il considère l'*Ancien Testament* comme une préfiguration du *Nouveau* et lit le premier à partir du second; l'enseignement du Christ joue le rôle d'un code de déchiffrement; de fait, l'interprétation sait par avance où elle va. Si l'on considère l'allégorie des poètes, elle est, elle aussi, réglée dans son principe, quels qu'en soient les raffinements de détail. Cela non seulement parce qu'il s'agit d'un *genre* qui a ses règles propres, ou d'un langage qui a ses lois, mais pour une raison aussi simple qu'impérieuse : l'allégorie-interprétation est le reflet inversé de l'allégorie-expression. Il convient de rappeler ici que les traités de rhétorique répertorient l'allégorie sous le nom de *permutatio* ou sous celui d'*inversio*, c'est-à-dire comme procédé d'écriture; et il est remarquable que la personnification y soit couramment considérée comme une forme privilégiée d'allégorie, alors que la traductibilité de cette figure est quasi immédiate. D'une manière plus générale, le Moyen Age à son déclin voit se multiplier des dictionnaires d'allégories qui fixent les symbolismes tradition-nels.

On trouve, dans le roman rabelaisien, une critique très dure de la codification des symboles. Il ne s'agit pas alors strictement d'allégorie, mais ce qui est en question, c'est bien l'attribution de significations précises à des « objets » appartenant à un ensemble que l'on suppose codé :

> Qui vous meut ? Qui vous poinct ? Qui vous dict que blanc signifie foy, et bleu fermeté ? Un (dictez vous) livre trepelu, qui se vend par

les bisouars et porteballes, on tiltre : *Le blason des couleurs.* Qui l'a faict ? (*G*, VIII, p. 64).

Je reviendrai à ce texte. Qu'il suffise pour l'instant de noter que l'on proteste ici contre un livre écrit par un maître exégète qui prétend donner la signification des couleurs, alors que, nous l'avons vu, toute la stratégie herméneutique de Rabelais est fondée sur l'absence d'une référence stable, d'un principe d'autorité suffisant. Le chien philosophe n'a pas de maître; il a du flair.

L'allégorie est, chez Rabelais, très précisément *déréglée.* Le prologue de *Gargantua* marque fortement la distinction entre les deux aspects de l'allégorie (expression et interprétation), laissant paradoxalement au lecteur le soin de déployer des significations auxquelles l'auteur « n'a pas pensé ». Ce qui implique que le texte reconstruit par le lecteur (par l'exégète) n'a rigoureusement aucune chance de s'identifier à quelque texte primitif soigneusement recouvert par l'auteur des voiles de l'allégorie. Tel est l'effet de la référence rabelaisienne à la tradition de l'exégèse biblique. Mais ce lecteur n'a pas non plus (ou ne devrait pas avoir) de point d'arrivée (ou *de chute)* sur lequel il pourrait régler sa lecture. L'interprétation ne sait pas où elle va.

Et c'est là tout le problème. Rabelais ne donne pas de clef; il laisse entendre qu'il y en a une. De temps à autre, des indices. Mais de quoi ? Ainsi cet « épigraphe » du *Quart Livre :*

> Après l'oraison feut melodieusement chanté le psaulme du sainct Roy David, lequel commence : *Quand Israel hors d'AEgypte sortit* (*QL*, I, p. 35).

Pantagruel et ses compagnons chantent le *Psaume CXIV* avant d'appareiller pour le long voyage qui les conduira à l'oracle de Bacbuc. Ils le chantent en français et dans la traduction de Marot. A. Lefranc souligne le caractère subversif de ce chant : c'est un chant de protestation contre le papisme, la promesse que les réformés seront libérés de la tyrannie. L. Febvre rappelle qu'en 1548, Rabelais n'a plus de sympathies pour la Réforme, et cette référence marquerait au contraire sa nostalgie des beaux jours de l'érasmisme. Mais on note que lorsque Rabelais a écrit ces pages, il était à Metz; or, c'est à Metz que l'évangéliste Jean Leclerc, en 1525, a été supplicié. Par ailleurs, on sait que, lors du départ de Jacques Cartier, l'évêque fit dans son oraison une allusion à la sortie d'Égypte, pratique courante dans le rite de bénédiction des navires. Signe de nostalgie, vraiment ?

ou protestation ? ou effet de réalisme ? Le chant inaugural du grand voyage reste énigmatique [1].

Il se trouve que le psaume est cité dans la traduction de Marot; il se trouve qu'il est cité dans le contexte d'un « véritable » départ. A moins que ce départ ne soit lui-même symbolique [2]. Mais dans quel « sens » ? Ce même psaume est chanté lors d'un autre « voyage » : dans la *Comédie*, par les âmes que l'on conduit au purgatoire. Car ce psaume peut aussi symboliser la libération de l'âme. Et bien d'autres choses encore. Il est en effet un exemple classique d'exégèse qui permet d'exposer les subtilités des sens multiples. Il finit par être dans la tradition une *forme vide*, « le texte à tout faire ». On en est à ce point que les plus orthodoxes parmi les exégètes remarquent que ce texte finit par dire ce qu'on veut lui faire dire [3]. Rabelais a donc choisi de placer au frontispice du *Quart Livre* un texte particulièrement marqué par des interprétations multiples. *Mais* en français, *mais* dans un contexte qui l'autorise. Le psaume oriente peut-être le livre qui suit — de fait, c'est le livre qui est le sens du psaume —; ce qui est sûr, c'est qu'il commence par déployer les significations, ouvrant le jeu herméneutique comme il ouvre le livre. Élément de la fiction, il propose plusieurs lectures possibles de cette fiction; élément du discours herméneutique traditionnel, il esquisse une étrange problématique : celle d'un livre qui aurait pour objet sa propre interprétation.

Périodiquement le lecteur croit trouver la clef qui lui permettrait de satisfaire aux exigences du livre, mais toute interprétation est désavouée. Au mieux, elle est partielle; au pire, elle est fausse. Car il manque à ces symboles leur dictionnaire. On n'est pas pour autant renvoyé à la subjectivité d'une lecture impressionniste, et l'on ne

1. Pour les différents arguments résumés ici, cf. A. Lefranc, *Les Navigations de Pantagruel*, H. Leclerc, 1905, p. 46, et édition critique du *Quart-Livre*, p. 78, note 64; L. Febvre, *Le Problème de l'incroyance au XVIe s.*, A. Michel, rééd. 1968, p. 305.
2. V.-L. Saulnier voit dans ce psaume un « signal » : « la terre que quittent et délaissent les compagnons pantagruélistes est celle de la fausse foi, celle d'un Pharaon dans la figure duquel Henri II, faut-il croire, aurait de quoi se reconnaître. Ce départ est un « exode » à sa manière ». (*Le Dessein de Rabelais*, SEDES, 1957, p. 25-26 et n. 5, p. 143-144.) Je parlerai volontiers avec V.-L. Saulnier de « navigation symbolique ». Mais je considère ce signal comme délibérément polyvalent : on ne peut le traduire.
J. Paris a rapproché ce fragment du texte de Dante (*Rabelais au futur*, Seuil, 1970, p. 217). Mais, à ma connaissance, aucun critique n'a, à propos de Rabelais, marqué le rôle de cet *exemple* dans la tradition exégétique.
3. On trouvera une esquisse de l'histoire de cet exemple dans J. Pépin. *Dante et la tradition de l'allégorie*, Vrin, 1970, p. 85-86. J. Pépin cite saint Paul, Tertullien, Hugues de Saint-Cher, et bien sûr Dante.

LA LECTURE DANS LE TEXTE

saurait se satisfaire de quelques réflexions sur la force d'un texte qui « supporte » toutes les interprétations, toutes les lectures possibles. Car un des paradoxes de ce livre est que *toutes les lectures ne sont pas possibles*. L'absence d'un code qui permettrait de déchiffrer le texte d'une façon univoque ne doit pas faire oublier qu'une « bonne lecture » est bel et bien exigée, même si l'on a toutes les raisons d'estimer qu'une telle lecture est utopique. Le lecteur rencontre ce livre comme Pantagruel et ses compagnons rencontrent les paroles gelées (*QL*, LV-LVI). Il se demande d'où il vient, il le manipule, le regarde, le touche. Il y trouve « du passetemps beaucoup », mais la « traduction » des mots de gueule ne saurait le satisfaire.

Il y a dans l'œuvre de Rabelais un certain nombre de langages indé-chiffrables ou non déchiffrées. On peut presque toujours supposer que notre incompréhension est accidentelle. *Dans la fiction*, en effet, tel auditeur comprend (ou feint de comprendre); si ce n'est pas le cas, le locuteur au moins (se) comprend (ou feint de se comprendre); à la limite, c'est le narrateur absent qui comprend (ou feint de com-prendre). Dans l'épisode des paroles dégelées, personne ne parle, ceux qui écoutent ne comprennent pas, et le narrateur est parmi ceux qui écoutent. Un langage sans code ? Les chapitres LV et LVI du *Quart Livre* mettent en scène des pantagruélistes confrontés à des paroles énigmatiques. Notons simplement pour l'instant les éléments sui-vants : les pantagruélistes entendent des paroles étranges; elles ne sont, dans le moment où elles sont entendues, prononcées par per-sonne qui soit visible; on nous donne une explication sur leur origine; on nous les décrit. Ce n'est pas le sens d'un langage énigmatique qui importe ici mais la manière dont il est perçu. En un mot, sa « lecture [1] ».

Je voudrais ici décrire les différents *modes de signification* de ce mythe, mettre ce texte en relation avec d'autres textes qui « étagent » leurs sens — ou le diffèrent — de la même manière; définir des oppo-sitions qui permettent d'en rendre compte. A cet égard, les opposi-tions langue/parole, oral/écrit ou son/sens, couramment utilisées,

---

1. Sur cet épisode, voir J. Guiton : « Le mythe des paroles gelées », *Romanic Review*, XXXI, 1940, p. 3-15; V.-L. Saulnier : « Le silence de Rabelais et le mythe des paroles gelées, dans *François Rabelais*, THR, VII, 1953, p. 233-247; R. Marichal, qui précise les sources dans ses « Commentaires du *Quart Livre* », ER, I, 1956, p. 181-182; J.-Y. Pouilloux, « Notes sur deux chapitres du *Quart Livre* », *Litté-rature* 5, 1972, p. 88-94; M. Jeanneret, « Les paroles dégelées : Rabelais, *Quart Livre* », *Littérature* 17, 1975, p. 14-30. Sans compter les pages consacrées à cet épi-sode dans les ouvrages généraux. Ainsi dans M. B. Kline, *Rabelais and the Age of Printing*, ER, IV, 1963, p. 51 s.; C.-G. Dubois, *Mythe et Langage au XVIᵉ siècle*, Ducros, 1970, p. 44 s.; J. Paris, *op. cit.*, p. 127 s.; F. Gray, *Rabelais et l'Écriture*, Nizet, 1974, p. 192 s.

ne me paraissent pas pertinentes dans ce cas. Ce texte est effectivement le foyer d'une semble de réflexions sur la parole mais nous devons tenir compte d'un fait essentiel : cette théorie n'est pas en forme d'exposé; elle est partie intégrante de la fiction. Et précisément, c'est l'interaction entre théorie et fiction qui m'intéresse ici.

L'analyse qui suit a pour but d'esquisser une *typologie des lectures possibles* du roman rabelaisien, et non de proposer une nouvelle lecture de ce texte, que l'on considérera comme pièce d'un ensemble théorique et fictionnel complexe; de décrire *l'horizon de lecture* que dessine le roman et par rapport auquel il se détermine. Ce qui ne peut se faire qu'en déterminant les relations structurales de cet épisode avec quelques autres. Ce sont d'ailleurs ces relations formelles qui lui donnent la « charge symbolique » que l'on sait.

I. UN « PASSETEMPS JOYEULX »

Pantagruel et ses mystères.

« Croyez que nous y eusmez du passetemps beaucoup », remarque le narrateur à la fin de l'épisode. Ce n'est pourtant pas sans gravité ni mystère qu'a débuté l'histoire.

Pantagruel a ici le premier rôle. Il a charge d'introduire au mystère des paroles gelées. Il est le premier en effet à « entendre gens parlans en l'air »; il incite ses compagnons à écouter :

A son commandement nous feusmes attentifz, et à pleines aureilles humions l'air, comme belles huytres en escalle, pour entendre si voix ou son aulcun y seroit espart : et, pour rien n'en perdre, à l'exemple de Antonin l'Empereur, aulcuns oppousions nos mains en paulme darriere les aureilles. Ce neantmoins protestions voix quelconques n'entendre (p. 224-225).

De bons pantagruélistes se doivent d'être toujours à l'écoute. La référence à Caracalla figurait déjà dans le prologue du *Tiers Livre :* savoir écouter est (en principe) un trait caractéristique de ceux à qui Rabelais s'adresse [1]. C'est ici Pantagruel qui leur montre l'exemple.

---

1. Les pantagruélistes ont en principe une qualité commune avec l'ensemble des Français : « [...] vous estes tous du sang de Phrygie extraictz (ou je me abuse) et, si n'avez tant d'escuz comme avoit Midas, si avez vous de luy je ne scay quoy, que plus jadis louaient les Perses en tous leurs Otacustes et que plus soubhaytoit l'empereur Antonin, dont depuys feut la serpentine de Rohan surnommée Belles aureilles » (*TL*, Prologue., p. 8).

On ne doit pas s'en étonner. Lorsque Épistémon s'inquiétait à l'idée d'aller avec Panurge consulter la sibylle de Panzoust, démarche « illicite et defendue en la loy de Moses » (*TL*, XVI, p. 123), il répondait :

> Nature me semble non sans cause nous avoir formé aureilles ouvertes, n'y appousant porte ne clousture aulcune, comme a faict es oeilz, langues et aultres issues du corps. La cause je cuide estre affin que tousjours, toutes nuyctz, continuellement puissions ouyr et par ouye perpetuellement aprendre : car c'est le sens sus tous aultres plus apte es disciplines (*ibid.*, p. 125).

L'intérêt de cette déclaration est double. Le premier point à noter est que le savoir emprunte des voies diverses et inattendues; le second, que le savoir s'écoute. C'est par l'ouïe que l'on apprend [1]. Cette proposition est ambiguë si nous revenons à notre texte : l'écoute de la vérité a quelque rapport, par le jeu de la comparaison, avec l'espionnage — comme l'allégorie avec la calomnie, j'y reviendrai. Il reste que cet éloge de l'ouïe que fait Pantagruel au *Tiers Livre* devait être ici rappelé, au moment où la parole est susceptible d'une double perception, par l'ouïe et par la vue.

La perception des paroles dégelées se fait progressivement, et grâce à l'insistance de Pantagruel; perception d'abord ambiguë :

> Pantagruel continuoit affermant ouyr voix diverses en l'air, tant de homes comme de femmes, quand nous feut advis, ou que nous les oyons pareillement, ou que les aureilles nous cornoient.

puis plus claire :

> Plus perseverions escoutans, plus discernions les voix, jusques à entendre motz entiers.

---

1. R. Mandrou a relevé cette primauté de l'ouïe sur les autres sens et la commente ainsi : « A cette primauté [de l'ouïe] il y a d'abord une raison d'ordre religieux : c'est la parole de Dieu qui est l'autorité suprême de l'Église. La Foi elle-même est audition. Les prophètes, avant Jésus, ne cessent de clamer : Écoutez! Ils n'écoutent pas! Ils ne veulent pas écouter! Dieu opère par la Parole qu'il fait entendre aux hommes... Ce que Luther a admirablement exprimé dans son Commentaire de l'Épître aux Hébreux : Si tu demandes à un chrétien quelle œuvre le rend digne du nom de chrétien, il ne pourra rien te répondre d'autre que ceci : l'audition du verbe de Dieu, c'est-à-dire la Foi (Auditum verbi Dei, id est fidem). Et Luther d'ajouter : « Ideo solae aures sunt organa Christiani hominis, quia non ex ullius membri operibus, sed de fide justificatur, et christianus judicatur. » Ainsi seules les oreilles sont les organes du Chrétien... Elles possèdent par là une dignité éminente » (*Introduction à la France moderne*, A. Michel, 1961, p. 70-71).

Je parlais d'ambiguïté : entendent-ils en effet, ou *croient-ils entendre* parce que Pantagruel entend ? Ce début de chapitre se présente comme une « initiation ». Pantagruel est le maître. Tout s'est passé comme si une révélation se préparait. Une Parole est attendue. Que va-t-il être dit ? Qui va parler ? De fait, dans le même temps que le texte créait l'attente, que le mystère grandissait, les étranges paroles étaient caractérisées de plus en plus précisément : c'étaient d'abord « quelques gens parlans en l'air », puis des « voix diverses en l'air, tant de homes comme de femmes », enfin, lorsque tous entendent « réellement » ces paroles, « voix et sons [...] divers, d'homes, de femmes, d'enfans, de chevaulx ». Panurge complète cette liste : « Escoutez : ce sont, par Dieu! coups de canon. » Les voix se sont multipliées et diversifiées en une polyphonie guerrière. Dès lors les éléments descriptifs sont évidemment suffisants pour supposer qu'il s'agit d'un combat.

C'est ici que commencent les interprétations de l'événement. Il y en a trois, qui se placent à des niveaux différents et se présentent selon diverses modalités. Ce sont, dans l'ordre du texte, celle de Panurge celle de Pantagruel et celle du pilote.
Panurge « reconnaît » les bruits d'un combat. Il pense courir un danger, estimant qu'« il y a embusche autour ». Il faut donc fuir. De fait, la grande peur de Panurge s'explique par un raisonnement que l'on peut reconstituer ainsi : s'il y a du bruit (voix et sons), c'est qu'il y a quelqu'un pour le faire (et si l'on ne voit personne, c'est qu'il y a « embusche »); s'il y a bruit de guerre, l'attaque ne peut être dirigée que contre lui et ses compagnons.
Pantagruel, au contraire, ne préjuge pas de l'attitude de ceux qu'on entend :

Qui est ce fuyart là bas ? Voyons premierement quelz gens sont. Par adventure sont ilz nostres (p. 226).

A supposer qu'il y ait des gens qui parlent :

Encores ne voy je personne ? Et si voy cent mille à l'entour. Mais entendons. J'ay leu qu'un Philosophe, nommé Petron [...].

De fait, les raisonnements hâtifs de Panurge sont très précisément refusés par Pantagruel. C'est ce dernier qui donne aux paroles enten- dues une mystérieuse dimension. Disons qu'il les « entend » autre- ment. Les réflexions qui suivent consistent en une série d'hypothèses susceptibles de rendre compte du phénomène; il s'agit de se demander comment des paroles peuvent être indépendantes ou « animées »; référence à la doctrine pythagoricienne (les paroles qui tombent du manoir de Vérité dans le Siècle) et comparaison avec la rosée qui tomba sur la toison de Gédéon; référence à Aristote qui dit des paroles d'Homère qu'elles sont « voltigeantes, volantes, moventes et par consequent animées »; reférence, enfin, à Antiphane et à une comparaison dont il usait pour définir la « doctrine » de Platon :

> D'adventaige Antiphanes disoit la doctrine de Platon es parolles estre semblable, lesquelles en quelque contrée, on temps du fort hyver, lors que sont proférées, gelent et glassent à la froideur de l'air, et ne sont ouyes. Semblablement ce que Platon enseignoyt es jeunes enfans, à peine estre d'iceux entendu lors que estoient vieulx devenuz (p. 227).

Pantagruel rappelle ici la possibilité d'un gel des paroles. Mais ce phénomène n'est pas développé pour lui-même. Il sert à expliquer la manière dont « agit » la doctrine de Platon : l'histoire du gel des paroles *allégorise* une « doctrine ». Les dernières réflexions de Pantagruel semblent d'abord contredire ce « déplacement » que je viens de souligner :

> Ores seroit à philosopher et rechercher si forte fortune icy seroit l'endroict on quel telles parolles degelent.

Mais aussitôt il donne un exemple (« Nous serions bien esbahiz si c'estoient les teste et lyre de Orpheus ») qui n'exige pas de recourir à l'histoire du gel des paroles. La tête et la lyre d'Orphée ont été jetées dans l'Hèbre et sont descendues jusqu'à la mer :

> Et de la teste *continuellement* sortoyt un chant lugubre, comme lamentant la mort de Orpheus; la lyre, à l'impulsion des vents *mouvens* les chordes, accordoit harmonnieusement avecques le chant (je souligne).

Tout se passe comme si, pour Pantagruel, le phénomène du gel et du dégel des paroles était une allégorie à interpréter « à plus haut sens ».

Au début du chapitre LVI, le pilote intervient pour donner non pas une hypothèse, mais une « explication ». On la connaît : en ces jours de printemps dégèlent les cris et sons divers d'une « grosse et felonne bataille » qui eut lieu l'hiver précédent entre les Arismapiens et les Nephelibates (p. 228). Cette explication rend compte du phénomène en recourant à la physique (des paroles peuvent geler) et à l'histoire

LE PRÉVU ET L'IMPRÉVU

(un combat réel a eu lieu). C'est dire que la possibilité d'un gel des paroles n'a pas ici de finalité allégorique; elle est prise pour elle-même. Dans ce chapitre, le pilote jouera le rôle d'un *traducteur :* ayant expliqué l'origine des mystérieuses paroles, il est capable de donner à leur sujet telle ou telle précision. Ainsi, après la longue suite d'onomatopées :

> [...] et disoyt que c'estoient vocables du hourt et hannissement des chevaulx à l'heure qu'on chocque (p. 229).

L'explication du pilote agrée d'emblée à Panurge : « Par Dieu, dist Panurge, je l'en croy » (p. 228). Par contre Pantagruel n'en dit rien. Dans ce chapitre, cependant, il reste sur le devant de la scène : c'est lui qui distribue les paroles gelées et, en quelque sorte, expose les règles du jeu, en reprenant Panurge ou le narrateur; il donne le *mode d'emploi* de ce mystérieux langage. J'y reviendrai. Il suffira, pour le moment de souligner que ce que que j'ai appelé l' « explication » du pilote est en fait une *interprétation.* Lorsqu'il n'intervient pas, quelque doute s'insinue :

> Puys en ouysmez d'aultres grosses, et rendoient son en degelant, les unes *comme* de tabours et fifres, les aultres *comme* de clerons et trompettes (p. 229; je souligne).

De plus et surtout, l'interprétation du pilote n'est qu'un élément de l'interprétation proposée au chapitre précédent par Pantagruel, nous l'avons vu. On peut considérer que les propo et l'attitude de Pantagruel impliquent un faisceau de significations plus vaste et plus complexe que ce que propose ici le pilote.

Les titres des deux chapitres exposant l'histoire des paroles gelées sont à cet égard significatif : « Comment, en haulte mer, Pantagruel ouyt diverses parolles degelées » et « Comment, entre les parolles gelées, Pantagruel trouva des motz de gueule. » C'est en effet Pantagruel qui est ici le maître : le premier il entend et fait entendre, son interprétation « comprend » en quelque sorte celle du pilote [1]. Il ne traduit pas ce langage; il apprend à le lire.

Du mystère au jeu.

Ce texte est sa propre allégorie. Pantagruel suggérait que le phénomène du gel et du dégel des paroles désignait métaphoriquement une

---

1. Il y a là comme un « emboîtement » des significations.

« doctrine [1] » qui n'est pas comprise au moment où elle est énoncée. Les paroles gelées (qui ne sont pas « ouyes ») désignent la doctrine qui n'est pas comprise (qui n'est pas « entendue ») (*LV*, p. 227). Cette hypothèse pose donc une équivalence entre « ne pas ouïr » et « ne pas entendre » (au sens de comprendre) la première formule étant métaphore de la seconde. Au début du chapitre LV, « entendre » est un quasi-synonyme d' « ouïr » :

— pour entendre si voix ou son aulcun y seroit espart
— protestions voix quelconques n'entendre
— entendens voix et sons tant divers

C'est (évidemment) Pantagruel qui introduit l'équivoque : « Encores ne voy je personne ? [...] Mais entendons [...]. » « Entendre » peut signifier ici aussi bien « ouïr » (comme précédemment et par opposition à « ne pas voir ») que comprendre (comme dans la suite, qui est une série d'hypothèses destinées à rendre compte du phénomène). A partir du moment où Pantagruel pose que « ne pas ouïr » c'est « ne pas entendre » par métaphore, le texte se règle sur cette équivalence : ou bien en effet les paroles incompréhensibles sont vues (non « ouïes »), ou bien elles sont ouïes mais ne sont pas entendues :

Nous y *veismes* des motz de gueule, des motz de sinople [...]. Les quels, estre quelque peu eschauffez [...] fondoient [...] et les *oyons* realement, mais ne les *entendions* [...].

Le caractère visible des paroles est signe de leur inintelligibilité. C'est Panurge qui veut *voir* ces paroles :

[...] en pourrions nous veoir quelqu'une. Me soubvient avoir leu que, l'orée de la montaigne en laquelle Moses receut la loy des Juifs, le peuple voyoit les voix sensiblement (p. 228).

La référence à la loi mosaïque est particulièrement significative quand on sait avec quelle force Érasme, entre autres, dénonce les pratiques néo-judaïques des théologiens et avec quelle insistance la nouvelle exégèse montre que la loi mosaïque est, prise en elle-même, insignifiante et, à la lettre, incomplète. Le peuple qui voit les voix sensiblement ne peut les comprendre.
   La « mise en texte » de cette métaphore produit un étonnant jeu verbal :

1. On se souvient que le mot figure dans le prologue de *Gargantua*.

— Compaignons, *oyez* vous rien ? Me semble que je *oy* quelques
gens parlans en l'air, je n'y *voy* toutesfoys personne.
— personne ne *voyans* et entendens *voix*
— Encores ne *voy* je personne. Et si *voy* cent mille à l'entour *(où
nous pouvons voir (!) un jeu sur la deuxième occurrence du verbe)*
— le peuple *voyait* les *voix*

« oy », « voy », « voix », trois termes que le texte décline dans leurs
multiples combinaisons. Le jeu de mots s'autorise ici de ce qu'il
faut bien appeler une théorie du langage.
Dans l'ordre de la fiction, le jeu avec les mots s'organise sous la
direction de Pantagruel. C'est lui qui distribue et jette à pleines mains
la « dragée » verbale. C'est lui qui surtout relève plaisamment un
certain nombre d'erreurs linguistiques chez ses compagnons. Chez
Panurge d'abord :

> Panurge requist Pantagruel luy en donner encores. Pantagruel luy
> respondit que donner parolles estoit acte des amoureux. « Vendez
> m'en doncques, disoit Panurge. — C'est acte de advocatz, respon-
> dit Pantagruel, vendre parolles. Je vous vendroys plus tost silence,
> et plus cherement, ainsi que quelques foys la vendit Demosthenes,
> moyennant son argentangine (p. 229).

« *Dare verba* », c'est tromper, selon l'adage érasmien. Ces paroles
(les paroles) ne se donnent pas. Elles ne se vendent pas non plus.
Amoureux et avocats se servent de la parole à d'autres fins que celles
qui lui sont propres. Démosthène, plus sage, vend du silence. La
Brève Déclaration explique pourquoi :

> *Argentangine*, esquinance d'argent. Ainsi fut dict Demosthenes
> l'avoir quand pour ne contredire à la requeste des ambassadeurs
> Milesiens, desquelz il avoit receu grande somme d'argent, il se
> enveloppa le coul avecques gros drappeaux et de laine, pour se excuser
> d'opiner, comme s'il eust eu l'esquinance. Plutarche et A. Gelli
> (p. 282-283).

Il s'agissait pour Démosthène d'éviter d'« opiner ». La vacuité des
paroles gelées les réserve à un usage purement ludique, mais elle
recouvre une volonté de ne pas parler ou de ne pas donner son avis —
ou « (sa) parole »! Nous retrouvons ici une stratégie typiquement rabelaisienne [1]. Fixer la signification, c'est la fausser. A la fin de l'épisode, Panurge mettra frère Jean en colère pour l'avoir « pris au mot
sus l'instant qu'il ne s'en doubtoit mie » (p. 230).

1. Il s'agit de déjouer la calomnie, forme pervertie de la lecture allégorique.

Pantagruel intervient une seconde fois. Le narrateur voulait mettre quelques mots de gueule « en reserve dedans de l'huille [...] et entre du feurre bien nect ». Pantagruel lui rappelle que ces mots ne manquent jamais « entre tous bons et joyeulx Pantagruelistes ». On comprend que le narrateur veuille ici thésauriser. Il pourrait peut-être en faire un livre. Ce qu'il ignore, en fait, et que lui apprend Pantagruel, c'est que ces mots de gueule n'ont rien de rare ni d'exceptionnel; ce sont ceux que parlent « naturellement » les pantagruélistes. Cette parole est inépuisable. Dans le prologue du *Tiers Livre* Rabelais disait de son tonneau diogénique :

> Si quelque foys vous semble estre expuysé jusques à la lie, non pourtant sera il à sec. Bon espoir y gist au fond, comme en la bouteille de Pandora : non desespoir, comme on bussart des Danaïdes (*TL*, p. 19).

L'erreur du narrateur consiste à vouloir fixer le mouvement de cette parole de gueule et à tenter de se l'approprier. C'est supposer qu'elle est difficile à produire. Il n'en est rien. L'abondance de ces mots, comme celle du vin qui sort du tonneau, est liée à une facilité de leur production. Ils ne sauraient sentir l'huile. Ce langage « coule de source ». Par l'intermédiaire du narrateur, l'écrivain assiste ainsi à un étrange spectacle; le langage de son livre, couleurs et bruits, langage de gueule qui explose devant ses yeux.

Cette mise à l'écart métaphorique de l' « auteur » est ici indispensable. Nous avons vu que ce langage n'avait de sens qu'après coup; il ne peut être lié à un sujet. En attendant qu'il prenne sens, que faire ? Y avoir du « passetemps ». C'est à la fin de l'édition de 1542 de *Pantagruel* que nous trouvons le meilleur commentaire de ce mot. Alcofribas parle à ses lecteurs :

> Si vous me dictes : « Maistre, il sembleroit que ne feussiez grandement saige de nous escrire ces balivernes et plaisantes mocquettes », je vous responds que vous ne l'estes guères plus de vous amuser à les lire. Toutesfoys, sy pour passetemps joyeulx les lisez comme passant temps les escripvoys, vous et moy sommes plus dignes de pardon q'un grand tas de sarrabovittes, cagotz, escargotz, hypocrites, caffars, frappars, botineurs, et aultres sectes de gens, qui se sont desguisez comme masques pour tromper le monde (*P*, Prologue, p. 178, add.).

Il faut lire ce texte (ces textes) comme un « passetemps joyeulx ». On y perdra du temps, mais agréablement. Cette lecture est (comme souvent) définie négativement. Elle s'oppose à celle des cafards; la lecture-« passetemps » s'oppose, il fallait s'y attendre à la lecture-calomnie. Voici comment lisent les cagots :

> Quant est de leur estude, elle est toute consummée à la lecture de livres pantagruélicques, non tant pour passer temps joyeusement que pour nuyre à quelc'un, meschantement, sçavoir est articulant, monorticulant, torticulant, culletant, couilletant et diabliculant, c'est à dire callumniant. Ce que faisans, semblent ès coquins de village qui fougent et echarbottent la merde des petitz enfans, en la saison des cerises et guignes, pour trouver les noyaulx et iceulx vendre ès drogueurs qui font l'huille de Maguelet. Iceulx fuyez, abhorissez et haïssez autant que je foys, et vous en trouverez bien, sur ma foy, et, si désirez estre bons Pantagruélistes (c'est à dire vivre en paix, joye, santé, faisant tousjours grande chère), ne vous fiez jamais à ceux qui regardent par un pertuys *(ibid.)*.

A la différence de la calomnie, le lecture-« passetemps » n'est pas « orientée ». Elle n'a pas d'autre fin qu'elle-même. Alcofribas ne dit pas qu'elle est la meilleure lecture, il dit simplement qu'elle vaut mieux que l'autre. La lecture des calomniateurs ressemble à la lecture allégorique[1] et cette huile de Maguelet vendue aux « drogueurs » n'est pas sans rappeler certaines fines drogues du prologue de *Gargantua*. Visant à nuire « à quelqu'un », cette lecture est une caricature et une perversion de l'allégorie.

Les paroles gelées excluent la possibilité de la calomnie *en différant leur sens*. On ne peut s'en servir pour « nuire à quelqu'un », car le code qui permettrait de déchiffrer ce langage n'est pas donné, car surtout il n'y a personne — sinon des morts ? — pour parler, et le narrateur est un spectateur. Avoir du « passetemps » à ce langage est une manière de solution d'attente. Symboliquement, les pantagruélistes ne comprennent dans ces « mots » que ceux qu'ils reconnaissent :

> [...] ne les entendions, car c'estoit languaige barbare. Exceptez un assez grosset, lequel ayant frere Jan eschauffé entre ses mains, feist un son tel que font les chastaignes jectées en la braze sans estre entonmées, lors que s'esclattent, et nous feist tous de paour tressaillir. « C'estoit, dist frere Jan, un coup de faulcon en son temps » (p. 229).

Précédemment Panurge reconnaissait le canon; ici le bruit n'est pas sans équivoque. Ce n'est pas un hasard si frère Jean est celui qui le fait naître (ou renaître), il a peut-être une façon un peu brutale de réchauffer les mots : par un plaisant paradoxe frère Jean des Entommeures n'a pas eu la prudence d'entommer cette châtaigne. Quoi qu'il

---

1. Entre l'allégorie et la calomnie, une ressemblance *formelle* : on n'en reste pas à l'apparence.

en soit, la comparaison esquisse un tableau, reflet de tel autre où l'on voit Grandgousier.

> qui apres souper se chauffe les couilles à un beau, clair et grand feu, et, attendent graisler des chastaignes, escript on foyer avecq un baston bruslé d'un bout dont on escharbotte le feu, faisant à sa femme et famille de beaux contes du temps jadys (*G*, xxvi, p. 176-177).

Qu'écrit Grandgousier ici avec son bâton ? Et quels contes fait-il à sa famille ? Les pantagruélistes ne reconnaissent dans les mystérieuses paroles du *Quart Livre* que ce qui peut s'insérer dans un univers familier. Prises selon l'interprétation du pilote, les paroles sont horribles. On nous dira bien qu'elles sont « picquantes » ou « sanglantes » ou « mal plaisantes à veoir », il n'empêche que le jeu avec les mots est joyeux. De l'hiver passé où il y eut un terrible combat à ce printemps, à ce « bon temps », où les paroles répètent l' « effroi » de la guerre, il y a toute la différence qui sépare un événement sanglant d'un spectacle divertissant. La « grosse et felonne bataille » se métamorphose en « beau conte du temps jadis » par le jeu de cette comparaison. La description des gestes des pantagruélistes la préparait : c'est Pantagruel jetant « pleines mains de parolles gelées », ce sont ces mains échauffant ces mots qui fondent comme neiges. Objets multicolores, mains faisant fondre la neige, châtaignes éclatées dans la braise : fragments à partir desquels s'ébauche un tableau de « bon temps ». C'est ainsi que les pantagruélistes « lisent » ces mots comme « passe-temps ». Les calomniateurs « écharbottaient » la merde ; eux « écharbottent » un grand feu. On a le livre qu'on mérite.

Le jeu verbal n'est ici possible qu'à une condition précisément définie : que le sens des mots soit différé. La lecture calomnieuse est en quelque sorte « réaliste », croyant trouver le sens ici, maintenant. Elle se fonde sur une grossière méprise, ignorant que le sens n'est donné qu'après coup. Trois types de lecture sont finalement définis : je les nommerai par commodité le passe-temps, l'allégorie et la calomnie. Les deux dernières se ressemblent, mais cette ressemblance est trompeuse : l'allégorie, en effet, se définit dans le texte rabelaisien contre la calomnie, dans la mesure où l'exigence d'un « plus haut sens » (telle qu'elle a été posée dans le prologue de *Gargantua* et telle qu'elle est reprise ici) interdit de fixer des significations. Par contre elle entretient des rapports étroits avec le passe-temps. Les gestes des pantagruélistes réchauffant les paroles gelées sont une ébauche de ceux que décrit le prologue de *Garguanta*. Des paroles sont ici distribuées à foison, des châtaignes ici jetées « sans estre entonmées ». On sait « *de quelle prudence* [le chien] entonme » l'os médullaire (*G*, p. 13). Le passetemps est bien une lecture d'attente. Il est une propédeutique à la lecture allégorique. La calomnie « remonte » du texte à son auteur et lui attribue de noirs desseins. L'allégorie au contraire commence par une activité ludique par laquelle on considère le texte comme un objet plaisant, sans y chercher quelque *intention* cachée. Car la lecture « passetemps » a cette vertu : *elle sépare le livre de son auteur*, elle ne cherche pas un sens *préalablement* fixé par lui. Par là, elle prépare le lecteur à interpréter le livre « dans le meilleur sens ».

II. POÉSIE, FICTION, PROPHÉTIE

Une référence : l'histoire de Thamous.

Estant là abourdée, aulcuns des voyagiers dormans, aultres veiglans, aultres beuvans et souppans,

feut de l'isle de Paxes ouie une voix de quelqu'un qui haultement appelloit *Thamoun*.

En pleine mer nous banquetans, gringnotans, divisans et faisans beaulx et cours discours,

Pantagruel se leva et tint en pieds pour discouvrir à l'environ. Puys nous dist : « Compaignons, oyez vous rien ? Me semble que je oy quelques gens parlans en l'air [...] » [...] Plus perseverions escoutans, plus discernions les voix, jusques à entendre motz entiers.

Auquel cris tous feurent espovantez [...]   (*QL*, xxviii, p. 136-137).

Ce que nous effraya grandement [...]   (*QL*, lv, p. 225).

J'ai disposé ici face à face le début du chapitre où Pantagruel raconte l'histoire de Thamous et le début du chapitre des paroles gelées. Une voix (des voix) entendue(s) en mer par des navigateurs, ce n'est pas là un phénomène fréquent au point que, s'il se produit deux fois dans le même livre, nous tenions cette reprise pour fortuite. Je pense au contraire que les deux épisodes se font écho et peuvent s'expliquer l'un par l'autre ou, plus précisément, que l'histoire de Thamous sert de *référence* au mythe des paroles gelées, et l'histoire ancienne à l'histoire récente.

On connaît l'aventure de Thamous. Au *Quart Livre*, Pantagruel raconte et interprète la « pitoyable » et véridique histoire de la mort de Pan [1] :

1. Sur ce chapitre, cf. A. J. Krailsheimer, *Rabelais and the franciscans*, Oxford, 1963, p. 125 s. et M. A. Screech, « The death of Pan and Heroes in Rabelais », BHR, XVII, 1955, p. 36 s.

Je vous diray [...] une histoire bien estrange, mais escripte et asceurée par plusieurs doctes et scavans historiographes [...] (XXVIII, p. 136).

A cette déclaration préliminaire succède un récit, étrange effectivement. L'histoire est empruntée à Plutarque : un navire allait de Grèce en Italie; lors d'une escale une voix fut entendue qui appelait par son nom le pilote : « Thamous ». Peur des passagers, puis un deuxième appel, et un troisième. Thamous répondant enfin, la voix lui enjoignit de faire savoir, lorsqu'il serait à Palodes, que « Pan le grand Dieu estoit mort ». Thamous, après réflexion, décida de n'obéir à l'ordre que si, à Palodes, le vent tombait. Ce qui arriva. Thamous remplit donc sa mission. Alors « feurent entenduz grands souspirs, grandes lamentations et effroys en terre, non d'une persone seule, mais de plusieurs ensemble ». La nouvelle se sut bientôt à Rome. Ici commence l'interprétation de l'épisode; Tibère croit en l'histoire et croit qu'elle est effectivement celle de Pan, « filz de Mercure et de Penelope ». Pantagruel propose une autre interprétation :

Toutes foys je le interpreteroys de celluy grand Servateur des fideles, qui feut en Judée ignominieusement occis par l'envie et iniquité des Pontifes, docteurs, prebstres et moines de la loy Mosaïcque (p. 138).

Dans la fiction, cette interprétation est ainsi mise au compte d'un personnage, Pantagruel, et ses arguments sont développés comme tels. Il y en a quatre. Le premier est étymologique :

[...] car à bon droict peut il estre en languaige Gregoys dict Pan, veu que il est le nostre Tout [...].

Le second tire parti des attributs mythiques du dieu :

C'est le bon Pan, le grand pasteur, qui, comme atteste le bergier passionné Corydon, non seulement a en amour et affection ses brebis, mais aussi ses bergiers.

Le troisième est fondé sur un fait : tout l'univers a réagi à cette mort :

A la mort duquel feurent plaincts, souspirs, effroys, et lamentations en toute la machine de l'Univers, cieulx, terre, mer, enfers [1].

1. « The exceptional nature of Christ's death is shown by the universal mourning, including even the heavens, which in other cases are describeb as « joyeulx à la réception de ces beates âmes ». They too were losing the greatest soul even to be parted from its body » (A. J. Krailsheimer, *op. cit.*, p. 134-135).

Le quatrième est historique :

> A ceste miene interpretation compete le temps, car cestuy tresbon, tresgrand Pan, nostre unique Servateur, mourut lez Hierusalem, regnant en Rome Tibere Caesar.

De l'histoire de Thamous, donc, Pantagruel a la clef et il la donne. Ce n'est pas le cas dans l'épisode des paroles gelées. Or, les deux épisodes me semblent devoir être lus en parallèle. J'ai rapproché les présentations de l'un et de l'autre. Il y a plus. L'histoire de Thamous est évidemment à lire dans le contexte de la mort des héros. Le *Tiers Livre* annonçait le motif :

> [...] les Anges, les Heroes, les bons Daemons (scelon la doctrine des Platonicques) voyans les humains prochains de mort, comme de port tresceur et salutaire, port de repous et de tranquilité, hors les troubles et sollicitudes terriennes, les saluent, les consolent, parlent avecques eulx et jà commencent leurs communicquer art de divination (*TL*, XXI, p. 152).

Un exemple était longuement développé : la mort de Guillaume du Bellay, seigneur de Langey. Cet exemple est repris au *Quart Livre*, histoire récente apportée à l'appui des dires de Macrobe sur la « discession » des Héros (XXVII, p. 134). Au *Tiers Livre*, les propos de Pantagruel sur les héros introduisaient la consultation de Raminagrobis :

> [...] les poëtes qui sont en protection de Apollo, approchans de leur mort ordinairement deviennent prophetes et chantent par Apolline inspiration vaticinans des choses futures (XXI, p. 151).

L'épisode des paroles gelées reprend ces motifs : les hypothèses de Pantagruel se réfèrent à Platon, mais aussi à Homère et à Orphée; le « manoir de Verité » qu'habitent « les Parolles, les Idées, les Exemplaires et protraictz de toutes choses passées et futures » (LV, p. 226) a évidemment quelque rapport avec « le manoir des Héros » (*QL*, XXVI, p. 129 — titre); la mort des héros est annoncée par des « prodiges horrificques » (*QL*, XXVII — titre) et les paroles du chapitre LVI sont « horrificques » (p. 229). Comme les mystères du prologue de *Gargantua*.

Il ne suffit pas de relever ainsi des échos et des motifs récurrents [1].

---

1. Il faudrait ajouter ici que la tempête — signe de la mort d'un héros — provoque une grande peur de Panurge, comme les paroles qui dégèlent.
Par ailleurs le même texte de Postel que l'on considère comme une des sources de l'épisode, rapporte une anecdote selon laquelle, dans une île septentrionale, est un « glaciei genus, unde miserandi gemitus audiuntur » (cf. R. Marichal, art. cit.).

Ce sont les similitudes et différences *structurales* qui importent ici. Nous avons vu que Pantagruel déchiffrait pour ses compagnons l'histoire de Thamous. Thamous, acteur principal, n'était en fait qu'un messager : le pilote ne comprenait pas et ne pouvait comprendre la nouvelle qu'il était chargé de diffuser. Dans l'épisode des paroles gelées, le pilote joue aussi un rôle important, mais son « explication » est partielle et insuffisante. Quant à Pantagruel, il ne prend pas véritablement parti. C'est qu'il n'a aucun moyen d'interpréter un éventuel « message » qui, de toutes façons, est obscur. Dans l'histoire de Thamous, au contraire, le message entendu est (formellement) clair : la voix appelle « haultement » (p. 136 et 137). Et pour le déchiffrer, Pantagruel dispose d'un certain nombre de procédés. Ils sont d'ailleurs tout à fait traditionnels comme est traditionnelle la perspective où ils se situent [1].

Nous rencontrons ici une question plus générale, qui est celle de la réinterprétation des classiques. L'allégorisation chrétienne des mythes païens est un problème d'actualité. De diverses manières : il touche à la place et à la fonction de la lecture des textes antiques dans l'éducation ; dans un domaine plus précis, à la question de savoir si la lecture des poètes, et particulièrement des poètes païens, est une propédeutique à la lecture de la Bible. Il n'intéresse pas la seule littérature, mais aussi la peinture et la sculpture [2]. Le concile de Trente refuse la lecture allégorique des mythes païens : l'*Ovide moralisé* est ainsi condamné. Curieuse rencontre, à cet égard, que celle des Pantagruélistes et des moines qui se rendent au concile de Chesil (XVIII, p. 102). Interprètent-ils les textes de la même manière ? Interprètent-ils *ce texte* (de la rencontre) dans le même sens ?

Quoi qu'il en soit, Pantagruel ne peut évidemment interpréter l'histoire de Thamous qu'*après coup*. Et Tibère ne pouvait comprendre :

> Et se guemantant es gens doctes qui pour lors estoient en sa court
> et en Rome en bon nombre, qui estoit cestuy Pan, trouva par leur

---

1. Cf. la conclusion de A. J. Krailsheimer (*op. cit.*, p. 143) : « The importance of pagan historians is often pointed out by Rabelais (cf. Gargantua's letter) in a humanist sense, but here he uses philology to support his interpretation, he is only following directly on the line deriving from Isidore and his *Etymologies;* in citing the phenomena of the Passion he is quoting the examples best known in all Scholastic treatises on meteorology and kindred subjects. Even the juxtaposition of Virgil and St John is the sign of a humanism which did not wait for the sixteenth century to come to full maturity [...]. Rabelais's emancipation from the habits of medieval and scholastic thought must be sought elsewhere than in these chapters on such fundamental subjects. »
2. Cf. E. Panofsky, *Essais d'iconologie*, Gallimard, 1967, p. 10 et *passim*.

raport qu'il avoit esté filz de Mercure et de Penelope. Ainsi au
paravant l'avoient escript Herodote, et Cicero on tiers livre De la
Nature des dieux (p. 137-138).

« Au paravant » est ici une précision capitale. La nouvelle de la mort
de Pan ne peut s'« entendre » à partir des textes anciens qui la précèdent. De la même façon, lorsque Pantagruel précise que le « grand
Servateur » a été « occis par l'envie et iniquité des Pontifes, docteurs,
prebstres et moines de la loy Mosaïcque », la formule ne prend tout
son sens que replacée dans la même perspective herméneutique :
les moines de la loi mosaïque ne pouvaient reconnaître « le grand
Servateur ». Précisément, dans l'épisode des paroles gelées, Panurge,
voyait des voix, comme le peuple de Moïse.

L'ordre de la fiction.

Un des arguments sur lesquels se fonde l'interprétation de Pantagruel est, nous l'avons vu, étymologique. Pan est « nostre Tout ».
Or, Pantagruel disait au *Tiers Livre* :

> Les languaiges sont par institutions arbitraires et convenences des
> peuples ; les voix (comme disent les Dialecticiens) ne signifient naturel-
> ment, mais à plaisir (*TL*, XIX, p. 140).

La même question est reprise au *Quart Livre*. Un long chapitre
(XXXVII, p. 164 s.) est consacré au problème du *Cratyle*. Pantagruel
estime qu'il est sage et juste de prévoir et pronostiquer par noms.
Et les exemples s'accumulent où effectivement tel nom ou tel autre
se sont avérés être un présage favorable ou défavorable que les faits
ont vérifié. Pantagruel conclut :

> Si le temps permettoit que puissions discourir par les sacres bibles des
> Hebreux, nous trouverions cent passages insignes, nous monstrans
> evidemment en quelle observance et religion leurs estoient les noms
> propres avecques leurs significations (p. 168).

De fait, toute l'argumentation vise à montrer que les noms des colo-
nels de Pantagruel, Riflandouille et Tailleboudin, sont un heureux
présage au moment où l'on va combattre les Andouilles. Le chapitre
XLI en apportera la preuve : « Riflandouille rifloit Andouilles, Tailleboudin tailloit boudins » (p. 178). L'écrivain avait effectivement
bien *choisi* ses noms. Dans la fiction, l'étymologie renvoie à un décret

de l'écrivain et non à une nature [1]. Aucun des noms prophétiques cités dans ce chapitre ne vient de la Bible. Pantagruel n'a pas le temps d'en parler!

Il me semble que l'on ne peut préciser ces questions qu'en distinguant deux ordres ou deux niveaux de signification. Quelle que soit la valeur en soi de cette distinction, je la crois efficace dans le fonctionnement du texte rabelaisien. C'est aux chapitres VIII et IX de *Gargantua* qu'elle est le plus nettement exposée. Dans ces pages célèbres sont en effet opposées deux conceptions de l'héraldique et, plus généralement, deux types de symbolisation. Le *Blason des couleurs* fait les frais de l'opération. Son auteur prescrit « quelles choses (seront) dénotées par les couleurs » et cette prescription n'est fondée que sur son « autorité privée ». Cette procédure est semblable à celle des « glorieux de court »

> lesquelz, voulens en leurs divises, signifier *espoir*, font protrayre *une sphere*, des *pennes* d'oiseaux pour *penes*, de l'*ancholie* pour *melancholie*, la *lune bicorne* pour *vivre en croissant* [...].
> Par mesmes raisons (si raisons les doibz nommer et non resveries) feroys je paindre un *penier*, denotant qu'on me faict *pener*. Et un *pot à moustarde*, que c'est mon cueur à qui *moult tarde* [...] (VIII, p. 66-67).

et je dirai Riflandouille pour dénoter qu'il rifle andouilles. Car c'est évidemment le même problème. C'est un *ordre de la fiction* que l'écrivain définit ici. Aux significations symboliques exposées dans le *Blason des couleurs* et à ces « homonymies [...] ineptes [...] fades [...] rusticques et barbares », sont opposées celles des hiéroglyphes :

> Bien aultrement faisoient en temps jadys les saiges de Egypte, quant ilz escrivoient par letres qu'ilz appelloyent hieroglyphicques, lesquelles nul n'entendoyt qui n'entendist et un chascun entendoyt qui entendist la vertus, proprieté et nature des choses par ycelles figurées. Desquelles Orus Apollon a en Grec composé deux livres, et Polyphile on *Songes d'Amours* en a dadventage exposé. En France vous en avez quelque transon en la devise de Monsieur l'Admiral laquelle premier porta Octavian Auguste (*ibid.*, p. 67-68).

L'écriture hiéroglyphique a donc (entre autres) cette caractéristique : elle n'est déchiffrable que par celui qui « entend » la propriété et la

---

1. Le nom de Riflandouille figurait dans l'édition de 1548 au chapitre XVII (p. 101). Il est supprimé dans l'édition de 1552. L'écrivain affirme la vocation du personnage. Unification qui ne vaut d'ailleurs que pour un livre : il figure en effet dans *Pantagruel* où il tue Épistémon (XIX, p. 157, var.).

nature des choses figurées. C'est là, me semble-t-il, ce qui lui permet d'être un modèle et une référence. Il y a des inscriptions hiéroglyphiques dans l'île des Macréons (xxv, p. 128). L'histoire de la mort de Pan est — métaphoriquement — un hiéroglyphe. Nul ne l'entend qui n'entend la nature de ce qui est par elle figurée. Thamous l'« ouït » mais ne l'« entend » pas. Pantagruel l'« entend ».

Dans l'épisode des paroles gelées, les mots sont décrits dans le vocabulaire de l'héraldique :

> Nous y veismes des motz de gueule, des motz de sinople, des motz de azur, des motz de sable, des motz dorez (LVI, p. 228) [1].

Dégelées, ces paroles sont une série d'onomatopées :

> Lesquelles ensemblement fondues ouysmes hin, hin, hin, hin, his, ticque, torche, lorgne, brededin, brededac, frr, frrr, frrr, bou, bou, bou, bou, bou, bou, bou, bou, traccc, trac, trr, trr, trr, trrr, trrrrrr, on, on, on, on, ouououon, goth, magoth, et ne sçay quelz aultres motz barbares (*ibid.*, p. 229).

La tentation que l'on pourrait avoir de traduire ces mots à partir d'un quelconque *Blason des couleurs* est ici déjouée. Quant à la face sonore de ce langage, elle est évidemment réfractaire à l'étymologie [2]. Si bien que ces paroles ont un statut éminemment ambigu. Les paroles « horrificques » que manipulent les pantagruélistes ne sont pas susceptibles du même travail d'exégèse que les cris « horrificques » qu'entendait Thamous. Mais après tout, Thamous non plus n'« entendait » pas ces cris.

Thamous était « natif de Aegypte » (xxvIII, p. 137); le pilote de Pantagruel est « *vestu à la mode* des Isiaces de Anubis en Aegypte »

---

1. Dans sa réflexion sur la symbolique des couleurs, Alcofribas cite Bartole, juriste italien du xive siècle (*G.* IX, p. 72). Ce dernier est encore cité au *Tiers Livre* dans le passage sur l'arbitraire des noms (xIx, p. 140). Les deux problèmes sont étroitement liés. Bartole considérait que les armes étaient un simple moyen d'identification, comme les noms; dès lors chacun pouvait en choisir à son gré (cf. G. d'Haucourt et G. Durivault, *Le Blason*, PUF, rééd. 1970, p. 28 s.).
2. On notera que le motif héraldique est surdéterminé dans ces pages. La première mention des mots de gueule s'explique déjà par l'équivoque que le terme permet (on en dirait autant des « mots dorés »). On ajoutera que, dans le contexte guerrier (le combat de l'hiver précédent), le vocabulaire de l'héraldique ne surprend pas. Autre exemple (très) ponctuel de multiplication des significations.

(II, p. 41) [1]. D'un texte à l'autre, la distance est ainsi marquée. La fiction n'*est* pas (comme dans l'histoire de Thamous) une prophétie, elle est construite *comme* une prophétie. Dans l'épisode des paroles gelées, Pantagruel maintient tacitement l'exigence d'un plus haut sens. C'est lui qui met l'énigme *en forme de prophétie*. Une de ses hypothèses supposait l'existence de relations intramondaines mettant en communication le manoir de Vérité et le Siècle, et une comparaison décrivait la manière dont les Paroles tombent dans le Siècle : « comme tomba la rosée de Gedeon ». La référence, dans ce contexte, me paraît double. Référence biblique (*Livre des Juges* VI, 37), où c'est un signe de Dieu. Référence aussi, peut-être, à l'héraldique. Car la toison de Gédéon, c'est aussi la toison de Jason. Le premier chancelier de l'ordre de la Toison d'Or, qu'avait fondé en 1430 Philippe le Bon, avait en effet délibérément substitué à Jason Gédéon, plus digne de présider aux destinées de l'ordre [2]. La mention dans le même texte de la toison de Gédéon et des couleurs du blason n'est pas indifférente. Le signe emblématique est peut-être pour Pantagruel signe divin. A moins que, par un processus inverse, la fiction ne construise sa symbolique à l'image de la parole divine. L'opposition et le parallélisme entre l'épisode des paroles gelées et l'histoire de Thamous se retrouvent entre l'interprétation de Pantagruel et la « perception » qu'ont de ce langage ses compagnons.

Si l'on considère maintenant la face sonore de ce langage, on constate le même phénomène. D'un côté, en effet, le chant lugubre qui sort de la tête d'Orphée et la lyre qui l'accompagne « harmonieusement » « à l'impulsion des vents mouvens les chordes »; de l'autre, des paroles qui « rendoient son en degelant, les unes comme de tabours et fifres, les aultres comme de clerons et trompettes ». Ces voix « ensemblement fondues » sont une manière de *polyphonie* barbare où se mêlent aux instruments le « hourt et hannissements des

1. La précision est donnée dans le chapitre de l'escale à Medamothi. Sur ce chapitre, cf. l'article d'A. Huon, « Alexandrie et l'alexandrinisme dans le *Quart Livre* », ER, I, 1956, p. 99 s. On y trouvera des précisions sur le tableau représentant Tereus et Progné. Le narrateur explique : « Ne pensez, je vous prie, que ce feust le protraict d'un homme couplé sus une fille. Cela est trop sot et trop lourd. La paincture estoit bien aultre et plus intelligible. Vous la pourrez veoir en Theleme, à main guausche, entrans en la haulte guallerie » (*QL*, II, p. 39). C'est Ovide interprété « à plus haut sens ». L'article d'A. Huon replace ce fragment dans le contexte de la vogue de l'allégorisme. Je noterai que le sens de l'allégorie n'est pas donné. On est renvoyé à Thélème, peut-être à un « Faictz ce que vouldras ».
2. R. Marichal note le fait à propos d'un autre passage du *Quart Livre* (VI, 54). On peut aussi se reporter à G. de Tervarent, *Attributs et symboles dans l'art profane, 1450-1600*, THR, 1958, p. 379.

chevaulx à l'heure qu'on chocque ». Érasme opposait au vacarme de la nouvelle musique d'Église une musique convenant mieux à l'esprit. J.-C. Margolin cite le texte suivant, extrait des *Declarationes ad censuras facultatis theologicae parisiensis* :

> Ce que je stigmatise sous le nom de clameurs, ce sont ces chants qui aujourd'hui, détonant d'un rugissement rauque dans la plupart des églises et jusque dans les monastères, envahissent le lieu du culte si bien que *la multiplicité des voix* engendre une confusion qui ne permet plus d'en distinguer une seule. Ce que j'entends par murmure, ce sont des prières récitées avec précipitation, et sans aucune intelligence : c'est là, dis-je, murmurer plutôt que prier. Par le terme de bombardement, je désigne *ces sons proprement guerriers* émis par les orgues, les trompettes, les cors, les clairons et même les bombardes, puisque ces instruments sont également admis à la célébration du culte.

A ces instruments s'opposent la lyre et le luth du « divin Psalmiste », musique plus profonde que les « *hennissements* sonores des orgues »[1]. Il ne s'agit pas ici d'inventer des sources, mais de voir comment dans le texte rabelaisien différents *modèles* non linguistiques rendent compte de différents langages qui s'opposent ou se redoublent : l'hiéroglyphe et le blason, modèles « picturaux »; la polyphonie et la monodie, les instruments à vent et à percussion et les instruments à cordes, métaphores et modèles musicaux; le langage vu (simplement ouï) et le langage « entendu », qui sont ici en question. Et ces oppositions ont un rôle décisif dans l'organisation même du roman : ainsi, à la fin de l'épisode de Gaster, l'opposition établie entre « la musique triviale et vulgaire » et « la celeste, divine, angelique, plus absconse et de plus loing apportée » (*QL*, LXII, p. 252). Cela invite à *relire* tout ce qui précède.

L'épisode des paroles gelées « intériorise » ces jeux d'oppositions qui le mettent en relation avec l'histoire de Thamous. Par eux, ce langage, « linguistique », pictural ou musical, acquiert un statut équivoque. Est-ce qu'il ne « veut rien dire » ? est-ce une dérision, un triomphal éloge des mots de gueule ? ou bien un profond mystère ?

---

1. Cf. J.-C. Margolin, « Érasme et la musique », dans *Études Érasmiennes*, THR, CV, 1969, p. 85 s. (je souligne). On consultera, du même, *Érasme et la Musique*, Vrin, 1965. La traduction perd nécessairement des effets sonores du texte d'Érasme : « *sonitum pene bellicum, organorum, tubarum, cornuum, lituorum, atque etiam bombardorum...* » La convenance qu'Érasme exige de la musique d'Église « peut s'appliquer aussi bien à l'accord harmonieux des voix ou des instruments de musique, ou à un accord plus profond, d'ordre moral ou religieux, accord entre les esprits, accord entre le prêtre et les fidèles, accord entre Dieu et les hommes » (J.-C. Margolin, art. cit., p. 95).

La question est mal posée. Car la fiction a, nous l'avons vu, un *statut de prophétie.* Dans tous les cas, on n'aura la clef que plus tard. La référence à l'histoire de Thamous et à la parole divine a ici une *fonction* précise : elle permet de différer le moment où le texte prendra sens. Nous savons qu'il y a des solutions d'attente.

L'exigence allégorique a deux fonctions : elle entre dans un art de l'esquive par lequel l'écrivain déjoue les interprétations; elle instaure une relation fondamentale entre la parole poétique et la parole prophétique, la seconde servant de *référence* à la première. Cette référence à la prophétie permet de rendre compte d'un certain nombre d'éléments fondamentaux de la rhétorique rabelaisienne. Ainsi la juxtaposition de ces deux propositions : le lecteur est libre, mais il y a une bonne et une mauvaise lecture, ou de ces deux autres : je n'ai voulu dire que ce que j'ai dit, mais mon livre dit plus que ce que j'ai dit. La fiction se double ainsi d'une réflexion sur ce qui la rend possible et sur son prolongement, la lecture. Cette réflexion est liée, dans sa formulation, à une théologie et à une histoire; dans sa pratique, c'est elle qui fait qu'en quelque sorte, le texte « déborde ».

REMARQUES (V)

Tout se passe comme si le texte rabelaisien avait prévu *le long défilé des commentaires, des gloses et des interprétations qui l'a suivi. Le « passe-temps » et la « calomnie » ont eu leurs beaux jours; ils se sont ensuite civilisés en prenant des formes plus correctes : la lecture esthétisante, la lecture réaliste et ses variantes. Ni le « passe-temps », ni la « calomnie » ne sont d'ailleurs des lectures impertinentes. Il est plus qu'évident, par exemple, que Rabelais pratique l'allusion, le « mot couvert », et quelques autres perfidies de ce genre. Mais l'étonnant est cette mise en place, dans et par la fiction, d'une* machine *à défier les interprétations. L'allégorie rabelaisienne, c'est le surplus, le reste, l'à-venir, cet imprévu que le texte a aussi prévu.*

Le texte a prévu : la formule est pour le moins problématique. Elle vise simplement à insister sur la disponibilité *du texte. Il se peut que, dans le cas de Rabelais, cette disponibilité soit étroitement liée à une stratégie précise, justifiée par le moment historique. Mais si l'on parle d'histoire, je voudrais souligner que précisément, au XVIe siècle, la notion même d'interprétation est au cœur d'un débat religieux, philosophique, esthétique. Si bien que tenter d'esquisser une typologie des lectures possibles de Rabelais et de repérer comme en « creux » la place pour une lecture* infinie *qui fait de l'œuvre de Rabelais un* texte, *et qui joue sur la durée prévisible de l'*écrit *— donc sur l'avènement probable d'autres systèmes interprétatifs qu'il s'agit de déjouer — n'est pas une opération anhistorique. Une typologie des discours doit se doubler d'une typologie des lectures; une histoire des genres, d'une histoire de la lecture.*

Il s'agit de construire des modèles de lecture. Ces modèles peuvent avoir à utiliser des références diverses : linguistiques, picturales, musicales. Ils peuvent avoir à faire intervenir des codes herméneutiques reçus — l'exégèse biblique, dans le cas de Rabelais, la psychologie classique dans celui de Constant. La question est dès lors d'examiner comment ces références et ces codes sont mis en texte. Car c'est de cette opération que résulte l'efficacité (ou l'inefficacité) du texte. J'entends par là sa capacité à produire des lectures.

Une première condition à laquelle doit répondre le texte est de se couper de son origine : si la lecture est en effet le reflet inversé de l'écriture, elle s'arrête *précisément à cette origine (ou à ce qu'elle croit être l'origine) et le texte ne fonctionne plus comme tel. Quant aux autres conditions d'efficacité, on pourrait les classer en grandes catégories : le mécanisme promesse/déception (il y a un sens ultime, le texte est « initiatique » de quelque façon... mais l'interprétation est déçue, et l'on recommence); la technique du manque (il y a un « blanc » dans le texte, lieu où peuvent jouer les interprétations); le « cercle vicieux » (un discours renvoie à un autre, qui renvoie au premier...). Et sans doute bien d'autres procédures par lesquelles le texte nous questionne. C'est sa force.* Il la tient de nous.

L'effet littérature met en jeu plusieurs *types de discours qui se croisent, se rencontrent, se redoublent. La littérature* n'est *pas un espace homogène. Elle vit de son hétérogénéité, de ses ruptures, de ses manques. Elle a quelque chose ici du « discours citationnel »; elle oblige à un point de vue d'où l'on puisse* construire *une unité, mais aussi elle laisse place à diverses relations possibles entre ses « fragments », entre les différents discours qu'elle utilise. Elle contraint et laisse une marge de liberté, — ce qui n'est qu'une contrainte plus subtile. Une* rhétorique de l'effet *doit avoir pour tâche de décrire ces contraintes — y compris la « contrainte-liberté », celle-ci surtout —, d'en montrer l'ancrage historique (les références et les codes), de repérer les lieux où* peuvent se construire *les significations; significations variables, changeantes, qui sont partie intégrante du processus littéraire mais ne sont plus du ressort de l'analyse rhétorique. La rhétorique se retire ici, laissant la place aux interprétations, aux lectures dans leur diversité, qui vérifient et* éprouvent *le texte, c'est-à-dire le constituent véritablement comme tel* à chaque instant.

Épilogue

Sur une phrase de Montaigne

Il s'agira simplement de gloser la phrase suivante, qui se trouve être (ironiquement) l'épigraphe de ce travail :

> Un suffisant lecteur descouvre souvant és escrits d'autruy des perfections autres que celles que l'autheur y a mises et apperceües, et y preste des sens et des visages plus riches [1].

Quelques remarques préliminaires : il n'est pas question ici d'un lecteur quelconque, mais d'un « suffisant lecteur »; ses découvertes sont qualifiées de manières très positives (« perfections », « sens [...] et visages plus riches »); il ne s'agit pas non plus d'un écrit quelconque (« des perfections autres que *celles que l'auteur y a mises* »); enfin les découvertes n'ont pas lieu toujours, mais souvent. Bref, un écrit n'est pas généralement un prétexte à n'importe quelle construction de la part de n'importe quel lecteur.

Cette formule implique une série de dédoublements :
— de l'écrit (selon qu'il est « vu » par l'auteur ou par le lecteur)
— de l'auteur (auteur en tant qu'il a *mis* dans son écrit certaines perfections, lecteur en tant qu'il les a *aperçues*)
— du lecteur (le suffisant lecteur, l'auteur en tant que lecteur).
Dans deux de ces couples, un élément est valorisé : un « visage » de l'écrit est plus riche que l'autre; un lecteur, meilleur que l'autre. Par contre, entre l'auteur en tant qu'auteur et l'auteur en tant que lecteur, il n'y a de différence que de *fonction*. Ceci résulte d'une sorte de passage à la limite. Dans la phrase qui précède, en effet, Montaigne a écarté l'éventualité d'une différence réelle entre ce qu'un auteur *met* dans un texte et ce qu'il y *aperçoit* (il s'agit des œuvres poétiques et picturales) :

> [...] la fortune montre bien encores *plus évidemment* la part qu'elle a en tous ces ouvrages, par les graces et beautez qui s'y treuvent,

---

1. *Essais*, I, xxiv (« Divers evenemens de mesme conseil »). J'utilise l'édition P. Villey rééditée par V.-L. Saulnier, PUF, 1965. La phrase se trouve p. 127.

non seulement sans l'intention, *mais* sans la cognoissance mesme de l'ouvrier (je souligne).

L'intention, c'est « mettre »; la connaissance, « apercevoir ». Et il y a effectivement des cas (nous allons y revenir) où l'auteur aperçoit plus qu'il n'a mis — où un élément du couple est valorisé. Ils ne sont pas envisagés dans la phrase qui nous occupe parce qu'ils ne sont pas ceux qui mettent le mieux en évidence *la part de la fortune.* Cette part, essentielle, est ainsi peu à peu gagnée sur celle de l'auteur, *à son détriment.* Est-ce à dire que le lecteur *bénéficie* de cette opération ? Lorsque Montaigne parle des beautés qui « se trouvent » en ces ouvrages, il faut comprendre qu'elles y sont — même si personne ne les « trouve ». En bref, l'auteur est (n'est que) le porte-parole de la fortune; le lecteur en est (n'en est que) le témoin. Dans cette affaire, donc, le lecteur ne *gagne* rien d'autre qu'un rôle de témoin : il *vérifie* l'intervention de la fortune. Ce qui n'est pas négligeable, d'ailleurs, et demande quelque perspicacité.

Montaigne ne propose pas ici l'idée d'un pur mystère, d'un indicible, mais celle d'*un système d'échanges* précisément réglé. Un double partage (intention de l'auteur/connaissance de l'auteur; intention et connaissance de l'auteur/connaissance du lecteur) lui permet de définir les rôles respectifs de la fortune, de l'auteur et du lecteur.
Pour préciser la nature de ces partages, il faut remonter plus haut dans le texte :

> Les saillies poëtiques, qui emportent leur autheur et le ravissent hors de soy, pourquoy ne les attribuerons nous à son bon heur ? puis qu'il confesse luy mesme qu'elles surpassent sa suffisance et ses forces, et les reconnoit venir d'ailleurs que de soy, et ne les avoir aucunement en sa puissance : non plus que les orateurs ne disent avoir en la leur ces mouvements et agitations extraordinaires, qui les poussent au-delà de leur dessein. Il en est de mesme en la peinture, qu'il eschappe par fois des traits de la main du peintre surpassans sa conception et sa science, qui le tirent luy mesmes en admiration, et qui l'estonnent.

La poésie, l'éloquence et la peinture illustrent ici le premier partage (intention/connaissance de l'auteur), mais selon des modalités différentes. La succession des exemples est dynamique. Si l'on compare en effet le début du passage cité :

Les saillies poëtiques, qui emportent *leur autheur* et le ravissent hors de soy, *pourquoy ne les attribuerons nous à son bon heur?*

à sa fin :

[...] *il eschappe* par fois des traits de la main du peintre [...]

on voit que « surpasser » n'a pas le même sens à propos du poète et à propos du peintre. Il s'agit d'abord d'un surcroît de forces, ensuite, bel et bien, d'une dépossession. Le poète reste quelque peu *l'auteur* de ces étranges productions; le peintre, non. Retrait progressif du sujet. Dans le premier cas, une force extérieure *transforme* l'« ouvrier »; dans le second, elle s'y *substitue*, utilisant sa main. Dans le même sens, on notera une gradation dans la manière dont Montaigne expose le phénomène : on passe d'une hypothèse (« pourquoy ne les attribuerons nous... ? ») à l'affirmation d'un fait (« il eschappe... »). Tout le passage tend à exhiber l'exemple du peintre qui, dans la démonstration, est le plus pertinent.

C'est en effet cet exemple qui accuse le plus fortement l'opposition intention/connaissance. Chez le poète, le temps du ravissement et celui de la « confession » sont précisément distingués (l'un précédant l'autre), alors que le peintre est à chaque instant spectateur de « son » travail. Si, d'autre part, le langage critique du poète est de même nature que ses productions (la « confession » emploie le même matériel — verbal — que la réalisation technique), il n'en est évidemment pas de même en peinture. L'art pictural fait ainsi jouer simultanément les deux termes de l'opposition dans des ordres différents. Enfin, les termes d'intention et de connaissance ne peuvent avoir le même sens en peinture et en poésie. L'intention, c'est évidemment le dessein, mais elle implique la capacité de réaliser ce dessein, car elle ne peut être prise en considération dans cette problématique que si son achèvement est possible. Il est question de la « suffisance », des « forces », de la « puissance » du poète; de la « puissance » et du « dessein » de l'orateur; de la « conception » et de la « science » du peintre. On remarquera qu'à « dessein » ou « conception » (à intention au sens strict) ne correspond aucun terme dans le cas du poète. C'est dans le domaine de la poésie que le concept est le plus flou. Cette imprécision s'explique par la transformation du sujet dont j'ai parlé. Dès le moment où le poète est « ravi hors de soi », le concept d'intention est, en toute rigueur, inutilisable : s'agit-il de l'intention du poète hors de ce ravissement, ou de son intention en tant qu'il est « emporté » ? A l'opposition fondamentale intention/connaissance est substituée, de fait, une opposition capacité *(ordinaire)*/connaissance. En peinture, l'intention est étroitement liée à la technique (ce que marque la coordination des termes « conception » et « science ») : il est significatif qu'on parle de la main du peintre, alors qu'il n'a pas été question de la voix (ou de la plume ? j'y reviens) du poète. La « capacité » du peintre est la mieux repérable.

C'est pourquoi la peinture est ici un *modèle*. La fortune y intervient sans ambiguïté ; elle y a *sa part*, son rôle spécifique, en quelque sorte *sans mélange*. Est ainsi évitée une solution « facile », où tout s'expliquerait par une pure et simple transformation du sujet — le poète est inspiré, et il parle (ou écrit) comme tel.

On notera, en marge de cette analyse, que le « bonheur » du peintre consiste, *de fait*, en un *geste manqué*. Le « trait de génie » ne renvoie nullement à un dépassement, il ne s'inscrit pas dans une plénitude, il ne participe d'aucune positivité. Même si ses effets sont euphorisants, l'intervention de la fortune est d'abord une *perte*. Et il faut ici soigneusement distinguer le point de vue du spectateur, qui permet, *a posteriori*, de changer la perte en profit, de faire du plein avec du vide, et le point de vue de l'« óuvrier », où l'on n'a, d'abord, que l'expérience d'un manque. De plus, dans l'économie de cette argumentation, aucune possibilité n'est (pour l'instant) laissée de « récupérer » ce manque, de reverser au profit de la subjectivité du peintre, par quelque biais, le geste manqué ; comme si ce geste manqué ne pouvait être un acte manqué.

L'exemple du peintre sert de relais entre les deux temps de l'argumentation. Il fait passer du premier partage (intention de l'auteur/ connaissance de l'auteur) au second (intention et connaissance de l'auteur/connaissance du lecteur). Nous avons vu qu'il prépare le retrait définitif de l'auteur. Parallèlement, il permet de réinterpréter l'exemple de la poésie. Considérons en effet l'ensemble de l'argumentation : on commence par les « saillies poëtiques » et l'on finit par ce qui est appelé d'un terme neutre (!) « les écrits ». Dans ce contexte, l'écrit ne peut renvoyer qu'à la poésie, dès lors que l'art oratoire est évidemment oral. Quoi qu'il en soit, l'exemple de l'éloquence est formellement intégré à celui de la poésie (« [...] *non plus que* les orateurs ne disent avoir en *la leur* [...] ») : l'absence d'autonomie syntaxique est évidemment remarquable. Mais l'*écrit* a ceci de commun avec la peinture qu'il est perçu par la vue. Le lexique de la vue est réutilisé avec le verbe « apercevoir » et le substantif « visages » (aspects) dans la phrase dont je suis parti. Le *modèle* pictural donne ainsi une série métaphorique descriptive du rapport de l'écrit au lecteur. On schématisera l'organisation du passage de la manière suivante :

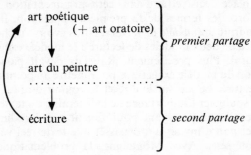

A suivre d'un peu près la logique de ce texte, on rencontre un curieux problème. L'écrit est conçu comme un objet susceptible d'être perçu selon différents *points de vue*. Si l'art pictural fournit la métaphorique de la vision, ce serait alors de façon très superficielle. On ne peut en effet parler des différents « visages » d'un tableau, sinon *déjà* par métaphore ; la variété des apparences, ou la variation des points de vue appartient, littéralement, non à la peinture, mais à la sculpture. Mais peut-être faut-il considérer une technique picturale particulière : l'anamorphose [1]. Dans cette technique, on le sait, l'« intention » du peintre est que le spectateur se place à tel ou tel endroit précis, regarde le tableau selon tel *point de vue*. On peut compliquer la « machine » : ainsi le double point de vue des *Ambassadeurs* d'Holbein, où l'on ne peut voir *en même temps* les personnages et le crâne. L'écrit serait une manière d'anamorphose, supposant deux points de vue : celui de l'auteur (disons une vision de face) et celui du lecteur (disons une vision oblique).

La fortune peindrait ainsi, dans le tableau, un (autre) tableau que, dans les cas extrêmes, seul le « lecteur » pourrait voir. La tentation de l'auteur peut dès lors être de *s'approprier* cette production, de se faire attribuer les mérites de la fortune. C'est ici qu'on s'engage dans une stratégie propre à Montaigne.

1. Les premiers textes théoriques sur cette technique datent des années 1530. Le fameux tableau d'Holbein est de 1533.

On a peut-être ici l'origine (une origine) littéraire du problème théorique des visions. On se référera à l'article « Visions » de Todorov dans sa *Poétique*, qui esquisse un parallèle entre modèle pictural et modèle littéraire et cite les procédures anamorphiques (p. 57-58); « distorsion entre le point de vue inhérent à l'œuvre et le point de vue le plus fréquent ». Ici, on le verra, Montaigne renverse les perspectives.

Avant d'entrer dans le détail de cette stratégie, il convient de s'interroger sur la place décisive faite dans cette argumentation à l'exemple pictural. Il force les termes de la première opposition, il prépare la seconde, il fournit un *modèle de lecture*. Nous avons vu chez Rabelais la concurrence de deux modèles de lecture : le modèle exégétique et le modèle pictural. Plus précisément, Rabelais devait passer par une transformation du modèle exégétique pour mettre au point un nouveau modèle de lecture. Le jeu sur le dire et le vouloir-dire lui permettait, au terme, de souligner l'importance de la littéralité du texte, l'exigence d'une lecture allégorique ayant pour fonction de produire une lecture infinie, et non d'inviter à « dépasser » le texte réel vers un autre qui serait son sens. Avec Montaigne, la problématique est toute différente. Entre la boîte de Rabelais et le tableau de Montaigne, il y a une modification profonde des perspectives. D'un côté, un volume ; de l'autre, une surface. Pour dire les choses autrement : d'un côté, un sens caché par un écran — un texte derrière un autre ; de l'autre, des configurations différentes sur un même plan. Il faut insister sur le fait que, dans les deux cas, la difficulté est d'assurer une dynamique de la lecture, de lui donner la possibilité de parcours infinis. Mais les solutions sont différentes : c'est le plus haut sens chez Rabelais, la vision oblique chez Montaigne. Montaigne fait l'économie du détour par la tradition et gomme toute référence au modèle exégétique. Il invente peut-être ici un « mode de signification » tout à fait nouveau.

L'essai d'où sont tirés ces propos développe l'ensemble du projet non dans sa dimension esthétique, mais *par le biais* de considérations éthiques — résurgence ici de la voie (ou de la vue) oblique, comme il se doit. Il commence par une comparaison entre deux actes de clémence : François de Guise, averti d'une « entreprise qu'on faisoit à sa vie » et rencontrant l'organisateur du complot, lui pardonna pour lui montrer la « douceur » de cette religion catholique que les comploteurs haïssaient en sa personne ; Auguste, averti de la conjution de Cinna, le fit venir et lui pardonna pour assurer sa sécurité et servir sa gloire. Auguste fut récompensé de sa clémence, mais François de Guise ne le fut pas de sa douceur : il « cheut depuis aux lacs de pareille trahison ».

> Tant c'est chose vaine, et frivole que l'humaine prudence; et au travers de tous nos projects, de nos conseils et precautions, la fortune maintient toujours la possession des evenemens [1].

Le problème posé est celui de l'attitude à tenir en de tels cas. Avant que ne soit donnée une réponse, trois exemples (ou ensembles d'exemples) sont proposés : la médecine, les « activités artistiques », les armes. Il va de soi (pour Montaigne) que la médecine est un domaine où la fortune joue un rôle prépondérant — occasion pour lui de dire qu'il « laisse faire nature » sans recourir aux « medecines ». Viennent ensuite la poésie, l'éloquence, la peinture, dont nous avons parlé, présentées par la formule suivante : « Or je dy que, non en la medecine seulement, mais en *plusieurs arts plus certaines*, la fortune y a bonne part » (je souligne). Enfin, les « entreprises militaires » :

> [...] quand je me prens garde de prez aux plus glorieux exploicts de la guerre, je voi, ce me semble, que ceux qui les conduisent, n'y emploient la deliberation et le conseil que par acquit, et que la meilleure part de l'entreprinse ils l'abandonnent à la fortune, et, sur la fiance qu'ils ont à son secours, passent à tous les coups au-delà des bornes de tout discours. Il survient des allegresses fortuites et des fureurs estrangeres parmy leurs deliberations, qui les poussent le plus souvent à prendre le party le moins fondé en apparence, et qui grossissent leur courage au-dessus de la raison.

Laissons de côté pour l'instant l'ensemble qui nous occupe. On pallie l'incertitude de la médecine en laissant faire la nature, en « présupposant » qu'elle a de quoi se défendre, qu'elle est armée « pour maintenir cette contexture, dequoy elle fuit la dissolution ». Dans l'art de la guerre, on fait confiance à la fortune. Dans les deux cas, on présuppose que ce qui arrivera sera bon. On a quelque *raison* pour ce qui est de la nature, dans la mesure où elle cherche nécessairement sa propre préservation; c'est folie dans l'art de la guerre, mais cette folie est auto-persuasive : elle provoque chez le chef militaire une excitation et une audace capables de lui donner effectivement la victoire. Il reste qu'il doit dissimuler cet abandon à la fortune en *motivant* ses opérations par « la deliberation et le conseil ». Ou bien :

> [...] il est advenu à plusieurs grands Capitaines anciens, pour donner credit à ces conseils temeraires, d'aleguer à leurs gens qu'ils y estoyent conviez par quelque inspiration, par quelque signe et prognostique.

1. *Loc. cit.*, p. 127.

L'inspiration est un alibi, comme est un alibi le recours à la délibération. La vraie décision est aveugle. On joue la carte de la fortune, puisqu'en dernier ressort c'est elle qui décide.

Or, la conclusion tirée de toutes ces réflexions déplace le problème :

> Voylà pourquoy, en cette incertitude et perplexité que nous aporte l'impuissance de voir et choisir ce qui est le plus commode, pour les difficultez que les divers accidens et circonstances de chaque chose tirent, le plus seur, quand autre consideration ne nous y convieroit, est, à mon advis, de se rejetter au parti où il y a plus d'honnesteté et de justice; [et puis qu'on est en doute du plus court chemin, tenir toujours le droit] : comme, en ces deux exemples que je vien de proposer, il n'y a point de doubte, qu'il ne fut plus beau et plus genereux à celuy qui avoit receu l'offense, de la pardonner, que s'il eust fait autrement [1].

Je dis que le problème est déplacé, car si François de Guise et Auguste ont fait le bon choix, c'est, dans la perspective des réflexions qui précèdent, parce qu'ils ont fait confiance à leur bonne fortune. Mais ces actes sont ici « moralisés » : « le parti où il y a plus d'honnesteté et de justice ». Pour reprendre un mot proposé par Montaigne, il se trouve que le choix *téméraire* est un choix *juste*. Heureux hasard. Car enfin, dans l'art de la guerre, c'est l'immotivation du choix qui est valorisée, non pour elle-même, mais parce que le choix immotivé a le plus de *chance* de coïncider avec l'action de la fortune. La question est ici posée autrement : si le chef de guerre agit « par prudence » il perdra peut-être la bataille (et encore peut-il la gagner), mais il la perdra sans perdre sa réputation de prudence; s'il la perd par témérité, il perd *aussi* cette réputation [2].

Il n'y a qu'une manière, à mon sens, de lever cette contradiction. Ce que j'appelle (un peu cyniquement) un heureux hasard est prévu par la *stratégie* de l'ensemble du texte de Montaigne. On peut en effet, en restant fidèle à cette stratégie, déplacer le problème : lorsque le grand capitaine a gagné la bataille, on n'attribue pas sa victoire au hasard, mais à sa « prudence » ou à son « inspiration », on la *motive*, qu'on le considère comme particulièrement sage, ou qu'on le considère comme un élu des dieux; *de la même manière*, François de Guise et Auguste ont fait acte de clémence : on dira que c'est par « honnêteté » et désir de « justice ». « [...] le plus seur, *quand autre considération ne*

---

1. *Loc. cit.*, p. 128. Le passage entre crochets est une addition de 1582.
2. On pourrait objecter que la témérité est dans tous les cas une valeur pour l'homme de guerre. Il n'empêche que « Voylà pourquoy » met en rapport direct l'art politique et l'art de la guerre (ainsi que quelques autres).

nous y convieroit, est [...] de se rejeter au parti où il y a plus d'honnesteté et de justice » (je souligne). Ce choix n'est pas directement guidé
par des considérations morales, mais par la considération de l'*effet* à
produire [1]. A la fin du même paragraphe : si François de Guise n'avait
pas été clément, il aurait pu être pareillement tué et « [il] *eust perdu
la gloire d'une si notable bonté* ».

L'addition « puis qu'on est en doute du court chemin, [le plus seur
est de] tenir tousjours le droit » nous permet de revenir à la question
du rôle de la fortune dans les activités artistiques. Cette addition joue
évidemment des deux sens (géométrique et moral) du mot « droit ».
Tenir le droit chemin est un palliatif de tenir le court chemin. Ce
précepte vaut *a priori* dans le domaine esthétique puisque, nous
l'avons vu, la peinture, l'éloquence ou la poésie sont des activités
parmi d'autres, telles que la médecine ou la guerre. L'auteur qui sait
le rôle de la fortune, va l'utiliser : il va inventer un mode d'écriture tel
que, dans tous les cas, il y gagnera : jouer *par avance* de la variation
des points de vue du lecteur. Deux principes, donc : il est impossible
de prévoir la lecture qui sera faite; dans ce cas, le mieux est de suivre
« le droit chemin ». Suivre le court chemin serait tenter de prévoir la
manière dont on va être lu : une utopie; suivre le droit chemin sera
« simplement » écrire ce qu'on a envie d'écrire. Mais sans jamais
affirmer une *intention*. Ainsi le fameux texte :

> (1) Mes fantasies se suyvent, mais par fois c'est de loing, et se
> regardent, mais d'une veuë oblique [2].

et plus loin :

> (2) Le poëte, dict Platon, assis sur le trepied des Muses, verse de
> furie tout ce qui luy vient en la bouche, comme la gargouïlle
> d'une fontaine, sans le ruminer et poiser, et luy eschappe des
> choses de diverse couleur, de contraire substance et d'un cours
> rompu [3].

1. Auguste est conseillé par « Livia, sa femme », qui le décide en ces termes :
« Fais ce que font les medecins, quand les receptes accoustumées ne peuvent
servir : ils en essayent de contraires. Par severité tu n'as jusques à cette heure rien
profité [...] Commence à experimenter comment te succederont la douceur et la
clemence. Cinna est convaincu : pardonne luy; de te nuire desormais il ne pourra,
et profitera à ta gloire » (p. 125-126).
2. III, IX, (« De la vanité »), p. 994.
3. *Loc. cit.*, p. 995.

La proposition (2), c'est l'absence d'intention; la proposition (1), c'est la connaissance. La juxtaposition de ces deux propositions donne une *rhétorique* par laquelle, finalement, l'écrivain *profite* de la fortune. La « veuë oblique » renvoie au modèle implicite de l'anamorphose : tout point de vue (oblique) à partir duquel le texte se réorganise dans une quelconque cohérence, est (passe pour) une construction de la lecture prévue par l'écriture où s'affirme en effet l'existence d'une bonne perspective, mais sans qu'on dise laquelle. Et s'il y en a plusieurs ? Ce sont les lecteurs qui polémiqueront. Le poète, en effet, a parlé de furie « sans ruminer ni poiser »; il s'est mis hors du jeu des interprétations en le provoquant. La phrase dont nous sommes partis était *a priori* une aporie pour l'écrivain. On en sort ici par un coup de force.

La référence à Platon et à la théorie de l'inspiration sert moins à dignifier le poète qu'à justifier ce qu'on pourrait appeler sa désinvolture, voire sa négligence. De fait, elle met en évidence cette vérité incontournable, que le livre est *là*, comme il est, matériau brut, sans organisation apparente, sans garde-fous. A construire, finalement; *à lire* : mais pas de n'importe quelle manière : au bénéfice de sa cohérence. Sujet banal d'un discours banal, Montaigne attend de la « diligence » du lecteur que ses gestes manqués soient mis au *profit* de son écriture.

Notre phrase [1] ne renvoie pas à une subjectivité de la lecture, comme il aurait pu sembler. Elle ne vise pas un inconscient avant la lettre. Elle invente l'objet livre, désoriginé et *offert*.

---

1. Je dis *notre* à dessein, évidemment.

Table

IMP. MAME À TOURS

D.L. 3e TR. 1977 No 4670

DANS LA MÊME COLLECTION